最新・心理学序説

本明　寛 監修

久保田圭伍・野口京子　編集

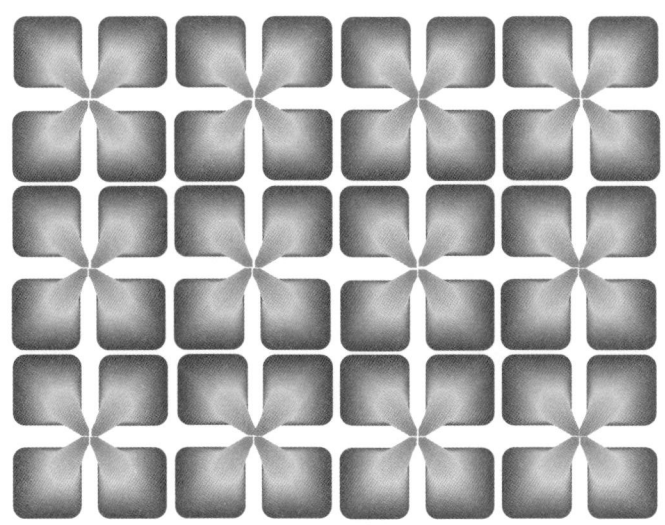

金子書房

まえがき

　心理学（psychology）という言葉はギリシャ語の psyche と logos からつくられたもので，psyche は英語の soul, mind にあたる。logos は学問的研究を意味するから，psychology は「心の研究」と訳することができる。昔の心理学は"心"や霊魂をとりあげ，その研究方法も思索的・主観的なものであったが，今日の心理学の研究対象は生活体（living organism）の行動（behavior）である。心理学者は人間（生活体）の複雑な行動を決定している原因，条件，プロセスなどについて解答を与える役割をもつ。

　2000年に IUPsyS（International Union of Psychological Science）が中心になって世界的規模で心理学の知識と研究成果を一冊の大著 *The international handbook of psychology* にまとめた。21世紀を迎えるにあたり，あらゆる国の人々の心理学，すなわち人間の行動とその経験（human conscious experience）に関する知識について，大局的な展望を提示している。

　よく考えてみると，隣接の「人間に関する諸科学」もほとんど同じ道を前進していることも事実である。例えば，ホリスティック・メディシンという言葉は日本においてもいわば常識化してきているし，クオリティ・オブ・ライフ（QOL）は新聞の広告に載っている言葉でもあるくらいである。

　より総合的，全体的，そして量から質への転換というのは，新しい心理学の独創ではない。広く人間の「生き方」「生きる力」の新しい指針にすぎない。実験箱から広い人間生活の場へ，そして，人生という歴史的，過程的条件の中で人間を見直そうとする試みが，新しい「健康」と「幸福」の科学であるとみたい。

　心理学といってもヴント（Wundt, W.）が1879年に心理学の実験室を開設してからわずかに120～130年の歴史をもつにすぎない。ヴントの心理学はいわば感覚・知覚の新しい情報獲得のための手段として出発した。今日でも，大学の心理学科で学ぶ学生の最初の実験室の授業はここから始まる。

　20世紀初頭の科学主義は対象への接近の仕方として単純化，抽象化，数量化

に主点がおかれていた。特にワトソン（Watson, J. B.）の行動主義の台頭により，この心理学における思想は強化され，S－R（刺激－反応）の探索に一時期熱中した。こうした傾向，すなわち単純な科学主義，人間を忘れた科学主義が今日でも一部の学者の間では重視されている。

　1999年来日したラザルス（Lazarus, R. S.）は，「ストレスは情動の一部である」という新しい情動論の講演の最後の言葉として，「これまでの長い間，心理学者は，あまりにも物理学者の（人間の要因が介在しない）方法論（ストレッサー→ストレス）を見習って，対処を可能にしている人間がもつ調整力（human adaptation）という重要な資質に注目した方法論（ストレッサー→対処→ストレス）を無視してしまったのである」と述べている。セリエ（Selye, H.）以来ストレス学は「ストレッサー（刺激）－ストレス反応（反応）」の図式が用いられてきたが，ラザルスは反応にあたる概念をコーピング（人間の対処）とした。ラザルスはストレスの概念を問題中心の対処，情動中心の対処とに分け，それらはその当人の受けたストレスへの意味づけで，どちらも利用されるとした。彼はいわゆる「人間」の主体性，主観性という事実に視点を向けたのである。さらに，ラザルスは1999年の日本講演（日本健康心理学研究所主催）の最後に，対処と文化の問題をとりあげ，「人間」の研究に文化性（日本文化，アメリカ文化）を重視すべきだと述べた。彼は今日世界の人間科学が文化（culture）をとりあげる意義も，具体的にストレス研究で立証してきたのである。

　ワトソン流の極端な「行動主義」は，まもなく改変されたが，同時に「人間」「人間主義」「人間実存」という言葉が心理学の研究に大きな見出しで現れる。ジョージ・ミラー（Miller, G. A.）は「人間は刺激に対して反応するのではなく，刺激だと思ったものに対して反応する」という格調の高い発言をしている。行動主義者たちの「刺激－反応」という行動分析の単位も，複雑な人間の心を理解するのには十分なものではなかった。眼を見張るような物理・化学の研究成果を見ると，行動の科学者たちもそれに魅力を感じただろう。そこに人間研究の落とし穴があった。ジョージ・ミラーは第二次世界大戦後の心理学の飛躍的発展の源泉として，心理学がタブー視していた「目的」と「期待」という概念を取り入れたことであると述べている。また三段論法的な論理に対し，

人間性の論理という言葉も使われるようになった。ともかく，「自動販売機にお金を入れれば出てくる」ように人間の「行動」を考えてはならないのである。

アメリカに台頭した極端な行動主義者たちに対する批判は，大きい反動を引き起こした。それは主観的経験に対して新しい視点から価値を与えようとする人たちである。ブルーナー（Bruner, J. S.）はその一人といえるだろう。実証主義，客観主義によって，心理学の研究は狭められ，制限され，人間の心へ迫る方法を失いかけていた時代に，ブルーナーは新しい切り口，すなわち認識能力，情報処理能力から，人間の主観的経験に光を与えたのである。彼によれば主観的経験を外界に映し出して，「物理的世界」を説明する方法と，同じ主観的経験を内側に映し出して，人間の「感覚や知覚がつくりあげた世界」として示す方法とがあるという。前者は物理学，後者こそ心理学だと主張した。私たちの世界は人間の認知過程を通して生じたものだとするところに新しい研究の切り口が生まれた。

限界と制限の中で，行動主義的客観性をその唯一の原理とすることがすべて誤りだとはもちろんいえない。しかし，1980年代以降にみられる主観主義的な立場に多くの心理学者が関心をはらっていることも事実である。要はより深く人間の複雑さを解明し，人間が健康と幸福の道を歩めるように示唆と指導を誤らないことにつきる。

2000年の8月に，日本健康心理学会は「アジア健康心理学会」の発足のための国際会議を開いた。アメリカ心理学会，ヨーロッパ心理学会のリーダーの心理学者にお集まりいただき，盛大な大会を開くことができた。その折，アメリカ心理学会の「健康心理部会」の初代の会長マタラッゾー（Matarazzo, J. D.），国際応用心理学会会長スピールバーガー（Spielberger, C. D.）らの講演の中で，"positive psychology" 概念がとりあげられた。このポジティブ・サイコロジーという言葉は『アメリカン・サイコロジスト』『サイコロジー　トゥディ』『モニター・オン・サイコロジー』誌の特集記事（いずれも2000年にとりあげている）になっている。この言葉が21世紀を迎えた時点で特に大きな問題となったのは，セリグマン（Seligman, M. E. P.）が過去30年間の心理学の論文の多くがネガティブな人間の傾向について書いたものであったと指摘したことからである。心理学者はもっと人間の明るい面，楽しい面，すなわちポ

ジティブな心理状態をとりあげるべきだと警告したことである。『モニター・オン・サイコロジー』誌の2000年の7・8月号で"The Templeton Positive Psychology Prize"が発表になり，4人の学者が受賞している。そのポジティブ・サイコロジーの内容は「ポジティブ情動」「オプティミズム」「感謝」「ポジティブ思考」「幸福感」等であった。ここで2つの問題が提起されている。第一は人間のもつポジティブな側面，能力を自覚させ，健康と幸福に接近させること，第二は「ネガティブな状態」を改変する，もとの状態にかえすのではなく，よい面の自覚を強化し，より人生を豊かにすることである。

「アジア健康心理学会」の発足時にこのような人間の「豊かさ」「幸福」「健康」へのポジティブな発展をとりあげたことは，きわめて大きな反響を日本人に与えたように思うのである。またこの国際会議を通して，「文化」が論じられたことはいうまでもなく，人間は社会的存在であること，人間の生物学的，社会的特質を改めて「文化」というキャッチフレーズを通してお互い再確認することもできた。

心理学が「人間」に焦点を集めているというのは，人間の集まりである社会を当然その考察の対象としていることはいうまでもない。心理学が取り組みつつある問題は，犯罪，疾病，教育の場における問題のみでなく，広く生態系，人口，資源，政治・経済システムにおける問題といったものに関心をはらわざるをえない。それが21世紀を迎えた心理学のあるべき姿であろう。

ところで，心理学とは何であろうか？　これまでの説明によると，とても心理学は難しい学問のように思われるかもしれない。学問体系の中で心理学の位置や機能を考えてみると，上述のようなプロセスをたどってきたものであることは事実である。しかし，視点を変えてみるならば，「人間」とは実は「私」自身のことなのであり，主観的体験などといわなくても私たちの日常生活がそれであり，毎日の報道による事件を考えるときの発想は，心理学といえないことはない。「どうして少年が実父母を殺した？」と新聞の記事を読みながら考えるだろう。そして，大学受験浪人であったその少年は多分ストレスが重くのしかかっていただろう。また，直接的動機は母親から叱られたことらしい？といった新聞の説明にうなずいたりする。行動を決した背後の動機について考えるとき，誰もが心理学者になっている。誰もが生活の中で体験するこの事実

こそ心理学上の問題なのである。素人心理学者はいくらもいるのである。だから，遺伝子学とか，大脳生理学とかという学問とは違っている。では素人心理学者と専門的心理学者の違いはどこにあるのか？　ということになる。ここではじめて，学問としての目標，体系，方法等が問題になってくる。心理学には心理学の研究方法，問題の探究の仕方がある。本書がその入門の扉をたたく第一歩となることを願っている。

　2002年1月

監修者　本明　寛

目　　次

　　　　まえがき　i

序章　心理学とその展望 …………………………………………1
1節　心理学研究の意義と原則 ……………………………………1
　　　1．観察と記述　2．説明　3．予測　4．制御
2節　心理学研究の分野 ……………………………………………8
　　　1．実験心理学・生理心理学　2．発達心理学・社会心理学
　　　3．臨床心理学・カウンセリング心理学　4．教育心理学
　　　5．産業心理学・人間工学心理学　6．健康心理学
3節　心理学の方法――心理的アセスメントについて …………14
　　　1．実験・観察・面接　2．アセスメントの目的
　　　3．アセスメントの方法
4節　心理学研究の立場 ……………………………………………18
　　　1．精神分析的アプローチ　2．行動主義的アプローチ
　　　3．人間性心理学
　　☞さらにもう一歩先へ

Ⅰ部　心理学の基礎理論

1章　感覚と知覚 ……………………………………………………27
1節　感　覚 …………………………………………………………27
　　　1．感覚の性質　2．視覚
2節　知　覚 …………………………………………………………31
　　　1．知覚の特性　2．形の知覚　3．空間の知覚
　　　4．運動の知覚
　　☞さらにもう一歩先へ

2章　認　　知……………………………………………43

1節　言　　語……………………………………………43
　　1．言語の獲得　　2．チョムスキー文法と心理言語学
　　3．言語と思考・文化　　4．言語と脳

2節　思　　考……………………………………………48
　　1．思考研究の動向　　2．推論　　3．意思決定と判断
　　4．問題解決　　5．創造的思考　　6．思考のコンピュータ・シミュレーション

3節　記　　憶……………………………………………51
　　1．記憶研究の動向　　2．記憶の基本的過程　　3．忘却
　　4．二重貯蔵モデル　　5．処理水準モデル　　6．作業記憶モデル
　　7．スキーマ理論　　8．意味記憶モデル　　9．注意
　　10．イメージ　　11．記憶の区分

4節　情報処理モデル………………………………………58
　　1．認知と情報処理　　2．計算論的アプローチ　　3．意味ネットワークモデル　　4．ACT　　5．PDPモデル

☞さらにもう一歩先へ

3章　条件づけと学習……………………………………64

1節　行動の原理としての条件づけ………………………64
2節　「古典的条件づけ」と「オペラント条件づけ」……64
　　1．古典的条件づけ　　2．オペラント条件づけ
3節　社会的学習…………………………………………72
　　1．代理経験　　2．強化理論と媒介理論　　3．社会的学習理論
4節　学習理論の応用……………………………………77
　　1．学習理論の適応領域　　2．行動療法

☞さらにもう一歩先へ

4章　動機づけ……………………………………………80

1節　生物的動機…………………………………………80
2節　社会的動機…………………………………………81

3 節　目　　　標 …………………………………………………82
　　4 節　動機づけにかかわる問題 ……………………………86
　　　　　1．フラストレーション　2．コンフリクト
　　　☞さらにもう一歩先へ

5 章　情　　　動 ……………………………………………………88
　　1 節　情動とは何か ……………………………………………88
　　2 節　情動の分類 ………………………………………………90
　　3 節　情動の特質 ………………………………………………91
　　　　　1．情動は身体的感覚か　2．情動は一時的な状態をいうのか
　　　　　3．情動は学習されたものか　4．情動の表出（表情）には文化的差
　　　　　があるのか
　　4 節　情動の機能 ………………………………………………97
　　　☞さらにもう一歩先へ

6 章　発　　　達 ……………………………………………………100
　　1 節　発達のとらえ方 …………………………………………100
　　2 節　発達のメカニズム ………………………………………103
　　　　　1．遺伝と環境　2．初期経験　3．連続と段階
　　3 節　発達理論 …………………………………………………106
　　　　　1．ピアジェの思考の発達段階論　2．ヴィゴツキーの発達＝文化獲
　　　　　得理論　3．エリクソンの自我発達の漸成原理
　　4 節　ライフコースにおける発達の特徴 …………………112
　　　　　1．胎児　2．新生児　3．乳児　4．幼児　5．児童
　　　　　6．青年　7．成人　8．老年
　　　☞さらにもう一歩先へ

7 章　パーソナリティ ……………………………………………121
　　1 節　パーソナリティとは何か ………………………………121
　　2 節　パーソナリティの理論 …………………………………122
　　　　　1．類型論　2．特性論　3．精神分析的力動理論

         4．人間学的理論
　3節　パーソナリティの形成要因……………………………………………138
         1．環境的・外的要因　　2．遺伝的・内的要因
　☞さらにもう一歩先へ

8章　知　　能……………………………………………………………142
　1節　知能の構造と形成………………………………………………………142
         1．知能の構造　　2．知能の発達と形成
　2節　知能の評価と診断………………………………………………………146
　☞さらにもう一歩先へ

9章　社会心理と行動…………………………………………………148
　1節　社会的認知………………………………………………………………148
         1．対人認知に関する研究　　2．対人関係の認知に関する研究
         3．帰属理論
　2節　社会的態度………………………………………………………………151
         1．態度と行動の関係　　2．直接経験に基づく態度変容
         3．社会的学習に基づく態度変容　　4．説得的コミュニケーション
　3節　集　団　行　動…………………………………………………………155
         1．他者の存在　　2．集団の意思決定　　3．集団規範と同調行動
　4節　集　合　行　動…………………………………………………………158
         1．群集の制御　　2．流言
　☞さらにもう一歩先へ

10章　文化の心理………………………………………………………164
　1節　発達と文化………………………………………………………………164
         1．発達における文化の役割　　2．乳幼児の就寝形態
         3．愛着の比較文化研究
　2節　ジェンダーと文化………………………………………………………167
         1．ジェンダーとパーソナリティ　　2．性同一性と思春期拒食症
　3節　文化とパーソナリティ…………………………………………………171

 ☞ さらにもう一歩先へ

11章 脳 と 心 ……………………………………………… 173
 *1*節 大脳の働きと機能の局在 ……………………………… 173
   1．視覚野と聴覚野　2．運動野と体性感覚野　3．言語野
   4．連合野と情報の統合
 *2*節 前頭連合野と性格 ……………………………………… 177
 *3*節 左脳と右脳の働き ……………………………………… 180
 *4*節 2つの心と一人の私 …………………………………… 182
 *5*節 眠りと夢 ………………………………………………… 183
   1．ノンレム睡眠とレム睡眠　2．ノンレム睡眠の夢，レム睡眠の夢
   3．動物の夢と夢幻様行動

 ☞ さらにもう一歩先へ

12章 生　　理 …………………………………………… 188
 *1*節 心を測る生理指標 ……………………………………… 188
   1．脳波　2．瞳孔変化　3．皮膚電気反応　4．心拍数
   5．脈波　6．呼吸　7．バイオフィードバック
 *2*節 健康とストレス ………………………………………… 193
   1．ストレス反応の生理　2．対処反応　3．精神免疫学
 *3*節 スポーツの心理効果 …………………………………… 197
   1．生理心理学的な研究　2．生化学的な研究

 ☞ さらにもう一歩先へ

II部　心理学の応用

13章 臨床心理学 ………………………………………… 205
 *1*節 臨床心理学とは何か …………………………………… 205
   1．臨床心理学の目的　2．臨床心理学の方法
   3．臨床心理学と物語
 *2*節 臨床心理学の理論 ……………………………………… 210

　　　　1．精神分析　　2．行動主義心理学　　3．人間性心理学
　　　　4．コミュニティ心理学
　　3節　臨床心理学的アセスメント……………………………………213
　　　　1．心理アセスメント　　2．査定面接　　3．心理検査法
　　　　4．行動観察法
　　4節　臨床心理学的援助の方法…………………………………………215
　　　　1．精神分析療法　　2．行動療法　　3．来談者中心療法
　　　　4．交流分析　　5．危機介入　　6．コンサルテーション
　　　☞さらにもう一歩先へ

14章　健康心理学……………………………………………………226
　　1節　健康心理学の課題と役割…………………………………………226
　　　　1．健康心理学の台頭　　2．健康心理学の役割・特徴
　　2節　ストレスとパーソナリティ………………………………………230
　　　　1．健康とパーソナリティ　　2．健康とストレス
　　3節　健康行動と生活習慣………………………………………………233
　　　　1．危険因子とその予防　　2．生活習慣病の予防　　3．健康教育
　　4節　健康心理カウンセリング…………………………………………237
　　　　1．健康心理カウンセリングとは　　2．健康心理カウンセリングの理
　　　　論的立場　　3．健康心理カウンセリングのプロセス　　4．心理アセ
　　　　スメントの評価と結果の伝え方
　　5節　健康心理学の発展…………………………………………………241
　　　　1．21世紀の健康心理学　　2．健康心理学の主要概念
　　　☞さらにもう一歩先へ

15章　教育心理学……………………………………………………244
　　1節　教育心理学とは……………………………………………………244
　　　　1．教育心理学とは何か　　2．応用心理学の立場
　　　　3．独自の教育科学をめざす立場
　　2節　発　達　心　理……………………………………………………246
　　　　1．レディネス　　2．認識の発達と教育　　3．発達概念の拡大

3節　教授・学習……………………………………………………249
　　1．学習心理学　2．教授＝学習過程　3．学習の相互作用モデル
　　4．授業の展開と学習指導
4節　パーソナリティ・適応………………………………………252
　　1．パーソナリティ形成　2．適応と不適応
5節　教育評価………………………………………………………256
　　1．教育評価の歴史的展開　2．相対評価と絶対評価
6節　教育の現状と教育心理学……………………………………258
　　☞さらにもう一歩先へ

16章　産業・組織心理学……………………………………259
1節　人事管理………………………………………………………259
　　1．産業心理学の誕生と発展　2．人事管理のサイクル
　　3．人事管理における心理学的諸課題
2節　産業界の再訓練………………………………………………266
3節　モラールとリーダーシップ…………………………………267
　　1．モラール　2．リーダーシップ
4節　作業能率………………………………………………………270
5節　消費行動………………………………………………………272
　　☞さらにもう一歩先へ

17章　心理アセスメント……………………………………273
1節　心理アセスメントとは………………………………………273
2節　心理アセスメント法の種類と特徴…………………………274
　　1．観察法　2．面接法　3．心理検査法　4．調査法
3節　心理アセスメント法が用いられる場面と対象……………279
4節　心理アセスメント法の意義と役割…………………………280
　　1．情報性　2．弁別性　3．予測性　4．刺激性・治療性
　　5．科学性・客観性
5節　心理アセスメント法の基本条件……………………………282

1．妥当性　　2．信頼性　　3．実用性
  6節　心理アセスメント法の実施と解釈上の留意点················285
  7節　心理アセスメント法と倫理問題 ·····························285
　　☞さらにもう一歩先へ

人名索引　289
事項索引　293

```
┌─トピックス─────────────────────┐
│ 1．QOL（4）　2．異種感覚統合（28）　3．アフォーダンス（37）
│ 4．乳児期の音声知覚発達（40）　5．サルは言葉をしゃべるか（44）
│ 6．目撃者の証言に関する実験（52）　7．顔認識モデル（60）
│ 8．CAI から eLearning へ（71）　9．記憶障害と学習（74）
│ 10．学習するロボット（76）　11．セルフエフィカシー（83）
│ 12．学習性無力感（85）　13．よい気分になるためには……（93）
│ 14．出生前診断（102）　15．発達障害（108）　16．現代の子どもの
│ 遊び（116）　17．高齢社会における発達の視点（117）　18．性格は
│ 変えられるか（123）　19．血液型と性格（126）　20．防衛機制
│ （131）　21．コンプレックス（132）　22．領域固有の知能（145）
│ 23．親密行動を測る尺度（152）　24．社会的手抜き（156）　25．行
│ 動や感情の「感染モデル」（160）　26．甘え（166）　27．日本は恥の
│ 文化か（169）　28．いやしと救い（170）　29．生育環境と脳発達
│ （176）　30．精神障害と神経伝達物質（179）　31．脳のイメージン
│ グ法（190）　32．リラクセーション技法（195）　33．脳内麻薬
│ （199）　34．ナラティブ・アプローチ（208）　35．プロセス指向心
│ 理学（217）　36．児童虐待（220）　37．パニック障害（222）
│ 38．PTSD（223）　39．世界の健康問題（228）　40．アメリカの
│ 高齢者エクササイズと健康（235）　41．理性感情行動療法（238）
│ 42．「生きる力」を育てる教育（247）　43．学級崩壊（254）　44．フ
│ リースクール（255）　45．企業倫理（262）　46．エンパワーメント
│ （268）　47．顧客満足（CS）（271）　48．ハロー効果による評価・
│ 判断の歪み（276）
└─────────────────────────────┘
```

序章　心理学とその展望

　世界的に多くの人が物的，金銭的豊かさから心の豊かさに関心を転換している時代である。したがって人間についての情報，資料，知識も氾濫している。私たちは，これらの知識を総合したり，簡素化したりして，その正当性，有効性をたしかめなければならない。この章では，今日までの心理学の研究の実績，意義をたしかめ，その発展した学問分野を知ること，またその背景となっている学問的立場も十分に考えたい。そして人間に関する新しい知識を開発する具体的方法を知り，体験する努力をしなければならない。

*1*節　心理学研究の意義と原則

　学校におけるいじめ，不登校，教育への暴力など21世紀を迎えて日本の教育界に大きな問題が生じている。考えられない凶悪犯罪も連日新聞，テレビに報道されている。自殺者が3万人を超えるという2001年の集計結果の報道も大きなショックを人々に与えている。日本のこうした問題についての心理学的研究の立ち遅れが指摘されている。1998年文部科学省は学習指導要領をかえて，「生きる力をはぐくむ」「自ら学び，自ら考える力の育成」「個性を生かす教育」等の新しい目標を発表し，今日現実にそのような教育が小・中・高校で行われている。こうした学校における問題，一般社会の問題に直接対処しうる心理学の研究を強く要請する声があがっている。混乱する教育の場の現状に対して，心理カウンセラーや心理相談の専門家の登場が強く求められている。女性84.62歳，男性77.64歳という平均寿命が報道され，高齢社会が日本で現実化されていることもよく知られているが同時に，高齢者に対する「ケア」の専門家の活動の要求も大きな声となっている。
　これらの専門分野に対する資格の取得とその実践をめざす人々も多くなって

きている。極端な言い方をすれば心理学の研究の重点が，基礎的研究分野から応用分野に移行しているように思われるのである。2000年に初版の出たIUPsyS (International Union of Psychological Science) 企画の *The international handbook of psychology* の内容をみると，いわゆる基礎的心理学に対して，**応用心理学** (applied psychological science) の記述がほぼ同じ分量になっている。応用心理学として，臨床心理学，健康心理学，教育心理学，労働・組織心理学，社会心理学，「平和と非暴力に関する心理学」をあげている。このことは心理学に対する社会的要求と期待が今日応用心理学により多く向けられていることを意味している。

しかし，学問の体系からいえば，基礎的，理論的研究の成果が，応用部門の問題解決の支えになるのであるから，学問体系の重みは多少とも基礎部門におかれるべきであろう。それにしても，心理学研究の新しい潮流が生じていることは事実である。

人間行動の見方について，今日までいろいろの立場がある。刺激－反応の組をもって人間行動をとらえようとする行動主義者と，無意識の力を仮説してそれによって人間行動を理解しようとする精神分析学派では異なった立場をとる。科学としての心理学研究にも，こうした立場の違いを認めざるをえない。立場は色メガネといえないことはない。しかし，自分がどの立場をとり，他にどんな立場があるかを知っていることで，この色メガネは十分に補正されるだろう。また人間の行動をより正確にとらえるという意味は，心理学はそれを通して最終的には人間の生活の改善，そしてよりよき状態（well-being），さらには幸福を感じうるように努力することである。ひと昔前までは，幼稚な科学主義に惑わされて，人生の目的などという言葉はとりあげられなかった。しかし，目的の枠なしで，人間行動の理解とはどのような意味があるのか，考えさせられるところである。たしかに心理学の分野には動物を扱っている研究もあるが，それも最近では，動物の生活と生命についての配慮が十分になされるように変わってきている。乳児が大きな音を聞くと大声で泣くのはよくみられる光景である。だからといって乳児が泣いているすべてが大きな音によるとは考えられない。乳児が泣くのは種々の原因があるはずだし，その原因も一つとは限らない。こうしてみるとまだ社会とのふれあいの少ない乳幼児においても，その行

動の原因は簡単には指摘できない。そこで，科学としての心理学はその探求の方法を明確にし，さらにとらえられた事実を一定の方針に沿って解明するようになっている。疑問の答えは常に完全なものとはいえないがその方法を明示することによって，仮の結論を出すことが科学研究として許されている。これもすでに述べたように，人間生活，あるいは社会の進歩，発展のために必要な段階ということができる。完全でなくても，少し前進というメリットは許される「善」であることはいうまでもない。

ジンバルドー（Zimbardo, P. G.）がその Essentials of psychology and life の序論の中でこう述べている。「心理学は生活の質（QOL : quality of life）の向上をもたらすのに用いられる。心理学は単なる記述（心はどのように機能するか，ある特定の反応を引き起こす原因は何か，所与の事象はある人の行動にどのような効果を及ぼすかなど）にとどまるものではない」。この見解は今日の多くの心理学者の共通の理解になっていると思うのである。生活の質の向上といえば，すぐ思い出すのは，私たちが病気になったときである。病院に行くと，"おなかが痛い"という訴えについて，医師はまず，どのように，どのあたりが痛いか，いつから痛かったか，何かその前後に特別な行為をしなかったか（酒を飲みすぎたとか，眠れなかったとか）等の質問をして，いくつかの検査を行う。やがてそれらの観察結果をまとめて診断するだろう。そして，胃ではなく，胆のうの結石だと診断の結果を伝える。私たちは，そこでどうこれから生活すればよいかを聞くだろう。"今のところただちに手術をする必要はないが，3カ月後にまた来院しなさい。その間に最新薬のXとYを飲んでください"と答えるだろう。医師は病気の原因をとらえるのみでなく，その見通し（予測）と病気の発展を防ぐ治療（制御）の方針を十分に説明し，相手の納得をうる必要がある（インフォームド・コンセント）。

すなわち，この一連の活動を分解すると，観察（記述），診断（説明・納得），見通し（予測），投薬（制御と病気の回復）の要因が含まれている。これらは心理学研究でも最も原則的な方法ということができる。

1．観察と記述

観察とは生活体の行動について事実か否かを注意深く見極めることである。

トピック1

QOL (quality of life)

　一般に"生活の質""生命の質"と訳されている。ミラー（Miller, N. E.）はアメリカ心理学会会長就任演説(1969)で，すでに「人間生活の質(Quality of human life) の改善（improving）」を主張している。心理学では生命の質より生活の質の訳がとられているのはこのためであろう。

　その意味内容は，生活の満足，健康状態の不満，ストレス，対人関係の親和感などの個人の認知について"質"が問われる。個人の認知とは主観的であり，個人差も大きい。医療において病気の治療から病人の治療が提唱されているのもそのためである。QOLの思想は，人間の主体性，自主性，自尊心によって自己の生活と生き方を評価することに尽きるといえる。心理カウンセリング，心理療法にQOLは欠くことができない条件である。QOLを考える4つの観点を付け加えたい。

　(1) 量から質への転換というが，これは生活や，生き方を主観的に評価することの転換である。物事はある面でみるとマイナスにみえるが，別の面，見方を変えるとプラスにみえる。がんこな人間は別の見方をするとがまん強く物事をやりとげる人間でもある。

　(2) QOLは主観的認知に気づかせる，気づくことである。人間は生まれてから死ぬまでの長いプロセスを考える必要がある。今，ここで苦しんでいるのは確かだが，これからくる人生の楽しみ，喜び，快適性を期待する心のもち方も大切である。

　(3) 量の満足，質の満足。畦道にほこりをかぶり，踏みつけられている雑草だが，よく見ると輝くように美しい小さな花を咲かせている。この美しさに感動する人間がQOL的人間である。美しさは外的出来事であるが，また人間の内的世界のことでもある。

　(4) QOLの意義には，自己の感じる満足感とともに，対人役割を自覚することもある。役割には社会的役割と人間的役割がある。とうに会社を退職した高齢者にも，自分が考え，自分で課している自分の役割を忠実に，心やさしく果たす責任があることも忘れたくない。

　すべての問題を量で解決しようとした科学主義の心理学も，"人間の健康"というテーマではその方向を転換した。QOLの思想は人間をトータルにとらえるという（生物的，心理的，社会的，文化的）点から発展していることも忘れてはならない。

　　　　　　　　　　　　（本明　寛）

すべての科学は観察を事実（資料）収集の手段として用いている。観察が正確でなければ，以後の研究の過程が意味をなさなくなる。また観察は客観的な事実をとらえることであるから，観察者の主観や偏見の加わらないということを前提としている。このように重要な方法であるから，**観察法**として細かな手順が定められている。観察された内容は**記述**（報告）されるがそれを一般的には**データ**（資料）と呼んでいる。行動観察はあくまで事実がとらえられなければならない。夢を見ることは誰もが体験している。夢の研究はいろいろの立場の学者によって報告されている。たしかに夢を見ている人は確実な体験として語るが，第三者にはわからない。しかし，その人がこんな夢をこんなときに見たという報告は客観的事実としてデータになろう。しかし，その確実さを増すために，脳波測定具を用いてその人の睡眠中の脳波形の変化を測定するということがある。この結果は明らかに客観的資料といえる。このように心理学では，道具，測定具を用いる。またその結果は相対的尺度や数量で示すことが多いので，いっそう客観化できる。アメリカの行動主義者はこの数量化に長らくこだわり，観察結果をすべて数量によって示そうとした。しかし，最近ではこうした極端な観察と記述については批判が多い。

2. 説　明

　説明とは記述をさらに正確にし，定義を与えることである。広辞苑(第4版)によると「記述が事実の確認に止るのに対して，事物が『何故かくあるか』の根拠を示すもの。科学的研究では，事物を因果法則によって把握すること」とある。この意味から物理学や化学を説明的科学と呼び，旧来の分類による博物学を記述的科学という。心理学においても，辞書にある通り，観察された現象がどうしてそうなのか？　すなわち意味を考え出すことである。観察された現象間に関連性があるかないか，またこの現象は何が原因で起こっているのかと考えるなら，そこから説明が生まれるはずである。

　例えば，体重が著しく減ったとしよう。その原因は何かを考えてみると，昨年の夏もこんなことがあったことを思い出す。つまり「夏やせ」だと説明できる。過去の体験はこの意味で説明の重要な手がかりとなる。しかし昨年はこんなことがなかったとしたら，体のどこかの疾患のためか，あるいは何かによる

ストレス状況の心理的影響と考えることもできるだろう。いくつかの結びつきのなかから，より正しい関係を見出すことが説明である。説明にはこのように具体的関連の発見のみでなく，すでに発見されている理論を用いて説明することも少なくない。理論とはいくつかの事実について十分な意味を与えることができるもので，それをもって当面の対象としている事象を科学的データとなりうるか否かを決することができる。理論も新しい事実の発見により，修正されたり廃棄されたりすることもある。ともかく，説明は理論に基づくものであるし，説明そのものが理論（理論体系）であることさえもある。

　医療・心理療法・教育などで，ある結果を相手に伝えるという場合に，「説明」という概念が用いられる。こうした状況において，「説明」は重要な意義がある。説明は相手が納得するために十分に説明され，しかも相手が納得することによって説明の意味が果たされる。今日**インフォームド・コンセント**(informed consent) という対話の方法が強く主張されているのは，相手の主体性の確立を考えるためで，納得によって相手は自分らしい選択行動を行うことができるし，その効果は大きいと考えられる。

3．予　　測

　予測とは医師が胆のうポリープを，"3カ月後まで変化はないと思うが，3カ月後に再度X線検査を受けるように"というような指導を行うことである。このよみはその医師の今まで扱ったケースの体験から生まれている。こうした予測にはまず誤りはない。もし3カ月後にポリープが大きくなっていて手術をすることになっても，危険になるような状況にはならないだろう。

　日本の官庁から種々のデータが発表されているが，寿命に関するものは人々の関心の的になっている。2000年では日本は平均寿命が男性77.64歳，女性84.62歳であった。平均寿命の上位国は，日本，アイスランド，スイス，スウェーデン，カナダなどである。こうした計数的予測はいろいろの分野で用いられているが，ある個人が必ず75歳を超えるまで生きているかどうかはわからない。

　むしろ，それには原因－結果の関係をよくふまえて予測されることが必要である。よく医師が，この肺がんならあと2年で死亡するとか，この肺がんは手

術しても3カ月しか生きられないというように予測することがある。これは過去のデータや，その医師の体験や直感で決まってくるだろう。**因果関係**を発見することは心理学の研究上重要な課題である。因果関係には直接的因果関係と間接的因果関係とがあり，後者はある事象が第二の事象を生じ，それが第三の事象に影響するという関係である。雨が大量に降って河川敷を破壊した。その結果護岸工事の予算が大幅に増加したといった関係である。予測に関連して心理学の研究では**相関関係**（correlation）という概念を用いる。辞典によると「相関関係とは2つの変数X，Yの値に一定の統計的結びつきがある時をいう」とある。相関関係が高いほど一方から他方を正確に予測することができる。相関という言葉の響きは2つの変数間に因果関係があるように思うが，そうではない。単に2つの事象間に関係が強いということを示しているにすぎない。

4．制　　御

　制御は，心理学の専門家が常に直面する社会的要請の一つである。最近では電車も食堂も禁煙のサインが出ている。昔は駅のホームはタバコの山だったが近ごろではタバコを吸っている人は少ない。これは社会的環境条件の大きな変化から生じている。禁酒はまだそうした運動にはなっていない。しかし，中高年者の中には酒をやめたいという人が少なくない。医者から酒を飲まないようにいわれている人もいるが，なかなか禁酒ができない。心理学のカウンセラーはこうした人々にどうしたら禁酒ができるかのノウハウを教えたり，また飲酒の常習者がどのような疾患になっているかの情報を与える必要があろう。こうした習慣化している行動を中止させることを制御という。ある習慣化されている行動を調べてみると，飲んだキッカケはいろいろだし，また長期間持続している理由も人によって異なる。酒を飲みたいという欲望のみを問題にしても，その行動を制御するには十分な条件とならない。

　社会的問題の多くは，私たちの制御の対象となる。非行，暴力，中毒，怠惰等は日常的に変化が期待されている。しかし，これらの行動の修正，改革は容易ではない。制御はこうした問題となる行動の変容を意味し，心理療法やカウンセリングが今日全盛になっているのもその方法の一つだからだ。この場合に注目したいのは，カウンセラーのプログラムによる制御というよりも，その問

題をもつ来談者自身の力で自己制御ができることをめざしている点である。物体に対して運動を起こさせ，一定期間持続させ，そしてある時点で中止させるといった操作が可能なことが科学として必要で十分な条件といわれている。人間の場合にこのような制御が，他者の手によって果たしてできるものか？　多くの問題がある。特に今日の文明社会において人間の行動をどのように社会的方法（教育，心理療法，医療，法律）で制御できるか，という問題がある。21世紀を迎え，自己制御の重要性が強く主張されるようになった。新しい学習理論を発展させたバンデューラ（Bandura, A.）は1997年10月に来日し，「健康増進と疾病予防におけるセルフエフィカシー」の演題で記念講演を行った。その折，次のように述べている。

「人々の動機づけや健康行動に影響を及ぼすことのできるいくつかのメカニズムの中で，**自己効力**（self-efficacy）に関する信念ほど中心的で広範な作用をもつものは見当たらない。自らの行動によって望ましい結果を引き出すことができると信じない限り，その行動をとろうとする気にはならない。自分の健康に自らが何らかの影響を与えることができるという信念は，主に次の2つの点で実際に効果をもたらす。まず，より基本的なレベルとして，ストレッサーに対処するという知覚された効力は，健康と病気とを媒介する生物学的なシステムに影響を及ぼす。2番目のレベルとして，効力についての信念は，変更可能な行動や健康に関する環境的な決定因子に対する直接的なコントロールを促す。このような自己調整メカニズムに関する知識は，効果性が高く，社会的な利用価値の高い健康サービス・システムの発展を導いている」。

21世紀を迎え，自己制御の力を強化することが，教育や心理療法の目標になってきている。

2節　心理学研究の分野

心理学の100年の歴史の中で，社会の要求に対応して，多くの研究分野が開発されてきた。最も大まかにいえば**基礎研究**（basic research）と**応用研究**（applied research）に分けられる。近代社会の人間観によって，教育や医療

の分野から，いわば「心の問題」への関心が高まったことは事実である。と同時に理論と実践，基礎と応用という研究の分離もあいまいになっている。基礎心理学は心理学の事実（fact）と法則を発見する目的をもち，応用心理学は現実の問題，状況に心理学の原理と方法をあるいは公認されている知識をあてはめてその解決をはかるものである。

　国際的には国際心理学会議と国際応用心理学会議が4年ごとに開かれ，世界各国の心理学者の横の連携を深めてきた。2002年にシンガポールで開催される第25回国際応用心理学会議の分類を見ると応用心理学の学問的分類がよく示されている。もちろんそれぞれの国のもつ「文化」の条件を加えた新しい応用心理学の姿を開催国によって示すことも認めることができる。

XXV INTERNATIONAL CONGRESS OF APPLIED PSYCHOLOGY
  Division 1   Work and Organizational Psychology
  Division 2   Psychological Assessment and Evaluation
  Division 3   Psychology and National Development
  Division 4   Environmental Psychology
  Division 5   Educational, Instructional and School Psychology
  Division 6   Clinical and Community Psychology
  Division 7   Applied Gerontology
  Division 8   Health Psychology
  Division 9   Economic Psychology
  Division 10 Psychology and Law
  Division 11 Political Psychology
  Division 12 Sport Psychology
  Division 13 Traffic and Transportation
  Division 14 Applied Cognitive Psychology

　心理学が世界的に普及し，現実の社会的，個人的問題に対してどのような対処を進めるべきかについての研究，討議は1990年以降急速に高まってきた。心理学は生物学的（biological），社会的（social）科学であるという広い視野に立っての強力な発言があり，それを認めようとする学者もしだいに多くなってきている。生物学的心理学は生物学的プロセスと行動およびメンタルプロセス

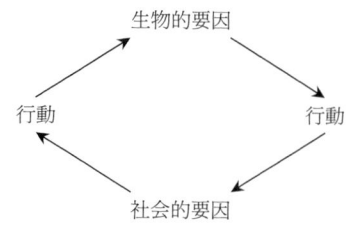

図1 行動を規定する2つの要因の関係

との間の関係の研究であり，社会的心理学はグループのメンバーとしての相互関係，グループ間の関係の研究である。

こうした発展の理由は一つの学問的立場から「行動」をとらえるのでなく，複数の立場に立って，総合的に人間行動を理解しようという考え方である。行動の理解図式をモデル化してみると図1のようになろう。

この図式は人間行動を生物的要因でとらえると同時に社会的要因でも再確認するという循環図式を用い，別個にバラバラに人間行動をとらえないことである。こうした主張は学問間の連携を深め，一つの学問では果たせない研究成果をあげることができる。特に人間の生活習慣，行動傾向といった人間性の把握にはこのような視点が必要である。しかし，今日ではもっと広く，「心理学」と「医学」の協力，共同研究が増加している。例えば，マタラッゾー（Matarazzo, J. D.）の1993年の発言によく表明されている。

「しかしながらこのような基礎科学の急速な発達は，今世紀の半ばを過ぎるまで，『身体的医療』の実践や『心理的医療』の導入と直接結びつくものではなく，病める人間としての患者の苦痛を取り除く医療そのものの効果に，充分貢献するものではなかったのである。そして今日，ようやく，『身体医学』と『心理医学』の科学としての独自の発達と双方からの歩み寄りにより，『健康と行動』の結びつきに関する組織的な進展がみられるようになり，基礎科学の知識や技術に支えられた医師と心理学者との協力体制が，少しずつ築きあげられてきたのである。このような協力体制から期待されることは，これからの人類の病気や死のパターンが著しく変化していくということである。そしてこのことは，病気や死の主要な原因となる人びとの『行動』や『ライフスタイル』（疾病誘発行動）が急速に減少し，健康を増進していくための『行動習慣』（予防的健康行動）が著しく増加していくことを意味している」。

こうした協力体制が学問間に進められることが，今後ますます強力に行われると思う。伝統的な分類に従って心理学の主な専門分野を個々にとりあげると

次のようなものになろう。

1. 実験心理学・生理心理学 (experimental and physiological psychology)

　実験は心理学の一般的で共通の方法である。しかしここで特に**実験心理学**と呼んでいるのは心理学研究（知覚，学習，動機など）を実験室で実験的方法を用いて行っている研究をさしている。そして，多くの研究者は，主として動物を用いている。また，**生理心理学**は生理的メカニズムと行動の関係を確かめている。しかし，最近では，生理心理学の具体的な問題に対応する新しい研究が進められている。『新生理心理学』（宮田洋監修，北大路書房）では，健康心理学・ウェルネスへの道，産業心理学・感性研究への展望，生涯発達心理学への展望，社会生理心理学への展望，福祉・環境・教育工学への展望等をとりあげ，今日問題になっている宇宙環境における生理心理学の問題を指摘している。

2. 発達心理学・社会心理学 (developmental and social psychology)

　発達心理学は人間の誕生から老年までの成長（growth）とその変化とを研究する領域である。特に幼児期の成長としつけの関係，青年期における特別な心理傾向などを大きな問題としている。また，老人人口の増大から**老年学**（gerontology）の研究も進んできた。

　人間の発達は社会性に関する部分が重要である。行動の発達，言語の発達とともに社会性の獲得が年少期では問題になる。**社会心理学**者は，個人の行動に及ぼす社会や集団の影響を主として研究している。その主要な問題は，人間関係，社会的態度，人種的偏見，集団力学などである。また，新しい方法の発達に伴い世論（public opinion）や社会的態度の測定，市場調査にその成果をあげている。

3. 臨床心理学・カウンセリング心理学 (clinical and counseling psychology)

　すでに述べたようにこの分野に心理学者の大半が活動している。アメリカでは第二次世界大戦後に退役軍人の精神的疾患や職場復帰についての**臨床心理学**的治療と相談が出発点となった。日本においても最近の地震・災害・ショッキングな事件から新しい不適応現象が起こり，多くの心理学専門家がこの問題に

取り組んでいる。不適応者や精神障害者の測定，心理アセスメント，治療，予後等に心理学の原理を適用しようという領域である。

カウンセリング心理学は特に児童・生徒の適応問題から，成人の社会適応に及ぶ広い問題領域を抱えている。カウンセリング・サイコロジスト（counseling psychologist）の活動は，クリニカル・サイコロジスト（clinical psychologist）に比べ，広く一般の人たちの適応問題を扱う。日本では最近の不登校問題などから，**スクールカウンセラー**（school counselor）の活動が著しく期待されるようになった。

4．**教育心理学**（educational psychology）

教育心理学は教育に関する心理学的問題の研究を行うものである。生徒の成績や能力の測定・評価，教育効果をあげる方法，障害児教育に関する問題を取り扱う。アメリカでは，いっそう実践的な問題を扱うスクール・サイコロジスト（school psychologist）の活動する領域を**学校心理学**（school psychology）として分けている。アメリカでは小学校入学時の学校への適応困難の問題，情動障害を処理するために個々の児童の世話をする心理学者をおいている。

5．**産業心理学・人間工学心理学**（industrial and human engineering psychology）

産業心理学者（industrial psychologist）は会社における採用，選択，人事考課，適性，教育・訓練プログラム，モラール，福祉等の問題の処理にあたっている。消費者の動向から経営活動まで広く人間的要因（human factor）に関する研究がなされるようになってきた。

人間工学心理学は人間と機械・環境との関係をより生産的で，より満足の高い状況におくための方法の研究を行っている。人間の働きやすい，危険や失敗の少ない装置や道具の設計に参加している心理学者が増えてきている。

さらに，**環境心理学**（environmental psychology）といった新しい領域も生まれ，騒音，空気や水の汚染，人口密度等の環境問題から，住みよい環境の条件（amenity）の研究等を行っている。環境心理学では，建築学者，社会学者，都市計画学者，色彩学者等との討議を常に必要としている。学際的研究

(interdisciplinary approach) はこれからいよいよ強く要請されることになろう。これからは心理学を学ぶ者は生理学，生物学，人類学，社会学，医学などの隣接の学問の教養を十分にもたなくてはならない。

6．健康心理学 (health psychology)

アメリカ心理学会（American Psychological Association : APA）の第38部門に**健康心理学**がおかれている。最近先進国各国でヘルス・ケアの問題が大きくとりあげられてきた。企業ではストレス症の社員が多くなり，その対策に困っている。ストレス症，喫煙，アルコール依存，肥満，慢性的痛み，偏頭痛，小児喘息，老化，交通事故，労働意欲の低下などが今日大きな問題になっている。これらに対する個人的，あるいは社会的介入を行っているのが健康心理学専門家（health psychologist）である。

アメリカ心理学会は，健康心理学の公式の定義を次のように決定している。「健康心理学とは，健康の増進と維持，疾病の予防と治療，健康・疾病・機能障害に関する原因・診断の究明およびヘルスケアシステム（健康管理組織）・健康政策策定の分析と改善等に対する心理学領域の特定の教育的・科学的・専門的貢献のすべてをいう」。

この定義は健康心理学専門家の活動する領域についてわかりやすく説明している。特に後半のところで，健康心理学は個人の健康，疾病とのかかわりあい以上に，集団，組織，地域社会の健康と疾病の予防や対策のために介入し，情報提供を行う任務のあることを示唆している。

2001年春に『健康心理学ハンドブック』がバウム（Baum, A.），リベンソン（Revenson, T. A.），シンガー（Singer, J. E.）らによって公刊された。基礎的プロセス，横断的にみた問題，疾病研究への応用の三部門に分けて編集している。大版891ページという大部のものである。疾病研究の内容としてストレス，がん，エイズをあげ，それらへの介入について230ページをさいている。21世紀を迎え，健康心理学が人間の健康と**ウェルビーイング**（well-being）に重要な役割を果たすことを宣言している。

*3*節　心理学の方法——心理的アセスメントについて

1. 実験・観察・面接

　心理学が科学としての立場から，研究を展開するためには基本的に守らなければならない原則がある。それは私たちが下す科学的予言（予測）の誤りを最小限にするためのものである。心理学ではそのために実験方法のプロセスを厳格に実行する。ジンバルドーは，「**実験方法**（experimental method）とは，観察に基づいた結論を正しく採択したり，棄却したりすることを援助するような一連の態度や手続きである」と述べている。これらの方法は心理学を研究する学生にとって第一の関門といえるだろう。さらにジンバルドーは，「心理学研究者にとって，人間行動の力動性に対する感受性，人間を観察すること（people watching），きびしい自己評価，あくことのない好奇心，他人への関心など"人間を観察すること"に代わる重要なものは何もない」と述べている。

　心理学では，研究の対象としているものに実験条件を操作する**実験群**（experimental group）を設けるのがふつうである。例えば，ひところ，色のもつ心理的効果が話題になった。廊下を寒色系に塗りかえたら，走ったり，暴れたりする生徒が少なくなったという報告もあったくらいである。明るい色彩の教室で勉強した生徒と，濁った灰色の教室で勉強した生徒との成績を比較してみると，前者が高い得点を示したという。しかし，このような実験条件が，生徒の成績や行動と一義的に関係づけられるかどうかは問題であろう。例えば，明るい色の教室で勉強した生徒は，誰に教わったかということである。また，その生徒集団の特徴はどうかといったことも考えなくてはならない。温かい態度をもった先生が明るい色の教室，冷たい親しみのない先生が暗い教室の先生だったとしたら，その条件も重大な介入条件となる。このように実験群（明るい教室）の結果を問題にするためには，**統制群**（control group）の条件を考えなければならない。つまり，実験条件を除いて，他のあらゆる条件を両実験群とも等しい状況にすることである。例えば2群は年齢，性別，能力が等しく，テストを実施するときも同じ態度でなされるという具合にしてはじめて，それを比較する意義がある。

心理学の研究方法として最も古くから行われてきたのは**観察**である。観察は科学的研究の重要な方法だが，不便な点も多い。第一に観察する対象がいつ生じるか，また第二にどのような条件が付加されているかを知るのが容易ではない。そこで**実験観察**ならば，他の自然科学と同じように，必要なときに行うことができる。実験観察というのは人為的条件を与えて対象を観察することである。実験であれば，繰り返して観察できる。ところで心理学の研究において，私たちが得ようとしているものは**従属変数**（dependent variable）である。これに対し，対象としている行動に影響を与えたり規定したりする変数は，**独立変数**（independent variable）という。色彩調節における色は独立変数といい，生徒の成績は従属変数ということになる。どんな条件を与えて何を研究するのかを変数という概念でおさえると，「何を」は従属変数ということになる。

心理学の研究法の第二のものは**面接法**である。『心理学事典』（平凡社）では面接法（interview）を目的別に分けて次のように説明している。

面接法は目的別では，①心理学的研究の手段としての面接法（例えば面接検査や社会調査の面接）と，②心理学を応用した各種の面接法（例えば採用面接や指導，診断，セールスの面接）に分けられる。方法的には，①完全に準備され統制された**構造化面接**（structured interview），②**半構造化面接**（semi-structured interview），③まったく統制されない**非構造化面接**（unstructured interview）に3分類される。構造化面接は多くの場合，質問紙や調査法に基づいて行われるため**質問紙法面接**（questionnaire interview）といい，臨機応変に実施できる非組織的面接は**自由面接**（open-ended interview）または**ケーススタディ面接**（case-study interview）ともいう。

2. アセスメントの目的

心理臨床で用いる「方法」として以前は「評価と診断」というように安易な名称を使っていたが，今日では**心理アセスメント**（psychological assessment）の概念の方がサイコロジストの仕事に合ったものだといわれるようになった。精神医学で用いている単純な疾患分類（nosographie）よりも広く，また過程を表す概念として心理アセスメントを用いるのである。すでにコーチン（Korchin, S. J.）は『現代臨床心理学』（*Modern clinical psychology,* 1976）

の中で心理アセスメントについて「有効な諸決定を下す際に必要な，患者についての理解（understanding）」を臨床家（clinician）が獲得していく過程（process）をいう」と定義している。

　ギャッチェル（Gathel, R. J.），バウム，クランツ（Krantz, D. S.）が（*An introduction to health psychology*, 1989；本明寛・間宮武監訳『健康心理学入門』金子書房）「医療場面における心理アセスメント」の章で，「比較的最近まで，医療場面で行われる心理アセスメントは，精神医学の患者の母集団を対象として開発されてきた。この場合の重大な問題は，精神医学の患者とは必ずしも同一ではない，ということである。精神医学の患者を対象として作成された統計的基準を備え，それらの患者の臨床的徴候を診断するテストを用いて得られた医療患者の結果の解釈は，妥当なものとは言えないだろう。結論としていうと，正常の人たちによって標準化された『正常』な人々のための医療問題を扱う検査，質問紙，面接のようなアセスメントが必要である」と述べて，診断方法としての評価尺度について明確な判断を下している。患者というイメージにとらわれて診断がなされるべきか，広く「人間」として問題をとらえるべきか，前者と後者の大きな違いは情報量の問題とその目的に関係するとみられる。

　アセスメントの概念が用いられることの意義の一つはこの「人間」としての視点に関係がある。

　野口京子（1998）は「アセスメントはある人の行動を観察し，それを一定の数量尺度またはカテゴリー・システムによって記述するための系統的手順である」と述べているのはこの意味であろう。したがって野口は「アセスメントの客観性，信頼性を完全に客観化することは不可能に近いし，とくに臨床的評価の場合にはふさわしくないこともある。クライエントの一人ひとりに対して，それぞれの取り組み方が必要だからである。しかし，特定の心理アセスメントは，その有用性の面で，客観テスト以上の働きをすることがある。実際に心理アセスメントの目的は，人間（行動）についての客観的記述だけにあるのではなく，その人が最も健康的によい状態で生きるための意思決定に役立てることなのである」，また，「健康心理学におけるアセスメントのねらいは，問題行動や異常行動の判定に重点をおくのではなく，もっと積極的に望ましい行動をどのように促進するかにあり，学習理論に基づく行動修正をめざした行動機能の

分析としてのアセスメント，その人のもつ資源，認知の変容のためのアセスメントを重視している」と述べているが，今日各国の学者の間で，方法のための方法ではなく，人間を生かすための方法としての可否が論ぜられるようになったことは，人間主義時代の大きな特色といえると思うのである。

ここではアセスメントの分類について肥田野直の説明を引用したい。アセスメントは査定あるいは評価と訳しているが，日本語の査定，評価よりも広義に使われているためにカタカナをそのまま用いている。肥田野（1999）は「人を対象とするアセスメントは心理アセスメント（psychological assessment）あるいは人格アセスメント（personality assessment）と呼ばれる。人格アセスメントは第二次世界大戦においてアメリカの戦略局（U. S. Office of Strategic Services：OSS）が謀略活動等の特殊任務に従事する要員の選抜に用いた。そこでは厳しい条件下で数日間集団生活を過ごす中で，面接，観察その他を用いて特殊任務に耐えられるか否かの判定を行った。そこからアセスメントは特定の目標基準への到達を予測するための全人的，総合的な測定法を意味するようになった」。

特に「特定の目標基準への到達を予測するための全人的，総合的な測定法」という，限定された目的達成効果がねらわれていることに注目すべきである。この点でカウンセリングと直結する点が考えられる。

3．アセスメントの方法

アセスメントの方法は主として以下の4種類に分けられる。
(1) 観察法：行動，態度，表情などから観察する。
(2) 面接法：個人面接，集団面接がある。
(3) 調査法：面接調査法，質問紙調査法がある。
(4) 検査法：一定の検査用具，検査用紙を一定の手続きに従い提示し，回答を求める。
　(a) 質問紙検査法：多数の質問項目からなり，所定の形式にしたがって回答する。
　(b) 投影法：あいまいな刺激に対して自由に反応する方法であり，回答を機械的に採点することはできない。

アセスメントという概念が登場したのは，これまでの説明から了解できると思うのだが，要素論から全体論，システム論への強い主張，また量から質への科学思想の転換，さらに心理学の臨床部門で活躍している専門家の独自性の確認などの条件によるものであろう。「診断と治療」の言葉が「アセスメントとインターベンション」という概念に置き換えられたことによって，その目的はかなり達成されたと思う。関連する研究領域，特に深くかかわりのある精神医学の分野でも新しい立場が認められ，隣接の諸学との連携を打ち出している。

今日の人間主義的立場から，精神障害，心理的問題点の発見から，人間のもつ好ましい点や明るい点の発見，その自覚を促すといった考え方を生かす方法としてアセスメントが高く評価されている。もちろん問題点を見ないようにしようというわけではない。しかし，人間のアセスメントが人間の生きる力を強化するのに役立っていることを忘れることはできない。アセスメントの発展は，人間を多面的，多角的に査定，評価することが許される。野口(1998)は「心理アセスメントの結果が，一つの見方から判断すると障害になるかもしれないが，別の見方から判断すると，同じものが肯定的な特徴となることに注目しよう。たとえば，頑固と意志が強いことは同じ特徴である。優柔不断は優しさをあわせ持つ。衝動性が高いという結果は，見方をかえれば活動性の高さを示すことになる。衝動性は活動性の源泉であることを伝え，衝動性の使い方を身につけるように勧めよう。また，不安が強いという結果は，それは人の行動を抑制し，慎重に行動する助けになり，失敗を防ぐことに役立っていることにもなる。不安を感じることへの不安を減じることができる」と，述べている。

4節　心理学研究の立場

心理学者がどのような立場からその研究を進めるのかということになるとかなりの立場の違いがある。アメリカに住み，1910年代に研究生活を送っていた心理学者なら，ワトソン（Watson, J. B.）の**行動主義**の立場を高く評価するのも当然だと思う。こうした時代の流れ，文化，価値観等，その学者の立場によって，問題の感じ方が異なるのも当然であろう。今もって20世紀初頭のフロイト派の立場で心理療法をやっている臨床医もいるし，1960年代に開発された

行動療法によって治療を行っている人もいるだろう。このようにみると，心理学の研究の仕方にいくつかの立場がある。心理学研究をどの立場で行うことが適切かという判断は困難である。それぞれの学者の研究分野，研究課題等によって立場は違うだろう。結局，私たちがいろいろの立場のあることを知って，解明しようとしている問題に取り組むのが最もよいと考えられる。

1. 精神分析的アプローチ

人間の行動，思考は，**無意識**の支配を受けているとフロイト（Freud, S.）は述べている。今日の心理学の教科書の中にはフロイトの提示した多くの概念が含まれている。無意識，超自我，自我，エス，防衛機制，抑圧，口唇期，肛門期，男根期，自由連想，快楽原理，現実原理，リビドー，コンプレックス等数えあげれば多くのものがある。そして基本的には無意識の力によって人間の多くの行動が支配されていると考える。自分でもよくわからない行動は，本来生得的な事態から生ずるものだが，それは両親や社会から禁止され，罰せられるために抑圧されているものと考えた。抑圧されたものは無意識となる。こうした無意識的衝動は夢，言い損ない，言い間違い，神経症的反応の中にみられると考える。人間の行動の多くは何らかの原因によって生じるが，その原因となるものは合理的，意識的理由よりも，無意識的な動機によるものであるとする。その無意識の力，原因を分析する科学的方法を精神分析学と呼んだ。フロイトは1895年に『ヒステリー研究』をブロイアー（Breuer, J.）と共著で公刊した。ブロイアーは催眠療法を用いてヒステリー患者の治療にあたっていた。その催眠時の無意識的な反応，あるいは睡眠時の暗示などをフロイトはいろいろの場面で十分に体験している。また覚醒した意識状態において同じように幼児期の外傷体験を話させる方法はないかと考え，**自由連想法**を用いるようになった。フロイトの研究の中で次の5点はその後の学説の展開に大きな影響を与えた。

(1) 無意識は抑圧された願望である。
(2) 神経症の原因とみられるものは，性欲，愛情欲求に関係が深い。
(3) 本能，衝動（快楽原理）を抑えつけると欲求不満が発生してくる。
(4) 幼児期の外傷体験を解釈すると，幼児性欲を認めざるをえない。

(5) 抑圧は自我の作用である。抑圧の失敗が神経症の原因となる。

その当時の心理学が記述的心理学であったのに対して，人間行動の因果関係にメスを入れ，人間の心の中に行動を起こさせる源泉の存在することを認めた。異常行動，異常知覚がこの快楽原理と現実原理の葛藤と考えるようになったのは彼の力学的な立場をよく示すものである。

「精神分析」の流れをくむ学者として，外向型，内向型というタイプ，普遍的無意識，自己実現の過程等を主張したユング（Jung, C. G.），劣等感コンプレックス，優越性の追求等ユニークな提案をしたアドラー（Adler, A.）がよく知られている。この二人はフロイトと考え方の違いをもったことでフロイトと離別した。

新フロイト派と称される人に，フロム（Fromm, E.），ホーナイ（Horney, K.），サリヴァン（Sullivan, H. S.）らをあげることができる。**自我心理学**（ego psychology）をとなえ，人間の主体性の臨床的意義を説明したハルトマン（Hartmann, H.），**自我同一性**（ego identity）により，青年期の重要目標を示したエリクソン（Erikson, E. H.），**交流分析**（transactional analysis）の主張者エリック・バーン（Berne, E.）も精神分析学の流れをくむ学者といわれている。今日の心理臨床学の著名な学者に精神分析学の影響を受けた人は多い。

2. 行動主義的アプローチ

心理学が自然科学と肩を並べるような科学になるためには内観ではなく，客観的観察や測定ができる対象を扱う必要があると主張したのがワトソンである。1913年にキャッテル（Cattell, R. B.）に招かれてコロンビア大学で「行動主義者の見た心理学」という講演を行い，その翌年に『サイコロジカル・レビュー』にその内容が載った。行動主義心理学の宣言と後にいわれている。彼の主張することは次のような点にある。

(1) 心理学は行動を対象する科学である。刺激に対する有機体の反射（反応）の研究を行う。
(2) 研究の方法は自然科学と同様な観察と測定を主とする。観察は客観的観察で，誰もが同じように観察が可能でなければならない。
(3) 心理学は刺激（S）－反応（R）の単位をとらえ，その関係を研究する。刺

激が反応を予測させ，反応は刺激を推定させる。また心理学の目標は自然科学と同じく，行動の予見にある。すなわち生活体の行動の予測ができることである。

(4) 反応を学習されたものと，学習されたものでないもの（本能）とに区別する。人間の反応のほとんどは条件反射によって獲得されたものとみる。反応には自転車に乗っているとか，顔を赤くするとかの外に現れた反応と，思考のようにかくれた反応がある。

このようなワトソン流の極端な行動主義をそのまま主張した学者は少ないが，彼の流れをくむ学者にトールマン（Tolman, E. C.），ハル（Hull, C. L.），スキナー（Skinner, B. F.），ガスリー（Guthrie, E. R.）らがいる。またワトソンの行動主義を古典行動主義と呼び，1930年以降に現れる行動主義の学者たちの研究を**新行動主義**（neo-behaviorism）といっている。

しかし，行動主義の猛烈な意識研究批判に対して，ヨーロッパの学者たちは冷たい反応しか示さなかった。アメリカに亡命したゲシュタルト学派の学者も客観主義に賛成しても，すべてS－Rによって解決しようという立場には強い抵抗を示した。また時代の流れは，学習研究から認知研究に移ってきたことや，さらに人間行動の全体的機能に「動機」「思考」という概念が重要になってきたなどの変化を生じている。行動主義者が人間の内面的事実をブラックボックスとして棚上げしたことに対する批判も現れてきた。

3．人間性心理学

反行動主義の立場の一つとして**人間性心理学**（humanistic psychology）があげられる。その目的は動物心理学とは別の人間研究の重要性を説いた。しかもそれは人間の自由な意志とか，自己実現への欲求などを特に中心課題とするものである。そして人間の本性としての傾向は何か？　をも追求しようとする。彼らの実践的活動は臨床心理学へ大きな影響を与えた。アメリカでは，行動主義，精神分析につぐ第三の勢力として注目された。人間性心理学者として，マズロー（Maslow, A. H.），ロジャーズ（Rogers, C. R.），ロロ・メイ（Rollo May）らがあげられる。人間性心理学に対する関心は，単純な科学主義の行動研究にあきたらない人たちによって，高められしだいに複雑な文化・社会に

生活する人間の，その生き方という本質問題に取り組みだした。そして心理学というものに対する価値評価が改めて問われている。特定の既成概念によってのみ人間行動を解釈することは偏見ではないかということである。人間性心理学の考え方を大まかにいうと次のようにまとめられよう。

(1) 人間を全体的，統一的存在として考える。
(2) 人間が直面している生活の意味を求める。
(3) 人間は個性をもっているとともに，それぞれ自己実現をめざしている。
(4) 人間の自覚による責任性，意志の自由，愛といった人間固有の問題をとりあげる。

　実存主義心理学の背景となったのは，いうまでもなく，キルケゴール (Kierkegaard, S. A.)，ハイデッガー (Heidegger, M.)，ヤスパース (Jaspers, K.)，サルトル (Sartre, J.-P.) らの思想と哲学である。実存分析学派の代表的学者としてビンスワンガー (Binswanger, L.) とフランクル (Frankl, V. E.) があげられよう。彼らはヨーロッパの文化の中で育ち，いわゆる科学主義心理学の研究ではとらえられない人間のユニークさを問題にした。人間の自由と責任，人生の意味，人生の価値等を現象学的方法を用いて研究したものである。

　ビンスワンガーはスイス生まれの精神分析医として臨床的研究を行っていたが，後にハイデッガーの実存主義哲学の影響を受けて**現存在分析**（Daseinanalyse）を提唱した。現存在というのは，自分を人間として理解している存在者である。ビンスワンガーは精神病者に対して従来のように病因による分類を行うとか，それに対処する医療を施すのではなく，患者を人間として扱う方法をとった。患者の分析は，世界内存在としての患者の現存在の様態，世界投企，現存在の進行の3つから行った。現存在の様態とは人間関係のあり方をとりあげ，世界投企とは人間が自己を発展させる世界の計画の意味，また第三の現存在の進行とは，人間の未来志向的生き方に関して分析を行った。

　フランクルは第二次世界大戦中ナチスの強制収容所にユダヤ人の一人として送られ，その捕虜収容所の体験記が『強制収容所における一心理学者の体験』（邦訳タイトル『夜と霧』）として公刊され，世界の人々に衝撃を与えた。フランクルも精神科医で，彼は人間的対話を通して，患者の態度を変えさせた。フランクルの方法は意志の自由，意味への意志，生命の意味の3つの基本理念に

よって**ロゴセラピー**（Logotherapie）を実践することであった。またフランクルは実存的欲求不満とか，意味への欲求不満という概念を用いるが，これらは人生に意味を見出せない不満をもつ人たちのことをさしている。こういった不満は心理的欲求不満ではなく，精神的欲求不満だという。　　　　　（本明　寛）

☞ **さらにもう一歩先へ**

1. 2つの変量の相関係数をみるためにどのような統計的処理をしたらよいか，またその意味を考えよう。
2. 夢について精神分析ではどのような解釈をしてきたか。
3. エリック・バーンの交流分析の理論と分析方法について調べてみよう。
4. 自己制御の具体的な例を考えてみよう。
5. 自己実現についての学説を調べよう。

引用・参考文献

Bandura, A. 1997 日本健康心理学会創立十周年講演プログラム　日本健康心理学会

Baum, A., Revenson, T. A. & Singer, J. E. 2001 *Handbook of health psychology*. Lawrence Erlbaum Associates.

藤永　保ほか（編）1981　心理学事典（新版）　平凡社

肥田野直　1999　アセスメントの方法と特徴　健康心理・教育学研究, **5**(1).

Gathel, R. J., Baum, A. & Krants, D. S. 1989 *An introduction to health psychology*. McGraw-Hill, Inc.　本明　寛・間宮　武（監訳）1992　健康心理学入門　金子書房

Korchin, S. J. 1976 *Modern clinical psychology*. Basic Books, Inc.　村瀬孝雄（監訳）1980　現代臨床心理学　弘文堂

Matarazzo, J. D. 1993　心理学と医学の領域での理論と実践の結びつき　*The Japanese Journal of Health Psychology,* **6**.

宮田　洋（監修）1997-1998　新生理心理学（1～3）　北大路書房

野口京子　1998　健康心理学　金子書房

Pawlik, K. & Rosenzweig, M. R. (Eds.) 2000 *The international handbook of psychology*. Sage.

Zimbardo, P. G. 1980 *Essentials of psychology and life,* 10th ed. Scott, Foresman.　古畑和孝・平井　久（監訳）1983　現代心理学（I～III）　サイエンス社

I 部
心理学の基礎理論

1章 感覚と知覚

　私たちの行動は環境からの刺激を何らかの情報としてとらえることから始まる。例えば，夜空を見上げたとき，満点の星が見えたとしよう。私たちはこの星のかたまりを北斗星などの星座としてとらえるが，北斗星の存在を知らない人はそれらの星を一つの星座として見ることはできない。つまり，私たちの「見る」「聞く」等の行動は人間が能動的に起こした主観的世界であるといえる。本章では情報の収集に大きな役割を担う視覚を主にとりあげながら，知覚の基礎過程となる「感覚」そして人間の主観的な「知覚」がどのように行われるのか，について解説する。

　外界の事物や出来事，また自分の身体の状態等自分をとりまくすべての情報は，眼，耳，鼻等の**感覚器官**（sense organ）を通してもたらされる。このような情報を認知する機能を**知覚**（perception）といい，その基礎過程を**感覚**（sensation）という。

*1*節　感　覚

　感覚には一般に**五感**（the five senses；視覚〔visual sensation〕・聴覚〔auditory sensation〕・嗅覚〔olfactory sensation〕・味覚〔gustatory sensation〕・皮膚感覚〔cutaneous sensation〕）があり，その他に運動感覚（kinesthetic sensation），平衡感覚（sense of equilibrium），内臓感覚（sense of interoceptive system）等がある。また，私たちが得る全情報量の約70％は視覚から受け取るといわれ，これらの感覚の中でも視覚は非常に重要な役割を担っている。

1．感覚の性質
a　適刺激・不適刺激
　それぞれの感覚には眼，鼻，耳等の受容器（receptor）があり，受容器が刺

トピック2

異種感覚統合

　視覚，聴覚，触覚などの感覚情報はそれぞれ別々に情報処理される。脳への入力をみても，視覚は後頭葉の視覚野へ，聴覚は側頭葉の聴覚野へ，触覚は中心溝後部にある頭頂葉の体性感覚野へと送られている。それぞれの感覚情報は別々に処理されるのに，ふつう私たちはそれらの情報をバラバラに認識することはなく，一つの整合的な知覚としてとらえている。すなわち，異種感覚情報を何らかの形で統合しているはずである。このような統合はどのようなメカニズムによって行われるのだろうか。ここでは視覚と聴覚の相互作用について述べてみよう。

「読唇術」

　雑踏の中にいて相手の話す声が聞き取りにくい状況では，相手の唇の動きを見ることによってよく聞き取れるようになることは，皆さんもご存じだろう。これは，聴覚情報処理を視覚情報が援助する現象と考えられている。最近，PET (positron emission tomography) と呼ばれる脳活動計測装置を用いて，読唇中の被験者の脳活動が測定された。視覚的に相手の唇の動きを観察している間，実際には聴覚情報は何ら入力されていないにもかかわらず聴覚野の活動が増加すること，視覚と聴覚を同時に提示する条件（すなわち私たちが通常経験する状態）では，さらに強い活動がみられたという。つまり，私たちは唇の動きを見ているだけのときにも「聴いて」いて，実際に音声を伴えばその聞き取りが良好になるのは，このような脳の活動がかかわっているといえよう。

「腹話術効果」と「マガーク効果」

　読唇術は視覚と聴覚が協調的に作用している例だが，異種感覚統合は常に協調的に起こるわけではない。実際には腹話術師が話しているのに，その音声は腹話術師から発せられたとは感じず，口を動かしている人形がしゃべっているように「聞こえてしまう」。このように音源の定位が，音源とは別の視覚対象に引き寄せられる現象一般を**腹話術効果**という。また，聞こえてくる音声と，見えている口の動きが一致しない場面（例えば /ba/ という音と，/ga/ の口の動き）をビデオで提示すると，/ba/ という音でも /ga/ という音でもなく，/da/ という音に聞こえることが多いという実験結果が知られていて，**マガーク効果**と呼ばれている。このように異種感覚統合は，一方の情報に引きつけられたり，両感覚から得られるものとは異なる新たな知覚を発生させることもある。　　　（望月　聡）

激エネルギーによって興奮し，神経系を通してその興奮を大脳に伝える。耳に対する音，眼に対する光のように感覚器官は特定の刺激に対してのみ選択的に働く。この特定刺激のことを**適刺激**（adequate stimulus）といい，それ以外の反応しない刺激のことを**不適刺激**（inadequate stimulus）という。特定の刺激にしか反応しないことで，各受容器に必要以上の負荷を与えず，またその受容器は特定の神経系と大脳の特定の部位につながっているので，いつも同じ刺激に対して同じ感覚を生じさせることができる。また，大脳自体もあまり重要でない情報の流入によって過負荷な状態にならずにすむ。ちなみに視覚の適刺激は400〜700 nm の電磁波，聴覚は30〜10,000 Hz 範囲の空気圧の変化が適刺激である。

　冬，お風呂に入るとき，最初は非常に熱いと思ったお湯がしだいにぬるく感じるようになる。このように同一の刺激条件が持続した場合，それに対して感覚が変化する現象を**順応**（adaptation）という。

b　刺激閾・弁別閾

　私たちには非常に小さい音は聞こえず，非常に弱い光は見えないように，刺激を感じ取るためにはある程度の刺激の強さが必要である。このように感覚が生じるための必要な最小刺激量のことを**刺激閾**という。

　また，2つの刺激が異なると感じるためには，ある程度の刺激の強度差が必要である。この必要最小の刺激変化量を**弁別閾**という。また弁別量閾は刺激量によって異なるといわれている。1 kg を持った後に 1.5 kg を持つと差を感じるが，5 kg を持った後の 5.5 kg は重くなったとは感じない。この性質は，弁別閾の値と刺激量の比が一定になるとして知られている。例えば，1 kg に対する弁別閾は 20 g だが，100 g に対しては 2 g グラムになる。これを**ウエーバーの法則**と呼ぶ。

2．視　　覚

a　眼の構造と働き

　眼は図 1.1 のような構造になっている。外界からの光は角膜，水晶体，ガラス体を通過し，網膜に到達する。水晶体はレンズの働きをしており，近いものを見るときは厚みを増し，焦点を調節する。虹彩の開口部にある瞳孔は明るさ

図1.1 眼の構造

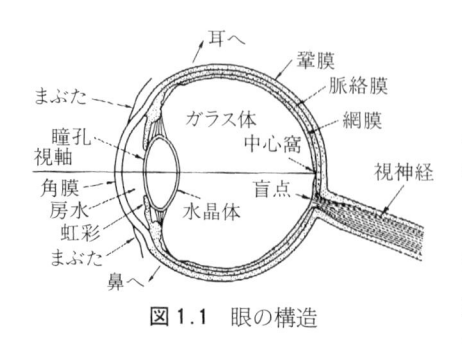

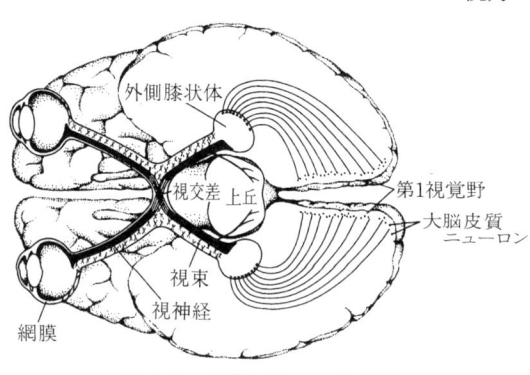

図1.2 視覚経路と大脳視覚野

に応じて大きさを変えて光の量を調節する。網膜は視神経と2，3の神経細胞の層から構成される。視神経は光を神経興奮に変える受容器であり，杆体と錐体の2種類がある。杆体と錐体は機能が異なっており，杆体は明るさに対して鋭敏で，錐体は色の識別が可能で視力に優れるが暗い所では機能しにくいといった特徴がある。また錐体は中心窩の付近に密集しているが，杆体は周辺部に多く分布している。ものを注視すると中心窩に像が結ばれるが，そこには錐体が密集しているので，注視すると鮮明にものが見えるのである。眼球を出た視神経は両眼から神経の振り分けを行う視交差を経て，外側膝状体に向かい，網膜からの情報をさらに精緻化する。その後に大脳皮質視覚野に到達する。最初の本格的な情報処理はその中の第1視覚野で行うが，さらに高度の処理は第2，3，4などの視覚野が行う（図1.2参照）。

b 色覚の成立

私たちはどのようにして光を色として認識できるのか。受容器が各波長の光に対して異なる情報を脳に送る仕組みについて2種類の説明がなされている。

(1) **3原色説**（ヤング－ヘルムホルツ〔Young, T. & Helmholtz, H. von〕説）

網膜中にはそれぞれ，長波長(赤)，中波長(緑)，短波長(青)の領域に敏感な3種類の錐体があり，すべての色の感覚はこれらの反応の比率に応じて生じる。例えば黄色の感覚は赤領域に敏感な錐体と緑領域に敏感な錐体が反応すれば生じる。

(2) 反対色説（ヘリング〔Hering, K. E. K.〕説）

3原色説では黄色と青の区別ができない色覚障害の存在を説明できないとして，赤－緑，黄－青，白－黒の3種の視物質があり，それらの組み合わせの両極反応を示すものと仮定した。

現在では，3原色説の仮定した機能は初期の段階（錐体細胞レベル）の処理に，反対色説はそれ以降のレベル（眼から大脳へ情報が送られるレベル）の処理において機能するとした段階説が有力である。

2節　知　　覚

1. 知覚の特性

a　錯視・錯覚

私たちが外界の対象を知覚する際に，実際の物理的な世界（客観的世界）と感覚，知覚プロセスを経てつくりだされる世界（主観的世界）との不一致が生じる場合がある。これを**錯覚** (illusion) と呼び，視覚における錯覚は**錯視** (visual illusion) としてさまざまな研究がなされている。

錯視のメカニズムを解明するために，錯視を引き起こすような幾何学的錯視図形 (geometrical optical illusion) が数多く考案されている（図1.3）。錯視が起きる要因については，網膜像によってもたらされる生理的興奮の分布が図形の形によって異なるためとした網膜誘導場説 (retinal induction field theory) や，図形を見るときに生じる視線の移動距離が図形の形によって異なるためとした眼球運動説 (eye movement theory)，図形の大きさを判断するときに感じる観察者からの距離が図形の形によって異なるためとした遠近法説 (perspective theory) などがあるが，錯視現象を包括

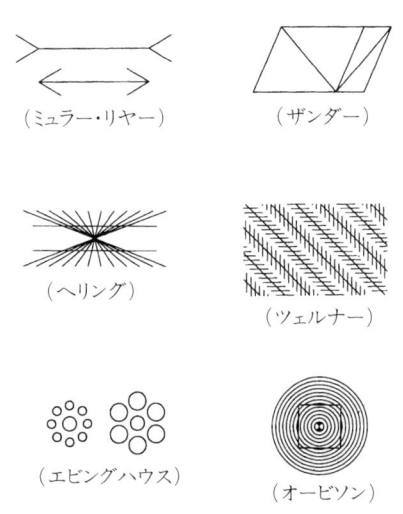

図1.3　幾何学的錯視図形

的に説明できる理論は現在のところはない。

b 恒常性

例えば5m先にいた人が10mの距離に移動したとき，私たちはその人の大きさが半分になったとは感じない。しかし，網膜上に投影された像の大きさは半分になっているはずである。このように対象の照明や，見る角度，距離が変化しても知覚する刺激がある程度一定の性質を保って知覚される性質を**恒常性**(constancy) という。

(1) 色と明るさの恒常性：白い紙を昼間見ても夜に月の光で見ても同じく白い紙に見える。このように照明光の変化にもかかわらず対象の色や明るさがある程度一定に見える現象を色と明るさの恒常性という。

(2) 大きさの恒常性：前述のように対象までの距離が変化すると網膜像の大きさは距離に反比例して増減するが，知覚される大きさはある程度一定を保つ。このような性質を大きさの恒常性という。

(3) 形の恒常性：卓上のお盆は通常斜めの方向で見られるから，その網膜像は長円になるはずなのに，円として知覚される。このように図形や事物の一定の表面の形がそれを見る角度が異なっても変形した印象を与えない性質を形の恒常性という。

2. 形の知覚

霧の中にいるとき「何も見えない」と感じる。このような視野の中に異質なものが一つもない状態（全体野〔Ganzfeld〕）では私たちは「見える」と感じない。本項ではこの「見える」と「見えない」の差は何なのかについてとりあげる。

a 図と地

「見える」という状態，つまり物が物として知覚されるためには，視野の中に異質な領域が存在しまわりから分凝 (segregation) すること，つまり，**図** (figure) と**地** (ground) の分化が必要である。図1.4では白い部分が「盃」の形をしていて，黒い部分が「向い合う人の横顔」に見える。図1.4を観察すると，時には盃に時には横顔に見え，2つの図形が同時に見えることはない。つまり盃に見えるときは，メインとして感じる白い部分が「図」であり，背景

I章 感覚と知覚

図1.4 ルビンの盃 (Rubin, 1921)

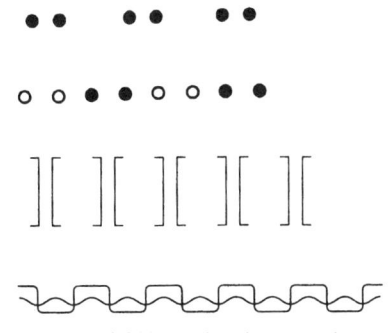

図1.5 体制化の要因（上から順に，近接・類同・閉合・よい連続）

として感じる黒い部分が「地」，横顔のときはその反対として知覚されているといえる。この図のように「図」と「地」が入れ替わる図形を「反転図形」または「多義図形」と呼ぶ。

b 知覚の体制化

いくつかの星がまとまって星座として見えるように，私たちはバラバラな刺激でもあるまとまりをもった形，すなわち図として見ようとする傾向がある。この傾向を**体制化**（perceptual organization）または，**群化**（perceptual grouping）の法則という。ゲシュタルト心理学のウェルトハイマー（Wertheimer, M.）は体制化が起きる要因としていくつかあげている（図1.5参照）。

(1) 近接の要因（factor of proximity）：同質のものなら近くにあるものがまとまりやすい。

(2) 類同の要因（factor of similarity）：距離が等しくても性質の異同があれば類似のものがまとまりやすい。

(3) 閉合の要因（factor of closure）：閉じた領域をつくるものがまとまりやすい。

(4) よい連続の要因（factor of continuation）：なめらかにつながるように，規則的で方向が変わることのない配列はまとまりやすい。

ゲシュタルト心理学では上記の特徴をもつ刺激を「よい形」と呼ぶ。

ゲシュタルトの概念では，知覚の成立には刺激の各要素が要因ではなく，要素は上記のような，刺激の全体的な位置関係に依存して知覚されるとされる。

しかし，この概念には2つの要因が競合するときどちらの要因が優位になるのかを説明できないという問題点が指摘されている。

3．空間の知覚

私たちをとり囲む世界は上下，左右，前後の3次元より成り立っており，私たちはその3次元空間を知覚することができる。視知覚が成立するプロセスは，眼の網膜上に像ができることから始まるが，この時点では2次元の映像にしかすぎない。それなのに何故人間は3次元空間を知覚できるかについては重要な研究テーマとして多くの研究がなされている。本項では，空間知覚の成立に関する主な理論である手がかり理論，生態学的知覚理論，計算論的視覚理論についてとりあげる。

a 手がかり理論

手がかり理論（cue theory）では網膜像に奥行き知覚の手がかりが存在するとき，3次元空間が知覚されると説明され，2次元的網膜像と奥行きの関係は経験的に習得されるものであるとしている。手がかりには左右の眼の網膜上にできる2つの像をもとにして働く両眼性の手がかりと，片方の眼の像だけでも働く単眼性の手がかりがある。

(1) 両眼性の手がかり

輻輳（convergence）：接近対象を注視すると，両眼の視線がある角度（輻輳角）に交わる。交わった際の眼筋の緊張が手がかりとなるが，有効範囲は狭い。

両眼視差（binocular disparity）：両眼は6cm程度離れているため，左右に異なる像が網膜上に投影される。異なる像は大脳内で融合され，単一対象として知覚されるが，この融合する際の左右の像のずれが手がかりとなる。

(2) 単眼性の手がかり

直線遠近法（linear perspective）：鉄道のレールや道路が遠くなるほどせばまって見える。つまり，レールや道路の幅，高さは距離に伴い規則的に変化することが手がかりとなる。

大きさの遠近法（size perspective）：山など遠方のものは小さく，目の前の家など近いものは大きく網膜像に投影されると奥行きが見られる。

大気遠近法（aerial perspective）：遠くのものの像は近いものより濃淡（明

図 1.6　運動視差 (Gibson, 1950)　　図 1.7　陰影 (月面の凹凸)

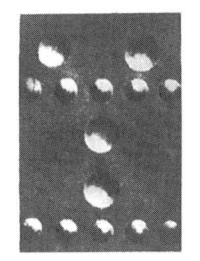

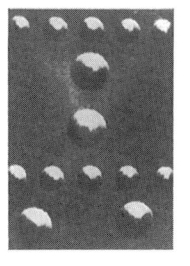

暗) の対比が少なく，かすんで見える（遠い山を見たときなど）印象が手がかりとなる。

　重なり合い (superposition)：目の前にある家が遠い山の一部を覆い，山の一部が見えなくなるように，近いものは遠いものを覆い隠す。覆い隠した印象が手がかりとなる。

　調節 (accommodation)：眼はレンズの役目をする水晶体の厚さを筋肉（毛様体）の緊張，弛緩により行う。筋肉の緊張，弛緩の感じが手がかりとなる。

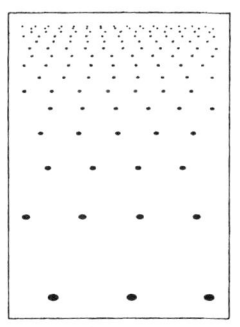

図 1.8　きめの勾配 (Gibson, 1950)

　運動視差 (motion parallax)：観察者または対象が移動すると運動視差が生じる。進行中の電車の窓から眺めると近くのものは急速に過ぎ，遠くのものはゆっくり動く。さらに遠いものはそれらと逆方向に動いて見え，観察距離に応じて動く速度と方向が異なる（図1.6参照）。

　陰影 (shadow)：影のでき方がふくらみとへこみの知覚に影響をあたえる（図1.7参照）。

　きめの勾配 (texture gradient)：対象の面を構成するきめ (texture) が遠くにあるものほど細かく密になる。観察者からの距離や傾きに伴う規則的な変化が手がかりとなる（図1.8参照）。

b　**生態学的知覚理論** (ecological approach)

　ギブソン (Gibson, J. J.) を中心に発展してきたこの理論は，空間の3次元的構造や知覚者の運動を特定する高次の情報が**光学的流動** (optical flow) の中

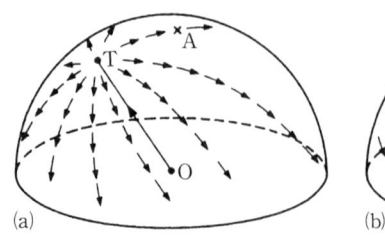

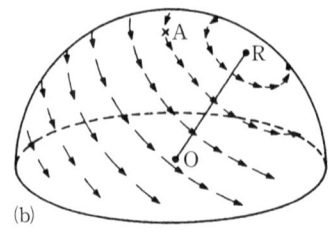

図 1.9 光学的流動 (森, 1995)

にあり，人間はその高次情報を知覚する視覚系の能力が備わっているとした理論である。

ある静止点に向かって直線的に移動すると，その点を中心にした，その点から離れる方向の放射状の光学的流動が見える．逆にその点から離れるように直線的に移動するとその点に向かう放射状の光学的流動が見える（図 1.9(a)）．またある軸のまわりに回転して動くと図 1.9(b) のような光学的流動が見える．このように知覚者の移動によって観察点が変化したときには，光学的流動が起きる．しかし，乗っている電車が移動しても近くに見えるプラットホームと遠方の山の位置関係が不変であるように，環境内の事物，事象が変化し，光学的流動が起きても，その全体的な配列は変化しない．ギブソンはこの不変的な特性を「**不変項**（invariant）」とした．つまり，絶えず流動する光学的パターンの内に，空間の 3 次元性，対象の 3 次元性および空間内での知覚者の位置などを特定する不変項は必ず存在し，知覚者はそれらを単に検出すればいいので，解釈や推論等の内的プロセスを考える必要はないと説明している．

C 計算論的視覚理論

この理論はマー（Marr, D.）により提案され発展した理論である．マーはギブソンの不変項の存在は支持したが，内的プロセスの不必要性には反対し，2 次元の網膜像は 3 段階の内的プロセスにより 3 次元映像として知覚されるとした．彼は計算論的手法により同一対象に対する複数の 2 次元の網膜像から単一の 3 次元的な対象物の復元を試み，成功した．

マーは計算理論の立場から復元のプロセスを 2 次元，2 1/2 次元，3 次元として，低次の表現から高次の表現の推測が行われることを示した．

(1) 2 次元段階：原始スケッチと呼ばれる．この段階では局所的な明るさの

トピック3

アフォーダンス

　環境に生活する人や動物は，そのなかを動きまわり，多彩な行為を行っている。それらが可能であるかどうかは，行為者と環境のどちらか一方の性質だけでは定められない。例えば，環境のある対象を「持つ」ことが実現可能であるためには，行為者が物体をつかんだり保持したりすることのできる手や腕やそれを支える体幹といった装置を有していることと同時に，その対象が，その装置にとって適切なサイズや形状や固さを有している必要がある。この対象の性質を環境に見出すことができるならば，その対象は，「持つ」という行為の機会を提供しているといえる。

　ジェームズ・J. ギブソン（Gibson, J. J., 1979）によれば，動物は，このような動物と相補的な環境の性質「**アフォーダンス**（affordance）」を知覚する。アフォーダンスとは，動物に対して環境が提供する「意味」や「価値」のことであり，この用語は，「提供する」という意味の英語 "afford" に由来するギブソンの造語である。

　動くことと不分離な知覚を扱ったギブソンの理論に基づいて，アフォーダンスがいかに知覚されるかを視覚についてみてみよう。通常，私たちが何かを「見る」とき，目に飛び込んでくる光景をじっと見つめているということはない。観察点を変えるさまざまな諸活動の中で，あるいは眼球を動かし，頭部を転回させ，移動するなどの探索的な諸活動とともに見るものである。動く観察点で検知できる視覚情報が，観察点に集まる光の中に存在する。観察者を取り囲む環境の面のあらゆる点に由来し観察点に集まる光束の配列は，観察点が動くとき変化する。一方，環境の面の構造（きめ）や面の配置といった環境の持続する様相を反映した構造は，変化の中で不変である。観察者は，それらの不変項群を光によって生じた流動する刺激作用の中からピックアップし，その面の構造や面の配置によって構成される環境のアフォーダンスを知覚するのである。

　環境に生活する動物は，諸活動を通して，そこにアフォーダンスを発見し，探し，行為のために利用する。

〈鈴木健太郎〉

引用文献
Gibson, J. J. 1979 *The ecological approach to visual perception.* Houghton Mifflin. 古崎　敬ほか（訳）1985 生態学的視覚論　サイエンス社

変化を示すエッジ（縁），バー（平行線分），ブロブ（小塊）等を抽出する（図1.10 (a)）。

(2) 2 1/2次元段階：この段階は物体の面の傾きや距離について知覚者を原点とした座標系（viewer-centered coordinate frame）で記述している。これが2 1/2スケッチである。この段階で奥行き情報を回復する処理が開始されるが，観察者の視点に依存するので，視点が移動した場合でも物体の形状が変化しないという特性はこの段階では説明できない（図1.10 (b)）。

(3) 3次元段階：この段階では物体の形状を物体中心座標系（object-centered coordinate frame）で表現している。これは3次元モデル表現と呼ばれ，一般化円筒（generalized cylinder）と一般化円錐（generalized cone）の概念を用いて記述される（図1.10(c)，図1.11）。マーはこの概念は事物の最も原始的な形状であると考えて，これを基本としてさまざまな形状を表現した。例え

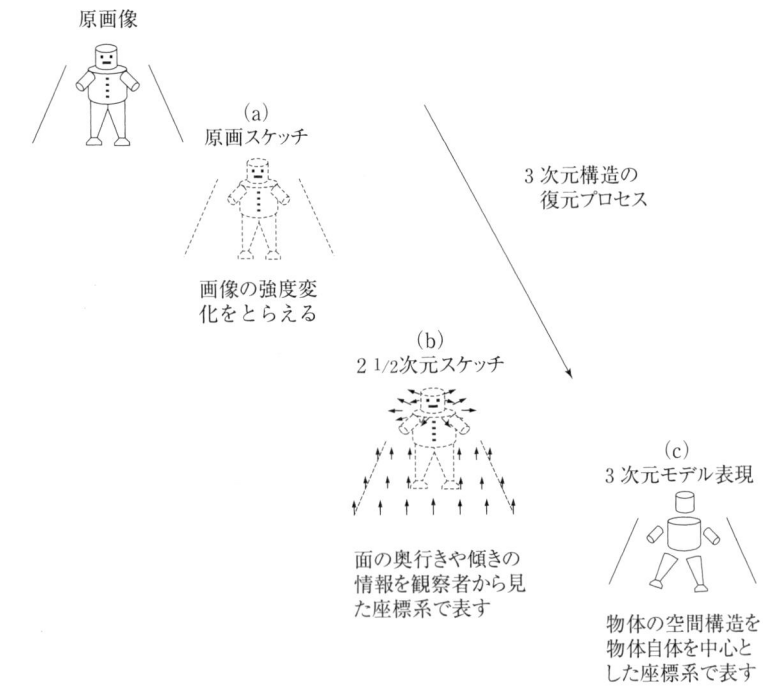

図1.10 マーが提出した3次元物体認知のための3段階の視覚表現
（Barrow & Tenenbaum, 1981；行場，1995より）

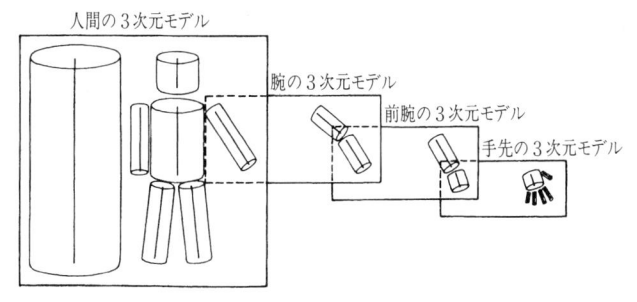

図1.11 3次元モデル表現 (Marr & Nishihara, 1978；竹市, 1995より)

ば，人体は図1.11のように表現でき，腕→前腕→手→指のようにより小さい円筒，円錐の組み合わせによって細部まで階層的構造を記述できる。

マーは以上のような処理プロセスを仮定し，3次元の事象が脳内に表現されると説明し，視覚研究に新しい視点をもたらした。

4．運動の知覚

運動の知覚は空間中の対象の位置の変化と時間の経過の関係によって生じる。動いている対象の像が網膜上を移動するから動きが見られる，というだけでは運動知覚は説明できない。静止している対象を頭をめぐらせながら眺めても網膜像は移動するが，運動の知覚は起きない。

運動の知覚が起きるケースは主に3種類に分類することができる。

眼と頭が静止していて，対象のみが移動する場合（自己中心的運動視）と，頭は静止し，追視によって眼のみが対象とともに移動する場合（外界中心的運動視），眼は対象とともに移動し，かつ追視対象以外の事物も追視対象とは違った動きを行う場合（自己，外界中心的運動視）である。この運動視はさらに人間も移動しているような複雑な場合も含まれる。日常生活で私たちが多く行うのは最後の自己，外界中心的運動視である。

また，時間の経過との関係でみれば，飛行機のプロペラのような非常に速い運動や，逆に太陽や月のような非常に遅い動きは知覚できないという特徴がある。対象がどれだけの速度で動けば知覚されるか（運動速度閾〔velocitiy threshold〕）は等質的な視野で約10～20分（視角）/秒（時間）といわれているが，対象の大きさや提示時間，提示状況等で変化する。

トピック4

乳児期の音声知覚発達

　人の聴覚系は誕生する3カ月くらい前の胎児期から機能しているので，新生児はすでに聴覚を介して外界との接触経験をもって生まれてくる。母親の胎内の音響環境は生後出会う環境とはかなり異なるものの，新生児は胎内での**聴覚経験**を記憶しており，その記憶と一致する音響特性に対して選択的に注意を向けることができる。例えば，新生児に自分の母親の声とそうでない女性の声を聞かせると，母親の声の方に長く注意を向ける。声の個人性の特徴のみでなく，バイリンガル話者によって発話された母語と非母語の違いや，胎児期に母親の腹壁を通して繰り返し聞かされていた朗読文と未知の朗読文の違いなどにも感受性を示すことが知られている。

　これらの事実は，新生児が胎内で経験した音声刺激をピアノとギターの音のような単なる音色の違いのみでなく，個別言語を特徴づける要素まで知覚し，記憶していることを示している。また，誕生したばかりの新生児は，母親が使用している音素体系にかかわりなくすべての言語に用いられている音韻を聞き分けられるらしいということもわかっている。

　この能力は上述したような胎内での聴覚経験から学習された能力とは考えられない。胎内環境においては音響エネルギーの小さい子音成分はほとんど伝わらないし，母親が使用しない言語音にさらされる機会もないであろう。このような新生児が誕生時点で示す音韻知覚能力が，人以外の動物とも共通する聴覚系に規定された能力であるのか，**音声言語**に特有の情報処理機構が生得的に準備されているのかという議論も興味深いところである。また，誕生時点で示された言語普遍的な音韻知覚能力の特性はその後どのように発達し，いつごろ母語の音声体系に規定された成人同様の言語特異的な**音声知覚**に変化していくのだろうか。

　これまでの研究によると，母音体系については生後6カ月ころ，子音体系については生後10カ月ころに母語の音韻体系に同化してくることがわかっている。またこの時期に一致して，乳児は連続音声を語単位の区切りに分節化して知覚することが可能になってくるといわれる。このように乳児が音声を言語的記号として処理するようになるためには，誕生後の対人関係を含めた適切な音声言語入力環境の存在と，それを体系化し，概念化していくための認知能力の成熟が重要な要因である。

〈林　安紀子〉

運動知覚の特性としては以下のものがある。

(1) **仮現運動**（apparent movement）

客観的に動いていないのに動いていると知覚される場合がある。映画のフィルムの各コマは静止しているのに，それらが次々に移動した位置に事物を映し出すと動いているように見える。このような現象を仮現運動という。

(2) **誘導運動**（induced movement）

雲の動きにつられて同じ方向に月が動いているように見えたり，自分の列車の動きにつられて止まっている隣りの電車が走り出したように感じたりする。このように2つの事物の一方が運動し，客観的には静止している他方の事物が動いている対象につられて移動しているように感じる現象を誘導運動という。

(3) **運動残効**（motion aftereffect）

川の流れをしばらく凝視して，そのあと岸辺に眼を移すと，静止しているはずのものが先の川の流れと逆方向に動いて見える。このように一定方向に運動する刺激の注視後に静止刺激が運動刺激の逆方向に動いているように感じる現象を運動残効という。

(4) **自動運動**（autokinetic movement）

暗室内で数メートルの距離に光点をおき，しばらく凝視していると光点があちこちらに動き出すように感じる。このような視野の中に安定した枠組みが見えるものがないときに生じる現象を自動運動という。 （斎藤聖子）

☞さらにもう一歩先へ

1. ギブソンの生態学的知覚論はさまざまな知覚現象を説明することを可能とした。大きさの恒常性の「大地説」や，「きめの勾配」について生態学的知覚論を用いて説明しながら本理論の理解を深めてみよう。
2. 視覚に対する計算論的アプローチの影響を受けてクックという研究者が音の体制化に対する計算論的アプローチを試みている。それについて調べながら，聴覚の特性についても考えてみよう。

引用・参考文献

相場　覚・鳥居修晃　2001　知覚心理学　放送大学教育振興会
Barrow, H. G. & Tenenbaum, J. M.　1981　Computer vision. *Proceedings of the*

IEEE, **69**, 572-595.
Gibson, J. J. 1950 *Perception of the visual world.* Greenwood Press.
Gibson, J. J. 1979 *The ecological approach to visual perception.* Houghton Mifflin. 古崎　敬・古崎愛子・辻敬一郎・村瀬　旻（訳）1985　生態学的視覚論　サイエンス社
行場次朗　1995　視覚パターン認知　乾　敏郎（編）　認知心理学1：知覚と運動　東京大学出版会
乾　敏郎（編）　1995　認知心理学1：知覚と運動　東京大学出版会
Kaniza, G. 1979 *Organization in vision : Essay on gestalt perception.* Praeger Publishers. 野口　薫（監訳）1985　視覚の文法　サイエンス社
Marr, D. 1982 *Vision : A computational investigation into the human representation and processing of visual information.* W. H. Freeman. 乾　敏郎・安藤広志（訳）1987　ビジョン――視覚の計算理論と脳内表現　産業図書
Marr, D. & Nishihara, H. K. 1978 Representation and recognotion of the spatial organization of three-dimensional shapes. *Proceedings of the Royal Society of London,* **B. 200**, 269-294.
森　晃徳　1995　異種感覚情報の統合　乾　敏郎（編）　認知心理学1：知覚と運動　東京大学出版会
本明　寛（編）　1975　別冊サイエンス　特集：視覚の心理学I　日本経済新聞社
大山　正　1979　空間知覚　田崎京二・大山　正・樋渡涓二（編）　視覚情報処理――生理学・心理学・生体工学　朝倉書店　pp. 768-801.
大山　正（編）　1982　別冊サイエンス　特集：視覚の心理学II　日本経済新聞社
大山　正（編）　1986　別冊サイエンス　特集：視覚の心理学III　日本経済新聞社
大山　正・今井省吾・和気典二（編）　1994　新編　感覚・知覚心理学ハンドブック　誠信書房
Reed, E. S. 1996 *Encountering the world : Toward an ecological psychology.* Oxford University Press. 細田直哉（訳）　佐々木正人（監修）　2000　アフォーダンスの心理学――生態心理学への道　新曜社
Rubin, E. 1921 *Visuell wahregenommene Figuren.* Gyldendalske.
佐々木正人　1994　アフォーダンス――新しい認知の理論　岩波書店
竹市博臣　1995　立体視　乾　敏郎（編）　認知心理学1：知覚と運動　東京大学出版会
Wertheimer, W. 1923 Untersuchungen zur Lehre von der Gestalt, II. *Psychologische Forschung,* **4**, 301-350.

2章 認　　知

　哲学的，文学的な考察対象でもある言語，思考，記憶を心理学はどのように扱うのであろうか。本章では，これらの問題を認知心理学の立場から概説する。言語については，主に心理言語学，思考・文化，そして脳機能と関連づけて説明する。思考については，人間特有の思考バイアスに焦点をあてる。すべての精神活動の基礎である記憶に関しては，その基本過程を述べるとともに，代表的なモデルを紹介する。最後に認知と情報処理の関係を述べ，この関係が特に長期記憶（知識）のモデル化にどのように反映されているかを解説する。

*1*節　言　　語

1. 言語の獲得

　人間の子どもでは初語が平均して10カ月あたりで現れ，18カ月くらいで2語文，3語文を使って要求や拒否などの意思表示をするようになる。この時期に語の爆発的増加（word explosion）が起こり，6歳ころにかけて平均して1日約9語を獲得し，10歳ころまでには基本構文のほとんどを学習するといわれる。発話と発話理解には，親ことば（**マザリーズ**；motherese）が貢献している。

　アメリカの心理学者ガードナー夫妻（Gardner, R. A. & Gardner, B. T.）は1966年，ワシューと名づけたチンパンジーにアメリカ式手話（ASL）を教えた。ワシューは，COME, TICKLE, GIMME (give me), SWEET のような単語のサイン，そして MORE のサインを組み合わせ，状況に応じて MORE SWEET, MORE　TICKLE のような表現もできた。さらに，WATER と BIRD のサインを組み合わせて SWAN を意味する新しい言葉をつくり，冷蔵庫を OPEN FOOD DRINK と表現することさえできた。獲得した語彙は4年間で130語ほどになったが，文のレベルは2語文，3語文であり，1歳半から

トピック5

サルは言葉をしゃべるか

　ヒト以外の動物が言葉をもつか？言葉こそが理性の基礎であり，人間と動物とを分ける基準だと考える，西洋キリスト教文化圏の人々にとって，この問いは切実なものであった。この基準に疑問をなげかけ，ヒト以外の動物，特にヒトと生物学的に最も近縁なチンパンジーを被験体として，なんとか「ことば」を教えようとする試みが，今世紀の中盤から後半にかけて，何人かの人々によって試みられた。

　1947年ヘイズ夫妻（Hayes, C. & Hayes, K. J.）は，チンパンジーの音声言語の習得を目標にその発達研究をスタートした。しかし結果はそれほどめざましいものではなく，ヴィッキーと名づけられたチンパンジーが3年間に習得した音声言語は，「ママ」「パパ」「カップ」のわずか3語であった。その後，人類学者リーバーマン（Lieberman, P.）による「チンパンジーは声帯にかんする形態的な制約により，ヒトの音声言語のような音素を発することはできない」という研究も追い打ちかけ，類人猿に言葉を教える「エイプ・ランゲージ」の研究はいったん下火となる。

　ところが1966年ガードナー夫妻（Gardner, R. A. & Gardner, B. T.）が，アメリカの聾唖者たちに標準的に用いられている「アメリカン・サイン・ランゲージ」を使って，ワシューという名のチンパンジーに3年間で85の単語を教えることに成功した。音声ではなく手話に絞った点が，この研究の成功のカギであった。この発表は，言語学者，人類学者に衝撃を与え，猛烈な反論と批判の嵐がまきおこった。たしかに彼女たちの試みには「チンパンジーの動作を誘導しているかもしれない」など，多くの問題が含まれていた。実際，その後1973年に，同じ手話を用いてニムというチンパンジー（この「ニム」とは，エイプ・ランゲージの最大の批判者，「ノーム・チョムスキー」の名をもじった「ニム・チンプスキー」からきている）を訓練したテラース（Terrace, H. S.）は，ヒトとチンパンジーのあいだで手話がやりとりされているかにみえる場面を詳細に分析した結果，模倣と反復が40％を占めており，約10％程度の手話だけが「自発」されているにすぎないとの結果を明らかにした。

　チョムスキー（Chomsky, N. A.）や，その後継者であるピンカー（Pinker, S.）など「生成文法派」の人々は，この結果をもって「チンパンジーの言葉」などは幻想にすぎず，ヒトの言語とは無関係であるとの結論を導き出し

ている。しかし積み木を用いた視覚言語を，チンパンジーに学習させたプレマック（Premack, K. D.）は，こうした種類の議論を「驚くべき単純化」であると批判し，言語あるいは単語とは，いかなる情報処理に基づいたものであるのかを丹念に検討し定義すべきであると，その著書『ギャバガイ』で繰り返し警告している。

その後，コンピュータを用いて，より制御された環境でエイプ・ランゲージを研究したランボー（Rumbaugh, D. M.）のグループや，その手法を日本に導入した室伏靖子，浅野俊夫，松沢哲郎の京都大学霊長類研究所のグループ，さらに近年では，ボノボのカンジがみせる示唆に富んだエピソードなど，エイプ・ランゲージは大きな展開をみせている。いずれにせよ，プレマックがいうように，「サルは言葉をしゃべるか」という問いは，「言葉とは何か」という定義を，いかに精密なものにしうるかどうかにかかっているのであって，「できる／できない」の「驚くべき単純化」に陥らぬよう，私たちは注意しなければならないだろう。

（金沢　創）

2歳児の言語レベルにとどまった。

人間の言語は動物のコミュニケーション手段や，コンピュータのプログラム言語などの人工的な言語と区別される自然言語であり，高度に学習された知識である。この知識には，①書字の単位の知識，②意味を担う最小の言語単位を形成する音の組み合わせの知識，③単語を形成する形態素の組み合わせの知識，④語彙の知識，⑤文法の知識，⑥語の組み合わせによる文の意味の知識，⑦語の使用場面や社会的文脈に関する知識，などが含まれている。

2. チョムスキー文法と心理言語学

言語知識のモデル化をめざしたチョムスキー（Chomsky, N. A.）の**生成文法**（generative grammar）は1960年代，当時の心理学者に人間の言語機能の重要性を認識させ，知識そのものの研究に向かわせた。チョムスキーによれば文法は言語知識であり，言語能力である。人間の大脳には普遍文法と呼ばれる，言語に普遍的な文法の諸原理が生得的に備わっている。そしてこの文法の構造を明らかにし，言語能力を使って文の表出・理解をする言語運用の知識を記述することが**心理言語学**（psycholinguistics）の目標であるとした。

```
                              文
                    ┌─────────┴─────────┐
                   名詞句              動詞句
                 ┌───┴───┐       ┌──────┼──────┐
               決定詞   名詞    動詞   名詞句      前置詞句
                                     ┌──┴──┐   ┌───┴───┐
                                   決定詞 名詞 前置詞   名詞句
                                                      ┌──┴──┐
                                                    決定詞  名詞
                │      │      │      │     │     │     │     │
               the    cat  chased    a    dog    on   the   road
```

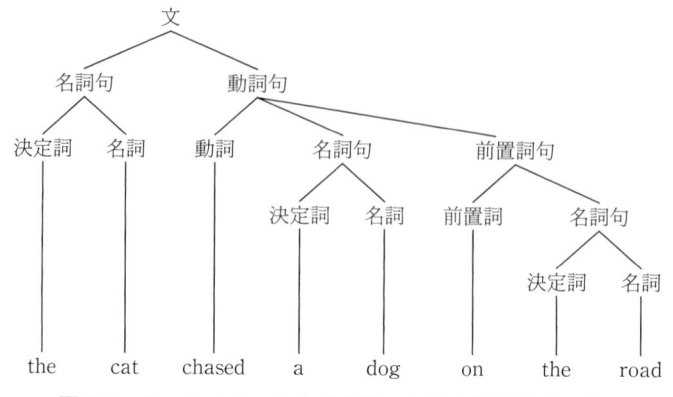

図 2.1 チョムスキーの生成文法における深層構造の表示

チョムスキーによれば文法は統語規則，意味規則，音韻規則の3つの規則群から構成され，自律した3つの主要部門に分かれる。統語部門では統語規則の一つである句構造規則が文に適用され，文の基底にある**深層構造**（deep structure）が表示される。さらにこの深層構造に変形規則が適用されて文の明示的な統語構造である**表層構造**（surface structure）が生成される。音韻部門では表層構造に音韻規則が適用されて音声解釈が与えられ，意味部門では深層構造に意味規則が適用されて意味解釈が与えられる。

図2.1は "The cat chased a dog on the road" という文に句構造規則を適用してえられる深層構造を示している。句構造規則は一般に X→AB という形式をもっているから，この文は名詞句と動詞句に分かれ，これを基本としていくつかの中間構造を経て最終的に意味を担う最小の単位（形態素）に分析される。意味ではなく統語法を優先するチョムスキーの文法理論は，1970年代に生成意味論学派から批判され，構造形成の順序は，現実の話者の言語運用に依拠しない心理学的な虚構であるといわれた。この批判的立場は現在では認知文法や機能文法に受け継がれている。

3．言語と思考・文化

言語相対性仮説（別名，サピア＝ウオーフ仮説）を唱えた文化人類学者のサピア（Sapir, E.）およびその弟子のウォーフ（Whorf, B. L.）は，言語は実際に経験を限定し，事柄や観念を押しつけ，自然を認識する枠組みを定める，と

唱えた。この考えは，アメリカインディアンのホピー族の言葉に時間に関する語がほとんどなく（その後の研究はこの事実を否定している），そのために時間と空間の認識がヨーロッパ語を話す者と極端に異なっている，という知見に基づいている。

　イヌイット族は雪を表現するのに30近い語を使うといわれている（吹きだまりの雪，毛羽のような雪，固まった雪，など）。このことは生活環境と言語の相互関係を示しているが，"固まった雪"という言葉を知らなければ，"毛羽のような雪"との区別ができないかというと，事実はそうではない。ニューギニアのダニ族は，明るい色をさす語と暗い色をさす語の2つしか使わないといわれた。しかし，実際は単に色彩語が少ないだけで，主要な色を区別できる。言語の異なる人々に300種類の色見本を見せて名前の回答を求めた調査では，共通して最低で2つ，多くて11個の名前があげられた。しかも，色名に対応する中心色は言語を問わず一致する。言葉の違いにもかかわらず知覚に共通性があること，さらに命名できなくとも識別可能であることは，強い意味での言語相対仮説が成立しないことを示している。

4. 言語と脳

　大脳半球表面は前頭葉，側頭葉，頭頂葉，後頭葉の4つの機能領域に分けることができる。このうち特に言語と関係のある領域は，左半球における前頭葉下後部の**ブローカ野**と側頭葉後部の**ウェルニッケ野**，頭頂葉下部の**角回**である（11章参照）。

　脳の特定部位が損傷を受けると，言語の表出や理解が障害された失語症の状態になる。これには2つの主要なタイプがある。**ブローカ失語**は発話に関する障害をさし，ブローカ野の損傷により起こるとされる。ブローカ失語の患者の話は断片的で，内容は文法的構成要素を欠き，語形変化も失われている。問題は，発話理解よりも言語の表出にあると考えられている。これに対して**ウェルニッケ失語**は，話し言葉の理解が困難な症状を呈する。発話は一見流暢で文法的にも正しいが，内容は意味不明で言葉のサラダのように聞こえることがある。このほか失語症には，①伝導失語，②語聾，③健忘失語，④全失語，などがある。さらに，自発的な動作はできるが，口頭で指示されるとその動作ができな

い失行症，読字あるいは書字言語の理解が障害された失読症，書くことが障害された失書症なども言語と脳の相互関係を示している。

現在ではX線を使った **CT**（コンピュータ断層撮影）や，脳内の血流量のパターンをとらえる **PET**（陽電子放射断層撮影），生体内の水素原子と高周波磁界との共鳴を利用した **MRI**（磁気共鳴像）などの脳画像処理法で，言語使用時の脳活動を観察することが可能になった。また，てんかんの治療のため左右大脳半球の連絡を外科的に切断した分離脳患者の言語行動を観察することで，半球の**ラテラリティ**（laterality；半球の機能的非対称性）が明らかにされている。

2節　思　考

1. 思考研究の動向

思考は白昼夢から意思決定にいたる広い範囲の精神活動をさす。1950年代以降の思考研究は，古典的実験心理学や後の行動主義心理学の流れを離れ，情報科学や言語学の知見を取り入れて発展してきた。行動主義心理学は，思考を試行錯誤による条件づけの原理によって説明しようとした。しかし，私たちは突然何かがひらめき，答えがうかぶAha現象を体験する。そうした認知構造の突然の変化を**洞察学習**（insight learning）と呼ぶ。歴史的には，ゲシュタルト心理学者のケーラー（Köhler, W.）に代表される洞察学習の研究が，思考に対する認知的アプローチに貢献した。思考研究は対象が複雑であるだけに，実験心理学の方法論が比較的容易に適用できる問題解決，推論，意思決定などの領域がとりあげられる傾向にある。人間に特有の思考バイアス，言語や記憶，大脳部位との関係が明らかにされると同時に，最近では個々の領域を包含する統合的モデルも提案されている。

2. 推　論

論理学は論証の妥当性だけを問題にして，前提や結論の真偽は問題にしない。しかし，心理学的には個々の立言の真実性は論証の妥当性に影響して判断を狂わせる。特に立言が感情的な調子を帯びていたり，個人の信念・信条に直接関

係する場合には影響が大きい。論証の内容と形式が心理的には完全に分離していないのである。**推論**（reasoning）におけるこうした現象には以下のようなものがある。

(1) 信念バイアス：三段論法に代表される演繹的推論において，結論が常識や信念と一致するときの方が論法を妥当と判断する。

(2) 雰囲気効果：三段論法は「すべて」「いくつか」「いくつかは～でない」「どれも～でない」という量化子を含んでいる。この量化子がかもし出す雰囲気が結論の判断に影響する。

(3) 格効果：三段論法で「友だち（S）の何人かはX大生（M）である。X大生（M）は，皆良い人（P）である」という前提に対して，「友だち（S）の何人かは，良い人（P）という（素直な）結論が生じやすいが，「良い人（P）の何人かは，友だち（S）である」，という結論は生じにくい。前提がS→M，M→Pの形式のときには，結論はS→Pとなりやすく，P→Sという逆向きは生じにくい。特定の前提パターンと結びついた特定の結論形式へのバイアスである。

(4) 確証バイアス：帰納的推論では仮説を肯定する証拠（確証）に頼り，否定的な証拠（反証）を探そうとしない傾向がある。

(5) メンタルモデル：人間はもっとイメージ的な表象を用いて推論を行っているとする考えであり，イメージ操作の視点から格効果や雰囲気効果を説明する。

3．意思決定と判断

(1) 代表性：人が事象Xをある特定カテゴリーYに属すると判断する確率は，Yの典型に対するXの代表性ないしは類似性の判断に依存し，数学的な意味での真の確率情報は無視される。すなわちステレオタイプの度合いが判断基準になる。

(2) 利用可能性：XがYに属するという判断は，いかに簡単に記憶から類似の事例を検索できるか，あるいはXをYに結びつけるもっともらしいシナリオを構成できるかに依存する。換言すれば，記憶の中の関連情報をいかにすばやく検索できるかに影響される。日常的な判断には，こうした代表性や利用可能性のような経験則を使うことが多い。これを**ヒューリスティックス**（発見法）

という。

(3) 係留効果：判断基準のとり方も意思決定の結果に影響する。10万円の値札のついた商品のメーカー希望小売価格が，20万円の場合と30万円の場合では印象が異なる。

(4) フレーミング効果：問題の表現の仕方が選択にバイアスをかける。ほとんどの人が損失よりも利得を好むから，同じ事実を表現するのにも，例えば「失敗の確率が20%」と言うよりも「成功の確率は80%」と言う方が好まれる。

(5) 基本的帰属錯誤：社会的認知で生じるバイアスの一つで，他者の行動の原因を外的状況のせいではなく，その人の態度や性格など内的原因に求める強い傾向をさす。原因帰属の誤りや歪みについては，この他にも行為者＝観察者の誤りや利己的帰属などがある（9章参照）。

4．問題解決

(1) 手段＝目的分析：問題全体が複雑で解決にいたる論理的筋道が不明なとき，問題をいくつかの下位目標に分割し，それぞれの目標を達成する手段を積み上げることで最終目標に到達することができる。

(2) 後ろ向き解決法：手段＝目的分析の変形であり，目標となる最終状態から1ステップずつ前の状態をたどっていくことで問題を解決する。

(3) 類推：他の現象からの類推によって問題解決にいたることは多い。物理学の教科書で，回路に流れる電流を水道管に流れる水にたとえる例である。

(4) 心的構え：一つの解決パターンに習熟すると類似の問題を簡単に解くことができる反面，構えや期待が発想の転換を妨害し，別の解法を選ばない傾向にある。

(5) 機能的固定性：構えの一

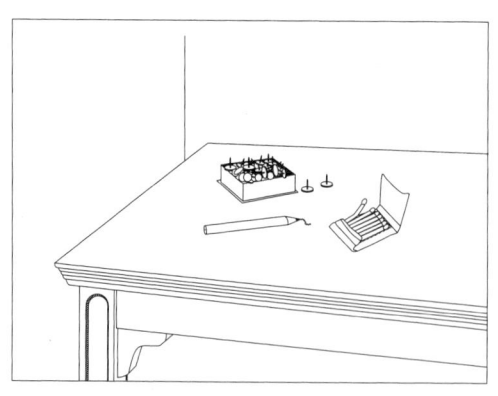

図 2.2 機能的固定性に関するドゥンカーの実験：これらの材料を使って壁にロウソクを灯す方法は？（Anderson, 1990 を改変）

種で，ある事物がもっている通常の使用目的以外の使用方法を考えることができない現象をさす。ドゥンカー（Duncker, K.）は図2.2に示す材料を被験者に与え，ロウソクを壁に灯すように求めたが，多くの被験者はこの課題が解けなかった。

5．創造的思考

(1) 生産的思考：ゲシュタルト心理学者のウェルトハイマー（Wertheimer, M.）の用語で，創造的思考には認知構造の再構成が重要であるとする考えである。ギルフォード（Guilford, J. P.）の知能理論における発散的思考も同様の意味で使われる。

(2) 水平思考：問題解決の障害要因を取り除き，斬新な解決法を発見するための思考方法のことで，デボノ（De Bono, E.）が提唱した。

6．思考のコンピュータ・シミュレーション

1960年代以降の認知科学の急速な発展のなかで，多くの心理学者は人間の脳が高度で複雑なコンピュータとして働くと考え，人工知能研究を進めた。有名なものに **GPS**（General Problem Solver；一般問題解決システム）がある。これは，1970年代初期にニューウェルとサイモン（Newell, A. & Simon, H. A.）が開発したプログラムで，各種の論理学の証明問題を解くことができた。このほか人間と対話しながら病名診断を下すELIZAというプログラムをはじめ，いろいろな分野で表面的にはきわめて人間的な思考を示す**人工知能**が開発された。現在の問題は，本来人間がもっている柔軟な認知過程をどのように組み込み実体化するであり，単なる問題解決のシミュレーションからより高度な認知機能のモデル開発へと研究の範囲が広がっている（本章4節参照）。

3節　記　　憶

1．記憶研究の動向

哲学的考察から離れ，観察可能な心理現象として**記憶**（忘却）をとらえたのは，百年以上前のドイツの心理学者エビングハウス（Ebbinghaus, H.）である。

トピック6

目撃者の証言に関する実験

　事件の捜査や裁判において，**目撃証言**の果たす役割は大きい。以下，知覚，保持，想起の各段階に分けて，目撃証言の信頼性を検討した実験やレビュウを紹介する。

　知覚段階：目撃者の視力，目撃時間，対象の距離，明るさ，偶然目撃したのか注意して見たのか等は，証言の信頼性にかかわる重要な変数である。例えば厳島行雄らは現実の事件に基づき，暗闇で車上の人物が目撃されるという事態を検討した。このような状況では目撃証言の信頼性はきわめて低い (Itsukushima, Y. et al., in press)。また，犯人が凶器を持っていたりショッキングな情景が繰り広げられた場合，注意が凶器に集中したり（凶器注目効果），注意が阻害されることが知られている（箱田裕司・大沼夏子，2001）。

　保持段階：記憶は時間とともに減衰するので，事件から時間が経つほど証言は不正確になる。また，保持期間が長くなると，他者との会話やメディア情報により，記憶が変容する可能性も高くなる。事後に読んだ報道記事の内容が元の記憶と置き換わってしまう可能性（事後情報効果：ギャリー, M. ら，2001）や，捜査過程で示される似顔絵や被疑者の写真が目撃者の記憶を低下させることも知られている（Naka, M. et al., in press)。

　想起段階：捜査官が目撃者からどのように情報を引き出すかも，証言の信頼性に影響を及ぼす。例えば捜査官の威圧的な態度や，yes/no 質問，A or B 質問などのクローズド質問は誘導として機能しやすい（Gudjonsson, G. H., 1987)。また，顔の識別には複数の人物や写真から被疑者を選ぶラインアップ（写真の場合はフォトラインアップ）が用いられるが，ラインアップを構成する人物や写真，教示（「この中に犯人はいるかもしれないし，いないかもしれない」）の有無も，識別の正確さに影響を及ぼす（Wells, G. L. & Bradfield, A. L., 1999）。目撃者の確信度が高くても，必ずしも識別が正確だとはいえないことを示す実験もある（浅井千絵，2001）。

　このように，目撃証言の正確さに影響を及ぼす変数は多い。そのなかでも，質問やラインアップの方法など，制度や捜査側の工夫により統制できる変数をシステム変数という。一方，目撃者の能力や目撃状況などの統制できない変数は推定変数と呼ばれる。欧米ではシステム変数を明確にし，諸実験の成果を取り入れ，正確な目撃証言を得るためのガイドラインがつくられている。わが国でもそのような取り組みが必要

である。　　　　　　（仲　真紀子）

引用文献

浅井千絵　2001　既知性が目撃者の同一性識別に及ぼす影響——正確性と確信度の関係　心理学研究, **72**, 283-289.

ギャリー, M., レイダー, M., ロフタス, E.　2001　出来事の記憶と誘導尋問　渡部保夫（監）目撃証言の研究　北大路書房　pp. 195-200.

Gudjonsson, G. H. 1987 A parallel form of the Gudjonsson suggestibility scale. *British Journal of Criminal Psychology*, **26**, 215-221.

箱田裕司・大沼夏子　2001　情動が目撃証言におよぼす影響——情動の喚起と凶器注目効果　渡部保夫（監）目撃証言の研究　北大路書房　pp. 73-88.

Itsukushima, Y., Nomura, K. & Usui, N. (in press) Reliability of eyewitness testimony: A field experimental approach for a real crime. *Journal of Police Science and Management*.

Naka, M., Itsukushima, Y., Itoh, Y. & Hara, S. (in press) The effect of repeated photo identification and time delay on the accuracy of the final photo identification and the rating of state of memory. *Journal of Police Science and Management*.

Wells, G. L. & Bradfield, A. L. 1999 Measuring the goodness of lineups: Parameter estimation, question effects, and limits to the mock witness paradigm. *Applied Cognitive Psychology*, **13**, S27-S39.

　その後の行動主義心理学では，記憶研究にS－R（刺激－反応）結合の原理が適用された。しかし，この原理では人間の複雑な記憶過程を扱うのに限界があることが認識され，むしろ認知的な考え方の有効性が認められるようになった。そこでは方略や計画といった，もっと複雑で組織化された能動的過程が重視される。認知的アプローチは大きく2つに分けられる。一つは**実験的アプローチ**，もう一つはより大きいスケールの理論化を試みる**計算論的アプローチ**である。さらに今日では，脳科学の発展に伴い，記憶の神経心理学的研究も進んでいる。本節では記憶の基本的過程および実験的アプローチによるモデルを紹介し，計算論的アプローチは次節で解説する。

2．記憶の基本的過程

　電話帳で番号を探し出し，忘れないうちにすばやくメモしてからダイヤルする。メモしないと，また電話帳を見ることになる。しかし，自宅の電話番号は問題なく思い出せる。この事実から記憶は一連の過程，すなわち符号化（記銘），保持，検索（想起）の流れがあること，そして記憶には短期と長期の違いがあることがわかる。

　(1)　**符号化**：情報を取り込み，内的表象に変換する過程をさす。言語的符号

化のほかにも，顔や情景のような非言語的情報は視覚的に符号化される。膨大な入力情報のうち，注意されたものだけが取り込まれ符号化される。さらに対象はその文脈とともに符号化され，想起時の文脈が元の文脈と類似すればするほど検索の正確さは向上する。これをタルビング（Tulving, E.）の**符号化特殊性原理**という。

　(2)　**保持**：短期的記憶容量には限界があり，ミラー（Miller, G. A.）によれば「**不思議な数7±2**」チャンク（かたまり）である。HORSEは単語単位では1チャンクだが，文字単位では5チャンクとなる。長期的な記憶容量は膨大で，意味情報に基づく連想ネットワークを構成していると考えられる。このため，符号化や保持の効率を高めるには，対象の解釈や体制化（意味に基づくグループ化や分類）が有効である。

　(3)　**検索**：記憶された情報を取り出す検索は，いくつかのタイプに区別される。①再認では，知っているか知らないかを答える。②再生では，見たもの，聞いたものを手がかりなしに想起する。③再構成的想起は，自分の信念や期待に合うように，事実を歪曲した想起をさす。

3．忘　　却

　(1)　**減衰と干渉**：忘却の減衰説は，時間の経過とともに記憶強度が弱くなること，干渉説は記憶が相互に干渉し競合することをいう。干渉はさらに順行抑制と逆行抑制に分けられる。前者は時間的に先行する記憶が後続の記憶の想起を妨害すること，後者はその逆をいう。

　(2)　**検索手がかり**：想起の失敗や忘却は記憶そのものが失われたためではなく，その取り出し（アクセス）に失敗したためかもしれない。符号化特殊性原理はその代表的な説であり，対象と一緒に符号化された文脈情報が有効な検索手がかりを提供し，忘却はその手がかりのアクセス失敗が原因であると考える。

　(3)　**健忘症**：心理学的原因で起こるものを心因性健忘，脳の物理的損傷が原因のものを器質性健忘と呼ぶ。前向性健忘は頭部外傷などで意識を回復したあと，それから後の新しい記憶の獲得が困難になること，逆向性健忘は，それ以前の事柄を思い出せない状態をさす。

　(4)　**記憶術**：効率的な覚え方に習熟すれば，かなりの記憶力向上をはかるこ

とができる。①押韻法（語呂合わせの一種），②場所法（熟知している道順などに項目イメージを貼り付ける），③物語法（項目を次々に組み込んで，全体として一つの物語をつくる），など古来各種の記憶方略がある。

4．二重貯蔵モデル

歴史的に最も一般的なものは，短期記憶と長期記憶に分ける考え方である（図 2.3）。

(1) **感覚登録器** (sensory register)：外界情報はごく短い時間，感覚登録器に保存される。視覚情報では**アイコニック・メモリ** (iconic memory) と呼ばれ0.5秒以下，聴覚情報ではエコイック・メモリ (echoic memory) と呼ばれ，3〜4秒で消滅する。

(2) **短期記憶** (short-term memory：STM)：外界情報は，短期記憶へ向かう転送過程で一定の意味が付与される（パターン認識）。容量には限界があり，「不思議な数 7±2」といわれる（上述）。短期記憶からの忘却を防ぎ，長期記憶への転送を確実にするために**リハーサル** (rehearsal；反復，復唱) が行われる。リハーサルがなければ15秒ほどで消失する。

(3) **長期記憶** (long-term memory：LTM)：意味を与えられた情報は，短

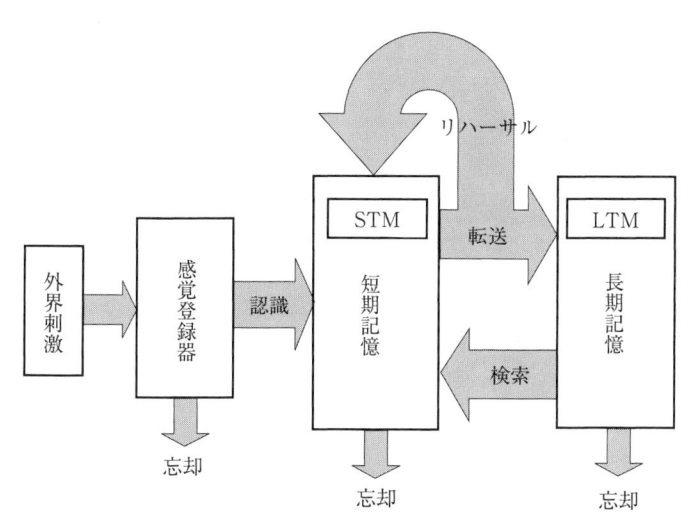

図 2.3　二重貯蔵モデル (Shiffrin & Atkinson, 1969 を改変)

期記憶にとどまっている間に長期記憶に転送される。記憶容量は膨大で，私たちの知識そのものである。短期記憶内の情報は聴覚的性質をもつが，長期記憶では意味的性質が強いとされる。また，一般にエピソード記憶と意味記憶に区分される。

5．処理水準モデル

　記憶の保持と想起は単なる機械的反復（維持リハーサル）ではなく，意味的解釈を伴う反復（精緻化リハーサル）によって向上する。例えば，①DOGは大文字で書かれている，②その人は＿＿＿を食べた（リンゴ／飛行機），のような質問に「はい」「いいえ」で回答を求め，その後で判断した単語リストについて再認テストを行うと，①は表面的な浅い処理ですむが，②は文脈に基づく深い意味的処理が必要なので，再認成績は②の方がよくなる。符号化における意味的処理の重要性を強調するモデルである。

6．作業記憶モデル

　バッドリー（Baddeley, A. D.）らは短期記憶があらゆる課題において基本的な役割を担うシステムであることを強調し，これを**作業記憶**（working memory）と呼んだ。このシステムは独立した3つの要素，すなわち，①中央実行系，②音韻ループ，③視空間的スケッチパッド，からなる（図2.4）。中央実行系は作業記憶モデルの中でも最も重要な要素として，注意を配分し他の要素の監視・調整を担当する。音韻ループは会話

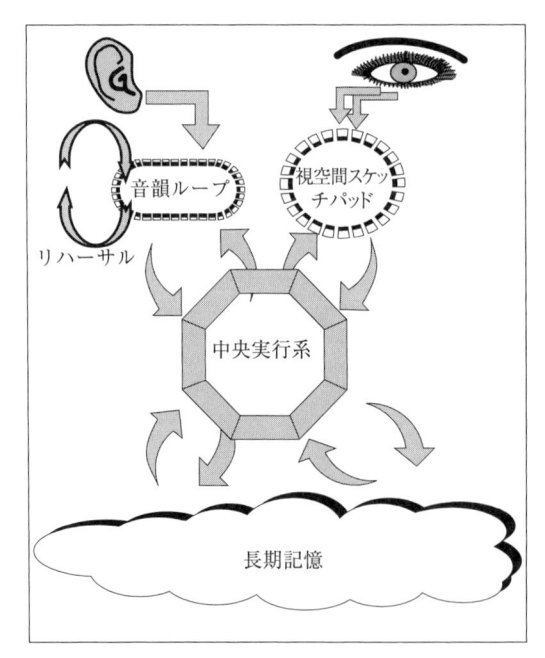

図 2.4　作業記憶モデル（Logie, 1995 を改変）

ベースの情報を音韻形式で保持し，内声の形でリハーサルする。視空間的スケッチパッドは，視空間的情報を扱う心的メモ帳である。

7. スキーマ理論

外界情報の分析は，ボトムアップ的に処理されると同時に，先行知識の力を借りてトップダウン的にも処理される。前者を**データ駆動型処理**，後者を**概念駆動型処理**ともいう。記憶に保存されている知識は**スキーマ**（schema）として体制化さており，トップダウン的に働いて外界からのボトムアップ的な情報の流れの解釈を助ける。一連の行為系列についてのスキーマを**スクリプト**と称する。

8. 意味記憶モデル

意味記憶はエピソード記憶に対比されるもので，抽象化され一般化された長期記憶（知識）をさす。計算論的アプローチによる各種のモデルが提案されている（本章4節参照）。

9. 注　　意

膨大な入力情報を選択的に処理するメカニズムが**注意**であり，記憶と不可分の関係にある。カクテルパーティ現象は選択的注意が働いている典型例である。**両耳分離聴**や追唱と呼ばれるテクニックを用いて実験される。注意をフィルターとみなし，意味処理の前に位置すると考えるのが前段処理説，意味処理の後で反応の前とするのが後段処理説である。

10. イメージ

イメージの性質については2つの説がある。アナログ説ではイメージが言語情報とは別の形式で記憶され，実際の視覚像と似た特性をもち，**心的回転**（mental rotation），拡大・縮小など認知的操作ができるとする。命題表象説は，イメージも言語も記号的，命題的な表象として一つの共通形式で記憶されているとする。記憶されている場所情報は，特に**認知地図**（cognitive map）と呼ばれる。

11. 記憶の区分

タルビングは長期記憶を4つに分け，基礎的な水準から順に，①手続き記憶，②知覚表象システム，③意味記憶，④エピソード記憶としている。このうち意識経験を伴う**顕在記憶**はエピソード記憶であり，残りは意識されない**潜在記憶**に区分される。また，過去に体験した出来事の記憶を反省記憶とし，将来実行するアクションや計画を覚えている記憶を展望記憶とする分け方もある。最近では日常的記憶や自伝的記憶も記憶研究の重要なテーマとなっている。

4節　情報処理モデル

1. 認知と情報処理

1950年代以降の心理学は，情報理論と計算機科学という周辺領域から，現象をシステム的にとらえ厳密にモデル化する方法を学んだ。情報は物理的実体である物質やエネルギーと違い，それを受け取る人の存在があってはじめて存在するという，一種の相対性をもっている。情報をどのように定義し処理したらよいか。これを通信工学の分野で明確にしたのはシャノン（Shannon, C. E.）である。この情報理論を心理学に応用しはじめた最初のころ，人々は人間をあたかも伝達チャンネルのように単純に扱った。感覚情報つまり通信でいうメッセージを受け取ってから反応するまでの過程を通信システムに対比させて，人間の情報処理能力の限界，情報量やノイズが私たちのパフォーマンスに及ぼす効果，あるいは感覚情報をどのように符号化しているのかを問題にした。

たしかに，これらの要因は人間の反応時間や判断の正確さに影響する。しかし，人間は単なる伝達ケーブルと違ってメッセージの意味や重要度といった，もっと質的側面に強い影響を受けている。情報理論の最大の貢献は，人間の内部で進行していることが，一種の情報伝達，変換装置内における情報の流れとしてとらえることができる，と心理学者に思わせたことである。この結果，心理学者は知覚や記憶，思考の問題として個々に扱ってきた心理現象を，外界からの情報の取り込みと，その後の変換・処理という一貫した過程の中でとらえるようになる。

心理学では計算機科学の方法論を取り入れることで，①認知過程を記号処理

のアルゴリズムで表現すること，②心を研究する共通言語としてのプログラムを使うこと，③計算機上で実働可能なモデルをつくることで理論を精緻化すること，④心理実験の代わりに計算機シミュレーションで理論の検証を行うこと，などが可能となった。

2. 計算論的アプローチ

　3節で紹介した二重貯蔵モデル，作業記憶，処理水準，スキーマなどは，主に実験心理学で得られた事実を理論化したものである。それらは，認知システムに関する実験的アプローチといえる。他方，実験心理学における断片的な理論化を超えて，より大きいスケールの理論化が試みられている。こうしたモデルは，計算機のもつ強力なアルゴリズムに触発された人工知能のモデルであり，認知の特性である適応性と可変性は計算機の高級言語で表現されると考える。アンダーソン（Anderson, J. R.）のACTはその代表であり，比較的小数の要素集合を使って，認知の包括的モデルの構成をめざす。また最近，脳神経科学の知見を基礎に，従来とは異なる計算論的アプローチ，すなわち**PDP**（parallel distributed processing；**並列分散処理**）の概念に基づくモデルが提案されている。

　歴史的には，1970年代初期に発表されたGPS（3節参照）が有名である。計算論的な立場のモデルの多くは，知識の形式は離散的で命題的なものであるという前提に立ち，ネットワークによる命題表現形式を採用する。命題は複数の概念がリンクされた言語的構造として表現されるが，文そのものではなく，もっと抽象度が高い基本的な意味単位である。以下に，いくつかのモデルを意味ネットワークモデルとしてまとめて紹介し，ACTとPDPについては個別に説明した。

3. 意味ネットワークモデル

　(1) TLC (Teachable Language Comprehender；教授可能な言語理解システム)：コリンズとキリアン（Collins, A. M. & Quillian, M. R.）が自然言語理解のために提案したもので，初期のネットワークモデルとして評価されている（図2.5）。

トピック7

顔認識モデル

　人の顔には，性別，年齢，個性，表情など，さまざまな情報が含まれている。顔からこうした情報を読み取ることは，日常生活での対人関係を支える，重要な心の機能の一つである。1986年に，英国の心理学者ブルースとヤングは，図に示すような**顔認識モデル**を発表した（Bruce, V. & Young, A. W., 1986)。

　このモデルは，①個人認識の過程を複数の段階に分けていること，②表情や口の動きといった，コミュニケーションにかかわる情報の認識経路は，個人認識の経路とは独立であると考えられていることに特徴がある。

　顔を見てその人が誰かを認識するまでには，視覚特徴の分析（図の「構造の符号化過程」)，記憶情報の活性化（「顔認識ユニットの活性化」)，個人についての知識の検索（「個人情報ノードへのアクセス」)，名前の検索，という複数の段階がある。「知っている人だ」という認識は最も初期の段階であり，認識までの時間も短い。名前は認識の最後の段階であり，想起にかかる時間も長い。

　脳損傷が原因で，「知っている人の顔が認識できない」という認識障害が起きることがある（**相貌失認**と呼ばれる）。この場合でも，表情の認識には問題がないことが多い。逆に，表情認識に障害があって，個人の認識には障害がないという事例も報告されている。これらの事例は，個人の認識と表情の認識とが相互に独立であることを示す，強力な証拠となっている。

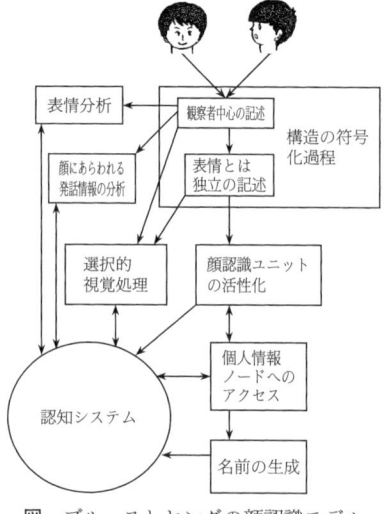

　　　　　　　　　　　　　（吉川左紀子）

図　ブルースとヤングの顔認識モデル（Bruce & Young, 1986)

　選択的視覚処理では性別や年齢，性格の印象など，さまざまな属性に関する情報が処理される。その他の特徴については本文を参照のこと。

引用文献
Bruce, V. & Young, A. W. 1986 Understanding face recognition. *British Journal of Psychology*, **77**, 305-327.

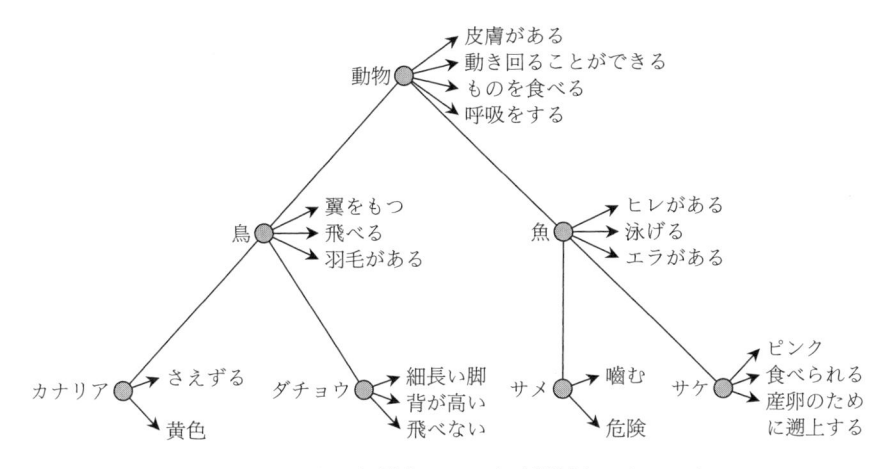

図 2.5 階層的に組織化された意味記憶ネットワーク
(Collins & Quillian, 1969 を改変)

(2) HAM (Human Associative Memory；人間の連想記憶)：アンダーソンとバウアー (Anderson, J. R. & Bower, G. H.) が提案した長期記憶のモデルで，後述する ACT の前身である。概念連想をバイナリで表現し，主部－述部，関係－目的，場所－時間，文脈－事実の 4 つの連想パターンを階層的に組み合わせてネットワークを構成する。

(3) LNR モデル：LNR (Lindsay, P. H., Norman, D. A. & Rumelhart, D. E.) 研究グループが提案したもので，フィルモア (Fillmore, C. J.) の格文法をもとに，述部を中心にして知識構造をネットワークで表現する。

(4) CD 理論 (Conceptual Dependency Theory；概念依存構造理論)：シャンク (Schank, R. C.) が自然言語理解のために提案したモデルで，文の意味を理解するための概念間の依存関係を定めている。

4. ACT (Adaptive Control Theory；適応制御理論)

プロダクションあるいは**プロダクション・システム** (production system) と呼ばれる計算論をモデルの中心におく。基本的に長期記憶の中の知識は条件－行為ルール (IF－THEN ルール) の形式で表現されており，プロダクションと呼ばれるルールが，ある行為の生起条件を一義的に特定する。このモデルにはいくつかのバージョンがあり，そのうち ACT* (アクトスター) は 3 つ

の記憶，すなわち作業記憶，宣言的記憶，手続き的記憶で構成される。宣言的記憶と手続き的記憶は長期記憶の2つのタイプであり，ともにモデルで使われる知識を構成している。宣言的記憶は多様な表象が意味ネットワークを構成している知識であり，手続き的記憶は条件に対応した行為に関する知識である。プロダクション・システムを基本とするモデルは，より膨大なルール集合，より大規模な宣言的記憶システムを上限を設けずに構築することで，原理的にはすべての人間行動をシミュレートすることが可能であると考える。

5. PDPモデル

情報処理モデルに分類されるものでも，PDPモデルのアプローチは脳それ自身の微細構造に接近し，脳のような自然の情報処理メカニズムを理解することで，よりよい現実的なモデル化ができると考える。脳内の**ニューラルネットワーク**（neural network；神経回路網）の情報処理特性を理解することができたなら，人工知能ではなく自然知能に触発された人間の認知モデルが開発されると想定する。

(西本武彦)

☞ **さらにもう一歩先へ**

1. 言語相対性仮説は，言葉が日常的なものの見方を方向づけるという。これに関連して，性差別的な表現が日常生活における男性意識，女性意識の形成にどのようにかかわっているかを考えてみよう。
2. 誤りを含んだ論証の例を，新聞や雑誌，テレビコマーシャルなどから探してみよう（例えば，政治・経済的問題についての発言，薬や健康食品の広告など）。
3. 私たちは人の顔の部位や配置の微妙な差異を識別し，表情からその人の感情や性格も判断する。こうした顔についての最近の研究を調べてみよう。
4. 科学的概念の場合と異なり，日常的に使う自然概念の境界はあいまいである。例えばスズメは鳥の典型と感じるが，ダチョウはそうではない。コウモリは哺乳類ではなく鳥に思える。こうした典型性の違いを，身近なカテゴリー（例えば，野菜，果物，家具など）で調べてみよう。

引用・参考文献

阿部純一・桃内佳雄・金子康朗・李　光五　1994　人間の言語情報処理——言語

理解の認知科学　サイエンス社

Anderson, J. R. 1990 *Cognitive psychology and its implications.* W. H. Freeman & Company.

バッドリー, A. D. 川幡政道（訳）1988 記憶力：そのしくみとはたらき　誠信書房

クラーク, H. H., クラーク, E. V. 藤永　保ほか（訳）1986 心理言語学（上・下）新曜社

コーエン, G. 川口　潤ほか（訳）1992 日常記憶の心理学　サイエンス社

Collins, A. M. & Quillian, M. R. 1969 Retrieval time from semantic memory. *Journal of Verbal Learning and Verbal Behavior,* 8, 240-247.

アイゼンク, M. W.（編）野島久雄ほか（訳）1998 認知心理学事典　新曜社

Glucksberg, S. & Weisberg, R. W. 1996 Verbal behavior and problem solving: Some effects of labeling in functional fixedness problem. *Journal of Experimental Psychology,* 71, 659-664.

御領　謙・菊地　正・江草浩幸 1993 最新認知心理学への招待　サイエンス社

箱田裕司（編）1992 認知科学のフロンティアⅡ　サイエンス社

クラツキー, R. L. 箱田裕司・中溝幸夫（訳）1982 記憶のしくみ（Ⅰ・Ⅱ）（第2版）サイエンス社

リンゼイ, P. H., ノーマン, D. A. 中溝幸夫ほか（訳）1983 情報処理心理学入門（Ⅰ・Ⅱ・Ⅲ）サイエンス社

Logie, R. H. 1995 *Visuo-spatial working memory.* Lawrence Erlbaum Associates.

中島秀之ほか（編）1994 岩波講座認知科学8：思考　岩波書店

ナイサー, U. 大羽　蓁（訳）1981 認知心理学　誠信書房

西本武彦・林　静夫（編）2000 認知心理学ワークショップ　早稲田大学出版部

齊藤　勇（監修）1995 認知心理学重要研究集（1・2）誠信書房

笹沼澄子（編）1994 失語症とその治療　大修館書店

Shiffrin, R. M. & Atkinson, R. C. 1969 Storage and retrieval processes in long-term memory. *Psychological Review,* 56, 179-193.

スタインバーグ, D. D. 竹中龍範ほか（訳）1995 心理言語学への招待　大修館書店

高野陽太郎ほか（編）1995 認知心理学2：記憶, 3：言語, 4：思考　東京大学出版会

3章 条件づけと学習

「条件づけ」という用語を日常的な語感から理解することは難しい。ある事柄に新たな条件が与えられること，特に意味をもたなかった事柄が，新しい意味を与えられ，新たな行動が成立することをさしている。これは，最もプリミティブでシンプルな「行動の原理」である。「学習」とは経験によって新たな行動が成立することであるから，「条件づけ」は「学習」の基本原理である。複雑な「学習」は単純に「条件づけ」では説明しきれず，情報をどのように整理して新たな行動を獲得するのかという「認知的」な観点を導入して説明されている。

1節 行動の原理としての条件づけ

「人はなぜ，そのように行動するのか？」という問いに現代心理学は2つの道をたどった。一つはゲシュタルト心理学から認知心理学への流れ，私たちが次の行動に移るときの，判断のメカニズムの探求である。すなわち，意志を取り扱っている。人の複雑な行動を理解しようとするときに有効な考え方で，3節の「社会的学習」で解説する。もう一つは「条件づけ（conditioning）」を主要な基本原理とする行動主義心理学から行動心理学への流れである。意志や意欲といった内的な要因を用いずに外から観察しうる行動をよりどころとして行動の変化のメカニズムを探求する立場である。意志は問題とせず，人や動物の内的な状態はブラックボックスとして議論の対象とはしない。環境によりよく適応していく形で新しい行動が形成されていくプロセスの原理を扱っている。

2節 「古典的条件づけ」と「オペラント条件づけ」

行動を「条件づけ」という視点から観察すると，異なった基本原理で説明さ

れる2つの行動のパターンがある。例えば，例1「そこにお母さんがいないのに，お母さんの使っていた石鹸の匂いをかぐだけであたかもお母さんのそばにいるかのようにほっとした気分になる」といったことが起こる。こういう行動と比べて，例2「試験の日の朝，たまたまお母さんの石鹸で顔を洗って出かけたら，落ち着いて試験が受けられたので，それから，試験の日の朝はお母さんの石鹸で顔を洗う習慣がついた」といった行動もある。このどこか似ている2つの行動の本質的な違いは何だろう。

例1を解析してみよう。大好きなお母さんと一緒にいると安心するというのは最初から備わった反応である。心拍がゆったりするといったように自律神経系が安定した状態に保たれる。石鹸の匂いは特に私たちを癒す要素をもってはいない。いや，石鹸の匂いはいい匂いだから，ほっとする，ということならぬかみその匂いでも，お母さんが愛用していたモーニングカップでも何でもいいのである。お母さんと一緒にいることで癒されているときに一緒にそこにあったのだと感じる要因，すなわちお母さんに癒される状況での環境に含まれるやや目立った要素のことである。お母さんの使っていた石鹸の香りにふと触れたとき，そこにあたかもお母さんがいるような気分になったり，癒されたしぐさや表情が表出されたりする。他の人にはただの石鹸の匂いが，その人にとっては安らいだ行動へのトリガーになっているのである。生得的にもっていた反応が本来関係のない刺激によって引き起こされて，新たな行動が生まれるプロセスである。

例2は「お父さんのひげそり」でもいい。「たまたまやってみたいつもとはちょっと違う行動」が思いもよらない「いい結果」を生んだとき，「習慣的な行動」に変わる例である。意思的で体性神経系支配の行動である。目的のよくわからない行動が新たなはっきりとした目的をもつ行動に変化する。例1の原理がパヴロフのイヌの実験でよく知られている「**古典的条件づけ**」であり，例2は耳慣れない言葉だが，スキナーの提案した「**オペラント条件づけ**」である。

1. 古典的条件づけ
a パヴロフの偉大さ

パヴロフ（Pavlov, I. P., 1849-1936）は，1904年にノーベル生理学医学賞を

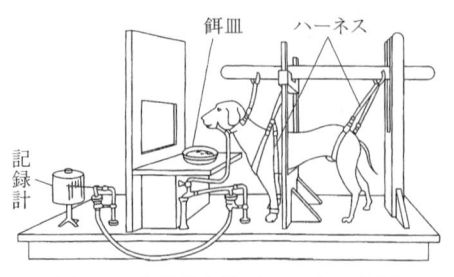

図 3.1 古典的条件づけの実験装置
（Yerkies & Morgulis, 1909）
唾液腺を手術で外部に出し，唾液の分泌を記録する。

図 3.2 古典的条件づけの図式
条件刺激と無条件刺激を繰り返し対提示すると，条件刺激は条件反応を誘発するようになる。

受賞した生理学者である。彼は古典的条件づけですべての行動を説明できると考えた。ヒルガードら（Hilgard, E. R. & Marquis, D. G., 1940）はパヴロフ型の条件づけを「古典的条件づけ」と呼んだ。また，パヴロフの心理学への影響力に関して，ヒルガードら（Hilgard *et al*., 1966）は精神分析の始祖，フロイト（Freud, S.）やライプチッヒ大学に世界で初めて心理学実験室をつくったヴント（Wundt, W.）に匹敵すると述べている。「古典的」という響きには基盤となる理論に対する敬意が込められていよう。

b 条件反応の形成

有名なパヴロフのイヌの実験は彼の著書『条件反射学』（1927）にまとめられ，古典的条件づけによるイヌの新たな行動の獲得プロセスが説明されている（図3.1）。イヌの「生得的な行動」（元になる行動）と「獲得された行動」（新たな行動）とを整理してみよう（図3.2，図3.3参照）。

「梅干」という言葉を聞いて，考える前にジワッと唾が出てきてあのすっぱさを再現した上で「梅干って聞いただけですっぱいよなあ」と考えている。これが古典的条件づけである。

c 恐怖の条件づけ

パヴロフの古典的条件づけを世に紹介したワトソン（Watson, J. B., 1878-1958）はアルバート坊やの実験として知られる恐怖を用いた古典的条件づけを行った。アルバートは生後11カ月の男の子。実験観察場面で白ネズミと遊ばせ

a. 生得的な行動1 （無条件反応）		○「イヌに食べ物を与えると唾液を分泌する」。 ○イヌにとってはっきりと意味のある刺激で生得的な反応が生じた。 ○ここで食べ物を無条件刺激（unconditioned stimulus：US）といい，唾液の分泌を無条件反応（unconditioned response：UR）もしくはレスポンデント（respondent）という。
b. 生得的な行動2 （探索反応）		○「イヌに音を聞かせると耳をそばだてて注意をはらう」。 ○イヌにとって大きな意味をもたない刺激で生得的な反応が生じた。 ○ここで使われる音はブザーや音叉の音で音以外に光などが使われる。 　音は唾液の分泌に対して特に影響をもたないという意味で中性刺激（neutral stimulus：NS）という。少し間隔をあけて繰り返し音を聞かせているとしだいに馴れて注意をはらわなくなる。これを馴化（habituation）という。
c. 生得的な行動1を引き起こすと同時に音（中性刺激：NS）を聞かせる（条件づけ）		○「イヌに音を聞かせながら食べ物を与える」。 ○イヌにとって意味のない刺激（中性刺激：NS）と意味のある刺激（無条件刺激：US）とが同時に与えられる。これを対提示という。これを繰り返すとしだいに意味のない刺激（中性刺激：NS）の方が意味を持ち始める。
d. 獲得された行動 （条件反応）		○「イヌに音だけを聞かせると唾液を分泌する」。 ○イヌにとって本来大きな意味をもたなかった刺激（中性刺激：NS），音がある意味をもち，生得的な反応を引き起こす刺激（無条件刺激：US）の食べ物のように機能する。すなわち中性刺激（NS）が条件刺激（conditioned stimulus：CS）に変化し，生得的な反応（無条件反応：UR）の唾液の分泌が獲得された反応（条件反応；conditioned response）となって出現する。

図3.3　古典的条件づけのプロセス

ておく。アルバートにとって白ネズミは特に快でも不快でもない中性刺激である。この状況で，鉄棒をハンマーでたたき，強烈な不快音を聞かせる。アルバートは白ネズミを見ている状態で強い不安状態を引き起こす。強烈な不快音は無条件刺激，強い不安状態は無条件反応。強烈な不快音という無条件刺激と対提示されることにより，白ネズミは中性刺激から条件刺激に変化する。すると，白ネズミという条件刺激が提示されるだけで条件反応として形成された強い不安状態が引き起こされる。アルバートは白ネズミを見ると不安が引き起こされ，逃げ出すようになった。さらにアルバートは白ウサギや白いひげにも強い不安を引き起こすことが観察された。

このように類似した刺激反応することを**刺激般化**（stimulus generalization）と呼ぶ。アルバートはその後，ずっと，白くふわふわしたものに強い不

安を引き起こされつづけるのだろうか，条件刺激だけが提示されつづけると結びつきはしだいに弱くなる。白ネズミを見ても強烈な不快音が発生しないという事態がつづくうちにアルバート坊やはしだいに強い不安状態を生じなくなる。これを**消去**（extinction）と呼ぶ。この消去手続きを中断すると条件刺激と条件反応の結びつきが少し回復する。これを**自然回復**（spontaneous recovery）と呼ぶ。

2. オペラント条件づけ
a 自発的行動

私たちは自由意志で行動しているのか。ソーンダイク（Thorndike, E. L., 1874-1949）は，動物は生得的なあるいは習慣的な自発的な行動をもっていて，それらの行動が偶然によい結果を生んだときその行動の頻度が増大して学習が成立すると考えた。これを**試行錯誤学習**（trial-and-error learning）と呼ぶ。行動は自由意志ではなく環境と行為との結合によって決定されると考える。この発想が行動主義心理学の起点となる。そして，スキナーのオペラント条件づけへとつながってゆく。ソーンダイクはネコの問題箱（problem box）の実験でよく知られている。この実験により，人間も他の動物も問題解決能力を備えていると考えた。問題箱はネコがいくつかの単純な装置を動かすと外に出られるように造られており，ネコを問題箱に入れてその脱出までの時間を測定する。試行錯誤の上，ネコは問題箱から脱出するが，デ

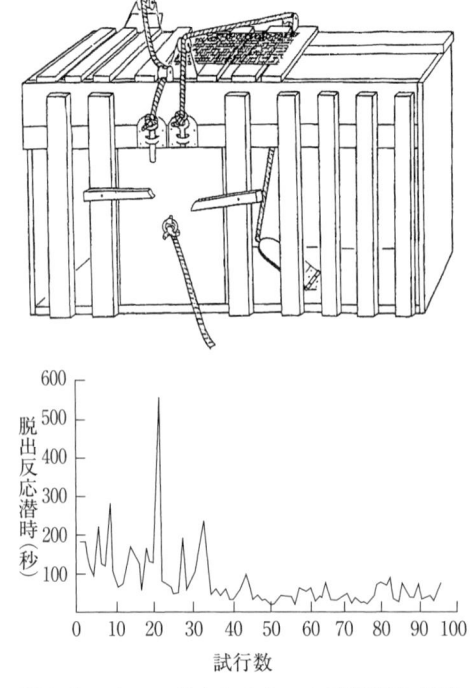

図 3.4 ソーンダイクのネコの問題箱と脱出課題の学習曲線（Thorndike, 1911）

ータは実験の繰り返しによって，無駄な行動が減り，効果的な行動が増加するさまを示している（図3.4）。

b スキナーの徹底的行動主義 (radical behaviorism)

スキナー (Skinner, B. F., 1904-1990) は，それまでの学習理論は直接観察できる行動を直接観察できない原因によって説明しているとして否定した。物理学者は物理現象を観察し，制御している物理変数を見出し，現象を説明する。スキナーも観察できない条件を排除し，行動を記述し，ここから得られる情報のみに基づいて要因を抽出してみせた。スキナーは行動が2つのタイプ，「**レスポンデント行動** (respondent behavior)」と「**オペラント行動** (operant behavior)」で構成されていると考えた。レスポンデント行動とはある特定の刺激が示されると必ず引き起こされる反応で，パヴロフの古典的条件づけにおける無条件反応に対応している。食物を口にしたときの唾液分泌や光に対する瞳孔反射などである。オペラント行動とはその行動を引き起こす特定の刺激が存在しない反応で特別な刺激条件に規定されない自発的行動をさしている。行動はどのように複雑な様相を示していてもこの2つのタイプの行動によって構成されていると考える。

さて，あなたが，勉強をするときにCDを聞きながら，ポップコーンを食べる習慣があったとしよう。もしこの行動を変容しようとするならば，スキナーの指摘するように，この自発的な行動を十分に観察し，規定する要因を明確にすることができたときには，この行動をいかようにもコントロールできるのである。ここではあなたが不都合を感じて悩んでいるといった認知的な問題は一切関与しない。

c オペラント行動の制御と強化

スキナーはスキナーボックス（図3.5）と呼ばれる実験装置を用いてネズミやハトのオペラント条件づけの研究を行った。実験統制のとれたこの実験装置を用いてオペラント条件づけを考えてみよう。

オペラント行動は生得的なオペラント行動と経験を通して身につけた学習性のオペ

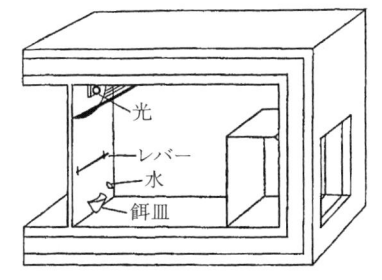

図 3.5 スキナーボックス

ラント行動で構成されている。実験前の数週間は実験者と実験装置になじませる訓練を行う。この装置はネズミがそこそこ動き回れる余裕をもった小さな箱で，ネズミの生得的なオペラント行動に適したバー押し用のバーと餌をのせる受け皿と光や音の刺激を提示する装置で構成されている。ちなみにハトはペッキング（突っつき行動）を自発するので光刺激を発するペッキングボードをつつくことが課題となる。ネズミは空腹の状態に保たれている。スキナーボックスにおかれたネズミは通常，探索的な行動をとるであろう。箱の隅の匂いをかいだり，箱から出られるかと伸びあがってみたり，この状況で，実験者は観察しやすいオペラント行動をネズミに形成させる。箱の中を探索しているネズミがバーの方向を向いた瞬間，餌を出す。このときに機械の動作音が伴い，これが手がかりとなってネズミは餌に気づき餌を食べる。バーに一歩近づいたとき，前まで来たとき，前足を挙げたとき，触れたとき，押したときと順次，求めるオペラント行動をつくりあげてゆく。これを**反応形成**（shaping）といい，このように順次目標に近づけてゆく方法を**順次接近法**（successive approximation）と呼ぶ。

　探索行動もいうまでもなくオペラント行動であり，実験に都合よく形成された行動もオペラント行動である。反応形成されたオペラント行動を利用して実験は行われる。オペラント条件づけが生起するためのトリガーとなる環境の変化はブザーの音が鳴ることで，これを**弁別刺激**（discriminative stimulus）という。オペラント反応を増強させる要因は餌を与えることで，これを**強化刺激**（reinforcer もしくは reinforcing stimulus）という。特定の弁別刺激を提示したときに注目しているオペラント反応が生起すれば強化刺激を与えると特定の弁別刺激に対してオペラント反応が条件づけられる。特定のオペラント行動を引き起こす弁別刺激のコントロールを刺激制御（stimulus control）と呼び，強化刺激によりオペラント行動を形成することを強化スケジュール（schedule of reinforcement）と呼ぶ。弁別刺激－オペラント行動－強化刺激の流れを刺激制御と強化スケジュールにまとめ，この一連のプロセスを**3項強化随伴性**（three-term contingencies of reinforcement）と呼ぶ。

トピック8

CAI から eLearning へ

　コンピュータが支援する教授・学習を **CAI**（Computer-Assisted Instruction）と呼ぶ。CAI を成立させている原理は，行動主義心理学から得られた次のような知見である。適切な反応をしたらすぐに強化するようなフィードバックの設計をすることが重要である。また，やさしいものから始めて徐々に難しいものに挑戦させるような，**スモールステップ**の教材を設計することが重要である。もちろんこうした原理は，人が人を教える場面でもできることではあるけれども，教室で一人の先生が大人数の学生を教えるような場合は成立しにくい。一人1台のパソコンがあれば，CAI の原理を現実化することができる。

　しかし，CAI は学校の中に根づくことはなかった。それは，しばしば「機械的すぎて非人間的だから」というように語られる。しかし，実は，学級を単位として先生が支配する一斉授業を基本とした学校文化が，学生を個別に扱うことを原則とした CAI を排除したということだ。「機械的すぎる」というのは理由にならない。私たちは天才と呼ばれる人たちが，機械的な訓練の積み重ねをしていることをよく知っている。パソコンは「機械的」なのではなくて「機械」そのものだ。機械を人間に合わせて使うのが CAI である。人間が人間を教える場合でもいくらでも「機械的」にすることができる。

　さて，CAI が進展した1960〜1970年代から年月が流れた。心理学の潮流は行動主義から認知主義に変わった。コンピュータの世界ではネットワークが進み**インターネット**が生まれた。ネットワークや通信衛星を通じて遠隔で教育ができるようになってきた。それに **eLearning** という名が付けられた。

　CAI と eLearning とではどこが変わったのだろうか。いや学習の原理としてはどこも変わっていないのだ。もちろん，認知心理学の進展によって，学習の文脈やリアリティが大切なこと，この学習が生活にどう位置づくのかといったこと，また知識が個人の中で完結するのではなくて環境の中，人間関係の中にあることなどが重視されるようになった。そしてそれを取り込んだような形で教材がつくられている。

　つまり，eLearning は，より現実的で複雑な内容を扱う教材の精緻化と，ネットワークによって可能になった人と人のやりとり（相互作用）に重点をおいている。しかし，そこでもなお学習のシンプルな原理は強力に働いている。

（向後千春）

3節　社会的学習

1. 代理経験

これまでの説明では**学習**（learning）は刺激の変化を直接経験し，行動が形成されるとしてきた。パヴロフやスキナーが主張するように条件づけの行動原理ですべての行動が説明できるとしても，複雑な学習を説明するには非常に迂遠なステップが必要になる。また，どうしても説明しきれない状況も出てくる。そこで，今まで排除してきた，私たちが環境をどう認識するかという，認知の要因を学習の原理に組み込むことによって私たちが直接経験しなくても新たな行動を形成することをうまく説明することはできるようになった。

スキーなどは事前にビデオでモデルの行動を観察する。映画を見てヒロインに置き換わって泣いたり怒ったりする。他人の実行（示範，モデリング〔modeling〕）を観察することで自分の体験に置き換えることができる。これを**代理経験**（vicarious experience）という。このような複雑な行動は特に人間に顕著である。代理経験による学習が**社会的学習**（social learning）である。示範だけで形成される，見ているだけで生ずる行動変容を**観察学習**（observational learning）といい，観察した後，モデルをまねることによってモデルと同様の報酬を獲得することで形成される行動変容を**模倣学習**（imitative learning）という。

2. 強化理論と媒介理論

ミラーら（Miller, N. E. *et al.*, 1941）は，ネズミと子どもを用いて模倣学習を検証した。強化訓練を行う前はリーダー（モデル）対してフォロアー（学習者）が模倣するかしないか，すなわち，まねるかまねないかは，ネズミも子どもほぼ半々であった。訓練で学習は速やかに形成され，学習者は正しい行動をとるようになる。キャンディーを報酬とした子どもの実験では100％の正答を示した。ローゼンバウムとアレンソン（Rosenbaum, M. E. & Arenson, S. J., 1968）は従来の学習理論によって社会的学習を説明している。図3.6のAに示したようにモデルが手がかり刺激（S_1）によって反応（R_p）するのを観

察していた学習者は，この反応（R_p）を自分の手がかり刺激（S_{Rp}）に読み替えて反応（R_p）と同質な反応（R_0）をする。これを**強化理論**と呼ぶ。

バーガー（Berger, S. M., 1962）は大学生の被験者役にブザーの音とともに電気ショックを与え，それを観察する学習者としての大学生の皮膚電気反射を情動反応の指標として測定した。実は電気ショックを与えられる被験者はサクラでブザーの音とともに，演技で，腕をけいれんさせる。通常の古典的条件づけでは無条件刺激と条件刺激の対提示により条件反応が形成されるが，サクラを観察していた学習者の大学生は無条件刺激を直接体験することなくブザーの音とともに皮膚電気反射に反応を示し条件反応を獲得していた。これを**代理的古典条件づけ**（vicarious classical conditioning）という。このように観察するだけで，学習が成立するので，表面的には観察しえないプロセスを想定し，これを内潜過程と呼ぶ。図3.6のBの $r_{m0}……s_{m0}$ が内潜過程を示しており，言語や表象によって構成されていると考えられる。強化理論の図式に内潜過程を介在させている。図3.6のCで示しているのは S_1 の類似刺激 S_2 が内潜過程（$r_{m0}……s_{m0}$）を呼び起こし，R_2 に結びつくことを示している。これを**媒介理論**と呼ぶ。

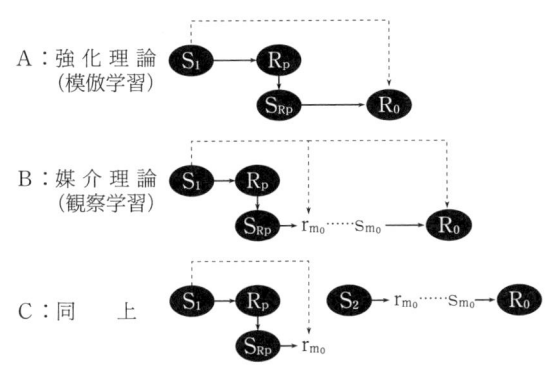

A：強化理論
　（模倣学習）

B：媒介理論
　（観察学習）

C：同　　上

図3.6 模倣学習，観察学習に関する強化理論，媒介理論（Rosenbaum & Arenson, 1968；山内・春木，2001より）

模倣学習に関する強化理論，観察学習に関する媒介理論を適用することによってともに伝統的な学習理論によって説明できる。

トピック9

記憶障害と学習

　障害を生じるほどではないまでも，加齢に伴う記憶の衰退は，中年期以降に著しくなるという考えが支配的である。しかしながら，さまざまな記憶が同じように衰退の一途をたどるのではなく，自伝的記憶や展望記憶に比べて**作業記憶**（working memory）に問題が生じやすいといわれる。そのために，私たちは中年期以降の人から「最近もの覚えが悪くなった」という言葉を聴くことになるのである。

　一方，いわゆる痴呆という状態は，脳に何らかの原因をもつ障害であり，一度獲得された知的機能が損なわれる状態をさす。また，この痴呆の出現率は，高齢者全体の5％にも達する。そして，中心症状に**記憶障害**がみられ，脳萎縮が病的な早さで生じる**アルツハイマー型老年痴呆**（AD）では，その症状の進行が早い（武田克彦，2001）。

　ところで，このような障害の進行を食い止めようとして，さまざまな試みがなされている。ファルソム（Falsom, J. C., 1968）によって始められた**リアリティ・オリエンテーション**（RO）は，その代表的な例である。このROは，ADにみられる**見当識障害**の進行を抑制するため，季節，天候などの日常的な事象を話題としてとりあげるものである。しかし，しばしば陰性感情に阻まれ，記憶が賦活されないという消極的な知見も多い（稲山靖弘・長尾圭造，2001）ことが難点である。これは，態度や行動の変容をもたらすような機会と経験が提示されたとしても，これを生かすことにつながらないために，深刻な学習成立上の困難となるであろう。すなわち，認知や学習のメカニズムがわかるということと，これらを臨床的に適用していくということとの間には，ある程度の隔たりを想定しなければならない。特に，このROについては，脳血管性痴呆に対する有効性は認められているが（下仲順子ほか，1988），ADに対する有効性は，十分に確認されていないのである。ADにおいて記憶障害と見当識障害とが結びつくことにより，高次精神機能に退行がみられ，幻覚や妄想状態にまで進行していくという可能性を考え合わせるならば，どのように学習態勢を確立するかという課題は，臨床的にみて実に大きいものがある。

　スターンら（Stern, Y. *et al.*, 1994）は，ADと過去の教育経験との関連性について論じている。彼らによれば，過去に積んだ教育経験が精神的な「蓄え」となって，社会生活技能を再獲得したり，痴呆という状態をうまく取り扱っていくことが可能になるというこ

とである。このような学習の成立に，教育機会と経験が有効性を発揮するのだとすれば，そのような教育資源の創出と分配とが，社会的には重要な課題になるであろう。　　　　（大石幸二）

引用文献
Falsom, J. C. 1968 Reality orientation for the elderly mental patient. *Journal of Geriatric Psychiatry*, **1**, 291-307.
稲山靖弘・長尾圭造　2001　アルツハイマー型痴呆におけるリハビリテーション療法の効果——リアリティ・オリエンテーションとレクリエーション療法の効果の差を中心に　安田生命社会事業団研究助成論文集，**36**, 182-190.
下仲順子ほか　1998　痴呆性老人のグループワークとその評価　臨床精神医学，**17**, 101-109.
Stern, Y. *et al.* 1994 Influence of education and occupation on the incidence of Alzhheimer's disease. *Journal of the American Medical Association*, **271**, 1004-1010.
武田克彦　2001　加齢によって意味記憶は低下するのか——認知地図を用いた脳内の意味ネットワークの検討　安田生命社会事業団研究助成論文集，**36**, 156-162.

3．社会的学習理論

代理経験によって形成される社会的学習は外から観察できる行動（外顕過程）だけでは十分に観察できないので内潜過程といった認知過程を導入した。バンデューラ（Bandura, A.）はこの内潜過程を注意過程，保持過程，運動再生過程，動機づけ過程の4つのプロセスとして説明している（図3.7）。これは情報を収集，整理し，適応しやすく修正し，必要に応じて発現させるというプロセスと考えていいであろう。バンデューラは多様な学習を説明するための認知的な媒介概念として，**自己効力**（self-efficacy）を提唱している。

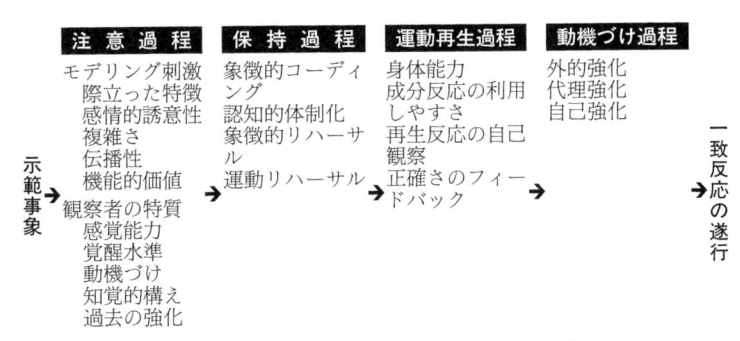

	注意過程	保持過程	運動再生過程	動機づけ過程	
示範事象 →	モデリング刺激　際立った特徴　感情的誘意性　複雑さ　伝播性　機能的価値　観察者の特質　感覚能力　覚醒水準　動機づけ　知覚的構え　過去の強化	象徴的コーディング　認知的体制化　象徴的リハーサル　運動リハーサル	身体能力　成分反応の利用しやすさ　再生反応の自己観察　正確さのフィードバック	外的強化　代理強化　自己強化	→ 一致反応の遂行

図3.7　観察学習の成立過程に関する社会的学習理論
　　　　（Bandura, 原野・福島訳，1975；山内・春木，2001より）

バンデューラは独自の立場から，観察学習の成立過程について説明している。これを社会的学習理論と称している。

トピック10

学習するロボット

　ロボットとは，与えられた仕事をもくもくと機械的に行うものというイメージが強い。たしかに，寿司ロボットや塗装ロボットのようにチューニングした後はへたに学習しないことを利点とする用途が産業界に多く見られる。

　一方，家庭や社会のようにどれ一つ同じでない多様な環境は，設計時にはとても規定できず，環境に適応するよう自ら学習するロボットが必要となる。SFの世界では古くより人型ロボットが登場してきたが，近年の映画「A.I.」に出てきた少年ロボット，ホンダのアシモやソニーのアイボなど将来に夢を抱かせるロボットが次々と登場するにいたり，人間並みの知能を備えた鉄腕アトムの実現はカウントダウンに入ったという楽観的な見方もある。そこで，学習ロボットは人間にどれくらい迫れるかを展望してみよう。

　まず，身体を使った技能の学習が考えられる。コップをつかむロボット，歩くロボット，ケンダマをするロボット，卓球をするロボット，ピアノを弾くロボット，サッカーをするロボット，昆虫ロボットなどがこの分類に入る。メカや制御に強いロボティクスの専門家が得意とするジャンルである。ホンダのアシモもこの分類に入る。実現する技能の深さに依存するものの，実現の見通しは明るいといえよう。

　しかるに，人間並みの知能の実現を目論んだ**人工知能**（AI）の研究は順調に進んできたとはいいがたい。何が最大の障害であったのか。それは「言葉」であろう。人間の人間として最も顕著な特徴の一つは，「言葉を操る」点にある。実世界の中で言葉を操るためには，自分をとりまく環境に関する世界モデルが必要であり，言葉の道具としての性質（統語，意味，誤用）を学ぶ必要がある。

　私たちが一人ひとりもつ世界モデルは個体に依存した個別的なものであるが，その個別性を無視して，普遍的な世界モデルを構築しようとするとその記述には際限がなく，いわゆる「フレーム問題」に行く手を阻まれる。

　学習ロボットにおいても，人間と同様，学習できる機構を与えて，個別的な世界モデルの学習を可能にしてやる必要があろう。また，言葉の道具としての性質をロボットはどのようにして学ぶことができるのか。21世紀は「脳の世紀」といわれるが，言葉を操る人工脳は学習ロボット実現の最大のハードルであろう。そして，そのハードルを越えられる見通しは，人間にとって幸か不幸か，現在のところまったく立っていないのである。

（中野良平）

*4*節　学習理論の応用

1. 学習理論の適応領域

スキナーは小学生の娘の授業参観に出かけ，そこで行われている授業があまりにも彼の学習理論からかけ離れたお粗末なものに驚いた。そこで彼はオペラント心理学を用いたティーチングマシーンをつくったのだといわれている。

多様な学習理論の中でもオペラント心理学は際立って多様な領域で活用されている。岩本隆茂・高橋雅治（1988）は教育工学，臨床心理学，行動薬理学，行動生理学，行動経営学といった領域をあげている。教育工学，臨床心理学は行動変容そのものに焦点をあてている。行動薬理学，行動生理学，行動経営学は学際的な新たな分野として発展している。

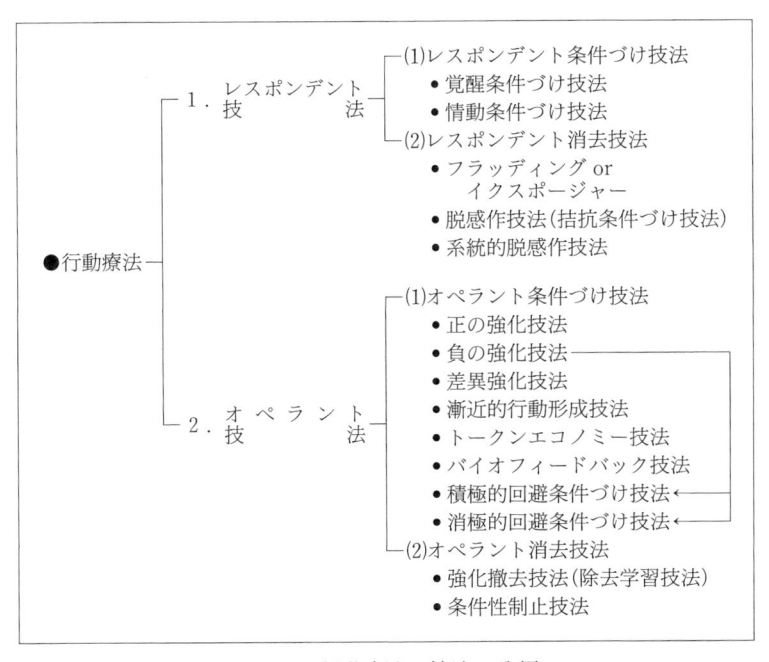

```
●行動療法 ┬ 1.レスポンデント技法 ┬ (1)レスポンデント条件づけ技法
         │                    │   ●覚醒条件づけ技法
         │                    │   ●情動条件づけ技法
         │                    └ (2)レスポンデント消去技法
         │                        ●フラッディング or イクスポージャー
         │                        ●脱感作技法(拮抗条件づけ技法)
         │                        ●系統的脱感作技法
         │
         └ 2.オペラント技法 ┬ (1)オペラント条件づけ技法
                          │   ●正の強化技法
                          │   ●負の強化技法
                          │   ●差異強化技法
                          │   ●漸近的行動形成技法
                          │   ●トークンエコノミー技法
                          │   ●バイオフィードバック技法
                          │   ●積極的回避条件づけ技法
                          │   ●消極的回避条件づけ技法
                          └ (2)オペラント消去技法
                              ●強化撤去技法(除去学習技法)
                              ●条件性制止技法
```

図 3.8　行動療法の技法の分類

2. 行動療法

行動は言語や思考など目に見えない行動（内潜過程）を含む。しかし，**行動療法**（behavior therapy）の顕著な特徴は，スキナーの徹底的行動主義に依拠していることである。ほかのすべての心理療法は仮説構成概念としての心を前提に，共感を用いて適応へ導くことを目的としている。このような事情から，療法という表現がやや的外れな観もあり，**教育臨床行動変容**（behavior modification）とも呼ばれる。図 3.8 に示すようにレスポンデント条件づけとオペラント条件づけを用いた行動変容プログラムで多様な技法が提案されている。

他の心理療法と同様にセラピストとクライエントのラポールは大前提ではあるが，不適応行動といえども学習された行動であるので，適応的な行動へと行動変容を行う。スキナーのいうように行動を徹底的，客観的に観察，記述することがこのプログラムの成否を決める。　　　　　　　　　　（黒岩　誠）

☞さらにもう一歩先へ

1. 梅干の例のような体にしみついた古典的条件づけを 3 つあげてみよう。
2. 最近見た映画によって社会的学習を成立してしまった例を考えてみよう。
3. 日常生活の中で生じた嫌悪条件づけの消去のプログラムを考えてみよう。

引用・参考文献

バンデューラ, A.　原野広太郎・福島脩美（訳）　1975　モデリングの心理学　金子書房
Berger, S. M.　1962　Conditioning through vicarious instigation. *Psychological Review*, **69**, 450-466.
土居健郎・笠原　嘉・宮本忠雄・木村　敏（編）　1989　治療学　みすず書房
ヒルガード, E. R., バウアー, G. H.　1966　梅本　堯（監訳）　1972　学習の理論　培風館
Hilgard, E. R. & Marquis, D. G. 1940 *Conditioning and learning*. Appleton-Century-Croft.
岩本隆茂・高橋雅治　1988　オペラント心理学　勁草書房
今田　寛（編著）　2000　学習の心理学　放送大学教育振興会
Miller, N. E. & Dollard, J.　1941　*Social learning and imitation*. Yale University Press.
Rosenbaum, M. E. & Arenson, S. J.　1968　Observational learning : Some the-

ory, some variables, some findings. In E. C. Simmel, R. A. Hoppe & G. A. Milton (Eds.) *Social facilitation imitative behavior.* Allyn & Bacon.
Thorndike, E. L. 1911 *Animal intelligence : Experimental studies.* Macmillan.
山内光哉・春木　豊（編著）　2001　グラフィック学習心理学　サイエンス社
Yerkies, R. M. & Morgulis, S.　1909　The method of Pavlov in animal psychology. *Psychological Bulletin,* **6**, 257-273.

4章 動機づけ

　動物や人間の生活体は常に活動し行動している。生活体を行動にかりたてるメカニズムに関する議論が動機づけ(motivation)といわれるものである。行動は活動するためのエネルギーとそれが向かうべき方向づけがあって成り立つ。このように動機づけは行動を始動させる面と方向づける（あるいは行動を終息させる）面とに分けて考えることができる。前者を動機（動因，欲求，要求ともいう），後者を目標（誘因ともいう）という。動機づけのメカニズムは動機－行動－目標と考えることができる。

*1*節　生物的動機

　生活体は生き抜くために活動し，行動している。したがって活動の資源（エネルギー源）としてまず生物的起源のものを考える必要がある。これには生理的動機，内発的動機，利他的動機，獲得性動機などが考えられる。
　生理的動機（physiological motive）はまさに生活体の生存にかかわるものであり，これには飢餓，渇き，睡眠，排泄などがあるが，これらは個体の生命の維持にかかわるものである。これに対して系統維持の動機として性欲がある。これらの欲求（動機）は基本的には有機体のホメオスタシスを維持するための生理的反応（神経系やホルモン系の反応）である。しかし人間の場合これらの欲求は精神的な条件によっても大きな影響を受けることも見逃してはならない。
　上記のような生理的メカニズムは明らかでないが生活体が環境に適応して生き抜くための基本的なものとして，**内発的動機**（intrinsic motive）といわれているものがある。これには接触動機，好奇動機，活動動機などがある。接触動機は動物でも人間でも特に幼児期における母親との接触が生命にかかわるほど重要であるといわれている。好奇動機は新奇な環境に対して積極的に働きか

ける動機である。活動動機はじっとしていられないことである。

利他動機（altruistic motive）は遺伝子の研究の発達によって話題になってきたものである。心理学では進化心理学において論じられている。血縁者間では遺伝子を共有している。したがって状況によっては自己犠牲（自分の遺伝子の伝承を放棄）によってでも血縁者の命を守ることも遺伝子を残すというストラテジーとして選択されうるというのである。集団で生活する動物や人間においては相互依存のネットワークの中にあるので，利己と同時に利他も生物的性質のものとして組み込まれていると考えられる。

動物も含めて人間の動機は生得的な動機だけではなく経験によって学習する動機もある。これを**獲得性動機**（learned motive）という。単純なことであるが赤信号のときにストップするという動機は学習したものである。イヌに脅かされた経験のある人はイヌを見たら逃げ出したいという動機をもつのも学習したものである。もう少し複雑な例としては金銭である。これ自体は食べることはできないが，食べ物と交換できるものであるため，金銭に対する欲求は強いのである。

2節 社会的動機

人間の複雑な動機を考えるとき，生理的，生物的観点から考えることも重要であるが，社会的，文化的環境のもとで社会化されるなかで形成されるものも考える必要がある。これらは認知的観点から考えないと説明しきれないものが多い。

人間の動機にはどのようなものがあるのか知りたいところであるが，例えばマレー（Murray, H. A., 1938）は表4.1のようなリストをあげている。またマズロー（Maslow, A. H., 1954）は人間の欲求は並列的に並んでいるのではなく，階層をなしているとして図4.1のような欲求の階層を示している。これらはいずれも決定的なものではないが，マクレランド（McClelland, D., 1985）は達成動機（achievement motive），権力動機（power motive）そして親和動機（affiliation motive）を基本的なものとしている。**達成動機**とは高い目標に向かって困難な課題に打ち勝って目標を達成したいという欲求であ

表4.1 マレーの社会的動機

屈 従	傷害回避	
達 成	屈辱回避	
親 和	養 護	
攻 撃	秩 序	
自 律	遊 戯	
中 和	拒 絶	
防 衛	感 性	
恭 順	性	
支 配	求 援	
顕 示	理 解	

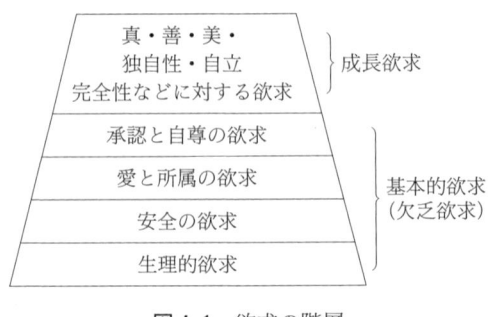

図4.1 欲求の階層

- 真・善・美・独自性・自立・完全性などに対する欲求 … 成長欲求
- 承認と自尊の欲求
- 愛と所属の欲求
- 安全の欲求
- 生理的欲求

（基本的欲求（欠乏欲求））

り，**権力動機**は他者やグループに対して影響を与え，コントロールしたいという欲求であり，**親和動機**は他者とともにあり，関心を共有し，調和を求める欲求である。

人間の動機のメカニズムについてはさまざまな理論が提示されているが，例えばアトキンソン（Atkinson, J. W., 1957）は実行の強度（やる気）は認知されている課題の困難度とそれに対する主観的な成功確率，そして誘因価が関与し，さらに個人の達成動機の高さがからんでくるとしている。

ワイナー（Weiner, B., 1992）は**帰属理論**（attribution theory）の立場から動機づけを論じているが，過去経験の失敗を4つの原因帰属のうち運（悪かった）と努力（不足だった）に帰属し，成功を能力（高かった）に帰属する人は問題解決にあたって積極的な期待をもち，失敗を能力の欠如，成功を運に帰属する人は消極的な期待をもつことになるとしている。

バンデューラ（Bandura, A., 1997）は**自己効力**（self-efficacy）という概念（実行できるという自信）を提案したが，動機づけの観点からするならば自己効力が高いと目標が高く，目標に向けての努力がなされ，障害に対して粘り強くなるということになる。

3節 目　標

冒頭で述べたように，動機づけは動機だけでは成立しない。動機のエネルギーが向かう方向があって行動が生起する。行動が向かうべき方向を決めている

トピック11

セルフエフィカシー

　自己効力と訳される。ある具体的な場面で自分の行動がきっとよい成果を生むだろうと予測する。またよい成果を生むために必要な行動をうまくとることができるだろうと予測する確信を自己効力感という。バンデューラ(Bandura, A.)の提唱した概念で、あらゆる行動の起動や変容をもたらす要因として予測の力をもった媒介概念と考えられている。

　彼は従来の習慣強度といった学習理論からこのような認知的媒介過程を仮定することによって、社会学習の概念を著しく拡大した。例えば、大蛇ボア恐怖治療実験で、直接蛇を抱く、蛇の顔の正面に開いた手を置いて誘導する、ひざの上で自由にはわせる、という3つの課題を達成した人たちや他の人の作業を見学していただけの人たちが、何も学習しなかった人たちよりも自己効力期待評定尺度で高く得点した。

　このような結果から自己効力感は、①ある物事を途中でやめずに、直接みずから達成して得られた習熟体験から生まれる、②他人の行為をモデルにすることによっても高められる。ただし、どのモデルのどの情報が自己効力感に役立つと認知するかが問題となる、③信頼している人からの言葉による説得や励ましによっても高められる、④緊張よりも、リラックス感や喜びの感情なども自己効力感を高めるのに重要である。

　自己効力感と成果の期待とはいつも単一の関係にあるとは限らない。それは手段による結果の統制可能性の程度によるし、また統制の努力いかんにかかっている。人は自己効力感と、努力を価値あるようにする結果の期待とをもつとき、行動を起こしたり、行動を変容させたりするのである。

　自己効力感は、①水準（例：やさしい問題と難しい問題とに対する効力感の程度）、②一般化性（例：英語学習への効力感が他の学習にも及ぶ）、③強度（例：失敗しても効力感を保っていられる程度）などについてさまざまに研究されている。

　自己効力感をもつ人はストレスに対する免疫システムの働きを高める。バンデューラは心理療法やカウンセリングの機能は、クライエントが自己効力感をもつことができるような状態を獲得できるように援助することにあると主張している。

〈松本忠久〉

のが目標である。動機づけはこの目標の性質によってさまざまな影響を受ける。ここではこの目標について考えることにする。

　動物を被験体にした動機づけの研究において，例えば直線走路を出発点からゴールに向かってネズミを走らせるためには，ネズミを空腹（動因）にし，ゴールには餌（誘因）をおく。このようにすればネズミを出発点からゴールに向けて走るという行動を動機づけることができる。このときゴールにおく餌の性質によってネズミが走る行動が異なることが実験的に示されている。すなわち餌の量や質（好みのものかどうか）によって走り方が違ってくるのである。

　人間の動機づけにおける目標の機能は複雑である。まず目標の設定がある。この場合目標が他人によって決められたものであるか，自分で決めたものであるかによって動機づけの強さは異なる。また高い水準の目標か低い水準の目標かも重要な目標の性質である。これは**要求水準**（level of aspiration）といわれ，基本的には水準が高いと動機づけが高まる。また目標の時間的な性質として，近い目標と遠い目標の問題がある。動機づけは遠い将来の目標よりは現実の近い目標によって高められるのである。このような目標の設定にあたっては，ポジティブなファンタジーとネガティブなリアリティを比べ熟考した結果，目標達成の可能性が高いと判断されると動機づけが高まるのである。

　次に目標の内容に関してであるが，人間にはさまざまな欲求があるが金銭，名声，権力などの外発的な欲求は必ずしも幸福感を生まず，内発的な動機，すなわち自律性や社会的な親和を求める欲求がポジティブな感情につながるという。目標内容と達成動機や親和動機の一致が感情的な満足を生むと考えられている。

　また設定された目標の実行においては，履行のプラン（履行の意図）が必要である。「もしXの事態になったら，Yの目標に向かった行動をする」というプランがあると当該の行動と関係のない情報や目標に妨害されずに行動を遂行できる。目標の達成は競合する目標を排除することが重要である。さらに目標の達成は設定された目標と現状との食い違いの認識が重要であり，この食い違いを低減（克服）するために努力が注がれる。

トピック12

学習性無力感

　人は自分が無力だと感じ，やる気をなくすことがある。この現象について，ペンシルベニア大学の心理学者セリグマン（Seligman, M. E. P.）らは学習理論の実験で，**無力感**が対処不能の経験を学習した結果生じることを偶然に発見した。イヌに弱い電流を回避不能な条件で与えた。本実験では回避自由な条件であったのに，8匹のうち6匹は逃げずにうずくまって静かに鼻をクークー鳴らし，そのまま弱い電流を受けつづけた。これは，どう抵抗しても無駄だというふうに学習してしまった結果だと解釈された。さらに，逃避という防衛的な反応だけでなく，攻撃反応の表出の抑制も観察された。また電流以外の嫌悪条件でも無力な状態が現れた。この学習された無力感（learned helplessness）の現象は，ネコ，ネズミ，鳥，サル，魚，さらに人間にも観察された。

　無力感が学習されるのはどんな場合か。①自分の反応が結果とまったく関係なかった場合，②自分が結果をコントロールできないようなことに出合ったとき，③自分が対処できないことが明確なとき，④自分が対処できるかどうか予想がつかないとき，⑤ある反応しか結果を出せないのにそれ以外の反応をとりつづけるとき，などである。

　いったん無力感をもつと，成功した場面でも単なる偶然と過小評価し，相変わらず対処不能を予期し，努力の有効性に気づかない。このように歪曲された認知は負の認知セットと呼ばれている。この「負の認知」と「否定的な結果の予期」が無力感の主要な決定因であり，動機づけを低下させ，学習能力を弱め，情動障害（完全な無関心やうつ気分など）をも引き起こすと考えられている。

　無力感のもちやすさには個人差がある。セリグマンらの実験でも8匹のうち2匹は首尾よく回避した。この個体差はそれ以前の対処経験の違いと考えられ，この先行経験をたどりつめれば，生後初期の対処不能の経験の差にいきつくとセリグマンは論じている。無力感を防ぐには，事の重要性と結果の統制可能性とを見極め，対処不能と判断したら助けてくれる人を探すことである。無力感をあらゆる領域に般化させないことが大切で，重要なことがらについて負の認知と否定的な予期をしない限り，全体的な無力感に陥ることはない。

　　　　　　　　　　　　（松本忠久）

4節　動機づけにかかわる問題

1. フラストレーション

　動機に発動されて目標に向かって行動を開始しても，途中で問題（障害）に直面しなかなか解決できない（動機が満足されない）状態が続くことがある。この状態を**フラストレーション**（frustration；欲求阻止，あるいは欲求不満）という。この状態では情動的になりやすい。例えば怒りが爆発し，攻撃行動（暴力）が起こる。それが障害に向けられる場合には問題解決になることもあるが，八つ当たりや暴動になることもある。またうつや自信喪失の状態になり，退行現象（幼児期にもどる現象）を起こしたりする。あるいは固着現象といって問題解決につながらない無意味な行動を繰り返すといった現象がみられることもある。そしてこのようなフラストレーションの状態にどの程度耐えられるかについては個人差があり，これを**フラストレーション耐性**（frustration tolerance）という。この個人差は学習の結果である。

2. コンフリクト

　動機は一時に一つだけ生ずるとは限らない。複数のあいいれない同じ強さの動機が同時に生ずることがある。この状態を**コンフリクト**（conflict）という。コンフリクトには3種類ある（図4.2参照）。

　接近－接近コンフリクト（図4.2の(a)）は同じ強さの魅力的な対象（接近したい対象）があってどちらを選んだらよいか迷う状態である。2つのよい企業から内定をもらってしまって決めるのに悩む状態である。

　回避－回避コンフリクト（図4.2の(b)）はある不快な対象から逃げたいが，逃げる先にも不快なことがあるといった状態で，どうにも逃げられな

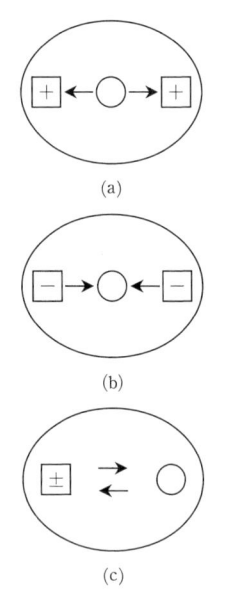

図 4.2　3種のコンフリクト

い状態になることである。試験はいやだが受けないと落第であるといった状況である。

　接近－回避コンフリクト（図4.2の(c)）は接近したい対象であるが，同時に回避したいものでもあるといった状態で，対象を前にして逡巡する状態である。タバコは吸いたいががんになる危険があるといったとき吸おうか吸うまいか迷う状態である。

（春木　豊）

☞ さらにもう一歩先へ

1．飢餓や渇きの生理的メカニズムについて調べてみよう。
2．利他動機の進化心理学的理解について調べてみよう。
3．帰属理論について調べ，動機づけとの関係について考えてみよう。
4．自己効力の概念について調べ，動機づけとの関係について考えてみよう。

引用・参考文献

Atkinson, J. W.　1957　Motivational determinants of risk-taking behavior. *Psycological Review,* **64**, 359-372.
Bandura, A.　1997　*Self-efficacy : The exercise of control.* Freeman.
Maslow, A. H.　1954　*Motivation and personality.* Harper & Row.
McClelland, D.　1985　*Human motivation.* Scott, Foresman & Co.
Murray, H. A.　1938　*Explorations in personality.* Oxford University Press.
Weiner, B.　1992　*Human motivation.* Sage Publications.

5章 情　　動

「人間は感情の動物である」という諺がある。日常生活の中で怒ったり，悲しんだり，喜んだり，愛したりといった体験を誰もがもち，しかもそれが表現を通して他人からも察知される。なにかというと，大声で怒鳴ったり，顔色を変えたりする人もいるし，同じ状況の中で別の人は黙っていて，表現も変えない人もいる。対人関係からみて，好ましい人間とか，好ましくない人間といった評価も行われる。その根拠は多分に個人的，すなわち主観的なものであろう。人間理解に情動がとりあげられるのはこうした点で当然と思われる。

1節　情動とは何か

情動研究が他の心理的概念に比べて，著しく遅れていると多くのテキストが批判している。その対象となったのは客観主義をとなえた「行動主義」であった。情動は主観的であり，認知的であることが人間主義の心理学の台頭とともにいわれるようになり最近の情動研究が盛んになったのである。情動の主観的事実ということもあって，その定義も歴史的にみてはっきりしない点が多い。「感情の動物」という**感情**（feeling）と**情動**（emotion）の定義を明確に区別して表現するのもかなり難しい。emotion は日本の心理学辞典で「情緒」と訳しているものがある。情緒は「表出，身体運動を伴う強い感情」といわれる。人間の行動に情動はつきものだとすると，「強い表出行動」の意味は一つの手がかりであろう。これらを統合して一応情動を「主観的な内的経験であって，比較的強力な感情であり，行動の表出としてとらえられる」と定義できる。したがって感情は「心的活動に伴って生じる快－不快の意識状態」とし，「比較的持続して感じられるもの」として一応区別する学者が多い。「情動」の概念規定に，「内分泌腺やその他の生理的活動を伴う」を加えている学者もある。

また情動を個々の人間の性質，特性としてとらえ，「その人らしさ」を形成する要因（怒りっぽい人）として重視する学者もある。たしかに「情動」として明確に誰もが納得するのは，泣く（涙を流す），怒る（ふるえる，青くなる）等の生理的反応を伴うことであろうし，この身体的反応がいかにも人間の「動物らしさ」と理解して，人間の悪い点として評価する手がかりになってきたことも事実であろう。

　こうした多様な理解のもとで，手がかりの多い情動研究に多くの学者が取り組んでいるのは当然であろう。行動研究に焦点をあてた心理学として情動研究の意義は大きい。また知覚，欲求，学習，思考，記憶などに直接・間接影響を与える情動の研究が当然生じる。ラザルス（Lazarus, R. S.）は「ストレス・評価・対処」（Stress, appraisal, and coping, 1984）の発表以来「対処」の形式を「問題中心の対処」と「情動中心の対処」としてストレス対処の機能をあげてきた。情動中心の対処を以下のように定義している。「情動中心の対処（emotion-focused coping）はストレスを引き起こしている環境の出来事を実際に変えることなく，ストレス状態を導くような環境の出来事のもつ意味を別の内容に置き換えていくことによって，情動の内容（ストレスの起こり方）を調整していくことである」。「問題中心」の対処（力強く問題に立ち向かっていくやり方）に対して，「不安や恐怖を引き起こすような出来事から遠ざかり，そのことから逃げたり，避けたり，考えないようにしたり，あるいは望ましい方向へ考え直したりするやり方」を情動中心の対処としている。

　たしかに日常的に私たちはストレスに対処するとき，このような対処をすることは認められる。新しいストレス学を提唱しているラザルスのいうように人間のもつ対処機能として「問題中心」か「情動中心」かを自覚し，反省することにより私たちの「生き方」の改革が可能になると思うのである。このような，人間の「生き方」と「情動」との深い結びつきが指摘されるようになり，「情動」機能の研究の意義が急展開している。『国際心理学ハンドブック』（The international handbook of psychology, 2000）の第12章「情動」を執筆しているフリーダ（Frijda, N. H.）によると「情動は多くの感情語で定義されるべきではなく，プロセスによって定義されなければならない」と述べている。そして「情動は気質的構造（dispositional structure）とみられ，機能的に定義さ

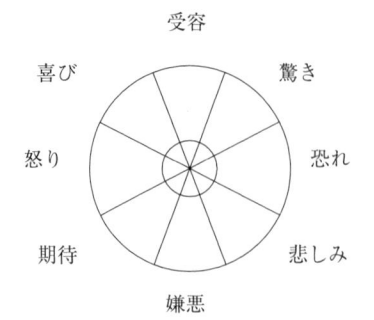

図5.1 情動の環

受容／喜び／驚き／怒り／恐れ／期待／悲しみ／嫌悪

れ，意識的自覚（conscious awareness）に関して分析を加えられるべきである」とも述べ，情動の機能への新しい視点が示されている。ストレスフルな今日の社会情勢の中で改めて情動の機能について考えさせられるものがある。

2節　情動の分類

古来いろいろな学者が情動について分類を試みている。デカルト（Descartes, R.）は情念（情熱）として愛，憎，喜，悲，願望，驚異の6つをあげている。ワトソン（Watson, J. B.）は基本情動として，怒り，恐れ，愛の3つをあげている。プルチック（Plutchik, R.）は情動のモデル的関係を示し，期待，怒り，喜び，受容，驚き，恐れ，悲しみ，嫌悪の8つを**情動環**とした（図5.1）。

多くの学者のあげている情動の分類概念は共通のものもあるが，食い違いがみられるものもある。また私たちが日常的に使う情動の言葉は相当な数になることはよく知られている。

ラザルスはストレス研究の中で，多年の研究をまとめ，「情動というものは超大概念であり，その中の一部としてストレスが位置している」という新しいストレスについての考え方を述べている（1999年東京講演）。その後情動の分類を改めて，ポジティブの内容（快適に感じられるもの）とネガティブの内容（不快に感じられるもの）に二分している。そしてポジティブな情動として，安心（relief），希望（hope），愛情（love），同情（compassion），喜び（happiness），感謝の念（gratitude），プライド（pride）などをあげている。またネガティブな情動として怒り（anger），不安（anxiety），恥ずかしい思い（shame），罪悪感（guilt），ねたみ（envy），しっと（jealousy），恐怖（fright），悲しみ（sadness）などをあげている。特にネガティブな情動は「自分と環境（他者）との間の不均衡な関係をもたらすような結果によって引き起こされる」とした（Lazarus, 2000）。彼によると，基本情動を15としている。ラザルスのこの研究は情動研究の新しい方向を示唆した。情動体験は主観的であり，認知

的条件を十分に考えなければその意味は明確にとらえられない。しかし，過程的にみると心理学的，生理学的過程を見逃すことはできない。そのとらえられる状況を考えてみると，表出，表現，特に顔面の表情は重要な手がかりとなろう。

情動を表情写真との関係から分類を考えたのはシュロスバーグ（Schlosberg, H.）で，「軽蔑」「愛，楽しみ，幸福」「驚き」「恐れ，苦しみ」「怒り，決断」「嫌悪」の6つの概念でとらえた。そしてそれらを快－不快，注意－拒否の二軸によって連続的円環上に表情を配置できるとした。さらにこのモデル図に活動水準（緊張－リラックス状態）の次元を加えて立体化している（図5.2）。

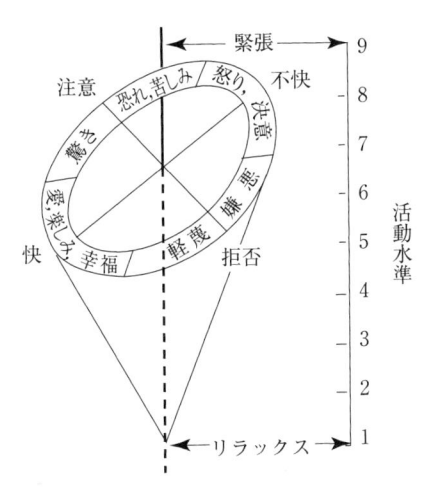

図5.2　シュロスバーグの情動の分類

3節　情動の特質

情動を情動語による理解ではなく，情動についての今日までとりあげられてきた問題について考察を加えてみよう。

1. 情動は身体的感覚か

「泣くから悲しいのか？　悲しいから泣くのか？」といえば多くの人は，「悲しいから泣くのだ」と考えるであろう。しかし，ジェームズ（James, W.）は1884年に「泣くから悲しい」を正論とした。すなわち情動の認知的側面は生理学的変化の結果であるから「泣くから悲しくなる」のだと主張した。感じられる情動と身体的変化の関係は，いわば常識とは相反するものとした。1885年にデンマークの生理学者ランゲ（Lange, C.）がその後ジェームズとほぼ同一の説を述べたことから，情動に関する**ジェームズ・ランゲ説**として伝えられてき

た。簡単に経路を示せば〈怖いものを知覚する→身体的変化（臓器・筋）→大脳皮質〉へ伝えられて情動（怖い）が起きるということになる。

　その後ジェームズ・ランゲ説を批判する研究が多くみられるようになった。アメリカの生理学者キャノン（Cannon, W. B.）は大脳皮質を除去する動物実験の結果，動物の怒りの反応（情動）は，怒りを起こさせる刺激がなくなればただちに消失してしまうことを発見した。ジェームズ・ランゲ説が情動の「末梢説」をとっているのに対し，**キャノン・バード説**は「情動の中枢説」をとった。そして視床を情動の中枢とした。刺激を受容器が感受し，視床にインパルスが伝えられ，視床過程を興奮させ，それで大脳皮質に伝達されて，情動（怖い）となり，一方では視床から内臓や筋に伝達されて表出となると仮説した。バード（Bard, P.）は動物実験から怒りに視床下部が関与しているという学説を発表したことで，キャノン・バード説といわれている。

　情動が生理学的背景のあることは事実であるが，情動は主観的，個人的な独特な現象であることを重要な手がかりとする学者が多くなって，情動の主観性（悲しい）と身体的変化（泣くから）がいずれか先かという論争は終わっている。しかし情動の心理的，生理的説明は今日でも多様で，ニワトリと卵の論争に似ている。その後社会心理的情動論も現れている。

　シャクター（Schachter, S.）は，情動は認知的要因と生理的要因の相互作用によって生じると主張した。アドレナリンの注射によって，一般的に情動的興奮を示すが，それは画一的ではなく，人によって異なることを発見した。アドレナリンの注射によって，異常な状態を感じてもはっきりとした情動を感じられないときは同じ状況にいる他人の情動に自分の情動を合わせようとする。すなわち楽しそうならば楽しくなり，怒っているのを見れば怒りの情動が生じるという。この考え方はフェスティンガー（Festinger, L.）の社会的比較理論を情動の解釈に利用しているものである。

2. 情動は一時的な状態をいうのか

　たしかに情動は一時的な状況よって決定され，ある程度の強度を示すが，持続しないという印象がある。研究者によっては，ある特別な情動を頻繁に経験する個人的傾向（情動特性）があることを研究している人もいる。

トピック13

よい気分になるためには……

　朝起きて，仕事に出かけ帰宅するまでの一日，気分爽快だったといえる日は一年にどれだけあるだろうか？　健康な人生を毎日気分よく送るための科学的方法の研究こそは心理学の願いであり，命題であると思う。人はどうしていい気分になったり，いやな気分になったりするのだろう？　同じストレスでもいい気分のときは苦にならず，いやな気分のときは辛く感じるという経験は誰にもある。「**気分**」についての研究では，セイヤー（Thayer, R. E.）の *The origin of everyday moods*（『毎日を気分よく過ごすために』本明寛監訳，三田出版会，1996）がある。

セイヤーの4つの気分

　セイヤーは気分を4つの状態に分け，最もよい気分は〈平静－エネルギー〉で，悪い気分は〈緊張－疲労〉とした。

　〈平静－エネルギー〉：この気分は，自分の感情を，エネルギーに満ちて活発で生き生きしていると説明している。

　〈平静－疲労〉：この気分の人は，よい気分だが，疲れている，眠い，ボーっとしているという感情で自分の気分を表現する。

　〈緊張－エネルギー〉：多くの人にとってこの状態はそれほど悪い気分ではなく，生き生きした感情である。けれどもこの場合，緊張，不安など〈平静－エネルギー〉のときには存在しなかった一種の張り詰めた感情が加わっているので，これらの感情を低レベルの不安というかもしれない。

　〈緊張－疲労〉：心身の蓄えが枯渇したとき，つまり，個人が疲れきったときに起こるものである。疲労が苛立ち，緊張，不安と組み合わさったとき，明らかに不快な状況がもたらされる。この〈緊張－疲労〉はしばしばうつを引き起こす気分でもある。

よい気分にする7原則

①毎日2時間程度を自分の楽しみに使う生活。

②7～8時間の睡眠。

③栄養とバランスのとれた食事。脂肪の摂取を減らし，糖分やカフェイン入りの飲料を避ける。間食を避ける。

④毎日15～20分程度の規則正しい運動を続ける。運動によりエネルギーを上昇させ緊張をほぐすことができる。

⑤一つ以上のストレス緩和訓練術を身につけ，朝晩に15～30分実行する。

⑥否定的考え方になったときの気分を変える第一歩は自己観察から。

⑦辛抱強い態度をとること。

　大いに豊かな〈平静－エネルギー〉を蓄え，毎日を気分よく過ごせるように実践したいものである。

（相澤まきよ）

2000年5月にスピールバーガー（Spielberger, C. D.；南フロリダ大学教授）は肥田野直，福原眞知子，岩脇三良，曽我祥子らとの共同研究により日本版『新版 STAI (State-Trait Anixiety Inventory-JYZ)』を公刊している。不安に関するスピールバーガーの40年にわたる研究成果のまとめともみられる。STAIは状態不安項目と特性不安項目それぞれ20項目から成立している。肥田野らの解説をそのまま引用したい。

図5.3 スピールバーガー（2000年8月，早稲田大学国際会議場にて）

「状態不安と特性不安の概念は，まず，Cattell (1966) により紹介され，Spielberger (1966, 1972, 1976, 1983) により詳細に検討され体系づけられた。この2つの概念を区別する研究者には，カナダのヨーク大学グループがある (Endler, Parker, Bagby, & Cox, 1991)。

状態不安は，不安を喚起する事象に対する一過性の状況反応であって，そのときにより変化し，脅威的であると知覚された場面では，状態不安の水準は高くなるが，危険性が全くないかほとんどない場面では，状態不安は比較的低い。

特性不安は，脅威を与えるさまざまな状況を同じように知覚し，そのような状況に対して同じように反応する傾向をあらわし，比較的安定した特徴をもっていて，不安傾向に比較的安定した個人差を示す」。

また状態不安と特性不安に関する解釈については次のように具体的に述べている。

「ストレス場面では，特性不安の低い人の状態不安より特性不安の高い人の状態不安の方が高い。特性不安の異なる人々が状態不安についてどのような差を示すかは，それぞれの人が，どの程度まで，ある特定場面を心理的に危険または脅威と知覚するかに左右される。このことは，各個人の過去経験に大きく影響される。特性不安の高い人は，広い範囲の場面を危険または脅

威と解釈する傾向があるので，特性不安の低い人よりも状態不安の高まりを多く示す。特性不安の高い人は，対人関係や自尊感情の脅威を含む場面において状態不安の強さを大きく高めて反応しやすい」。

カウンセリングや心理療法におけるアセスメントに「不安」尺度を用いることが多いのは，スピールバーガーらの情動状態と情動特性の研究によって得られた結果の有効性がたしかめられているためである。また特性がその人の文化性と強い関係があることも事実で，同一状況か文化差によってまったく異なる情動反応を引き起こすことも立証されている。スピールバーガーは『新版STAI マニュアル』の「序」で以下のように述べている。

「STAI-JYZ の項目は STAI（Form Y）の項目を慎重に翻訳したものと，状態不安，特性不安について日本の文化に見合う（日本の文化での概念化が容易である）と思われる多くの新しい項目を加えた中から選ばれた項目で構成された。STAI-JYZ は状態不安と特性不安について慎重な測定を可能にする。加えて，それぞれの尺度における不安の存在と不在を示す感情を測定する下位尺度をそなえている。これらの二側面の不安を識別することは日本ではとくに重要である。日本では文化的要因が人々のポジティブな感情の表現を禁止（抑制）するようである」。

3．情動は学習されたものか

特定の刺激は人間や動物に生得的に情動を引き起こすことはよく知られている。例えば大きな音や電気ショックの刺激は人に恐怖を引き起こす。また，心理学史上よくとりあげられてきたワトソンの「アルバート坊やの実験」（生後11カ月）は中性刺激が恐怖反応を引き起こすことを説明している。すなわち，白ネズミやウサギを子どもに見せるときに，強大な音刺激を同時に与えると恐怖反応を引き起こす。条件づけ学習法である。

スキナー（Skinner, B. F.）は**条件づけ情動反応**（conditioned emotional response）の実験から情動反応の形成を発表している。この実験研究から予期反応は信号刺激と有害刺激の結合によって条件づけられる。

マウラー（Mowrer, O. H.）の学習二要因説，すなわち学習の成立の過程を2つの要因から説明できるとする学説も情動に適用できる。回避学習は不安動

因の形成と（接近原理）と回避反応の形成（強化原理）の2要因により成立するという。マウラーは刺激と反応を媒介する過程を象徴的過程としている。すでにトールマン（Tolman, E. C.）は，生活体の行動は常に目的，目標があり，生活体はそれに向かって行動するものだとし，生活体は環境を認知するとともに目標と目標に達する手段との関係の認知を仲介変数とした。学習は〈S－R〉ではなく，認知的事実すなわち記号がどのような意味をもつかを生活体が理解することによるというのである。マウラーもこの記号（信号）を認めてその学習説をとっている。マウラーのいう〈S－R〉の仲介過程を象徴的過程とする立場は，情動に関する学習問題の研究者に大きな影響を与えた。特に不安に関する新しい理論として注目された。マウラーは後に二要因説から一要因説に変わった。不安についての研究から，情動の成立を接近説で解釈できるとした。

4．情動の表出（表情）には文化的差があるのか

表情とは顔面における表出運動をいうが，それは非言語的コミュニケーションとして重要な意義がある。従来の研究では，表情によって基本的情動のカテゴリーを見出そうとする研究，情動判断の次元の発見，表情の構成要素の3つをあげることができる。第一の基本的情動の研究では情動の表出写真を見せて，その相関分析から6つのカテゴリーを出したのはウッドワース（Woodworth, R. S.）で，幸福・愛，驚き，恐怖・苦しみ，怒り，不快，軽蔑をあげた。エクマン（Ekman, P.）らは幸福，驚き，恐怖，悲しみ，怒り，不快，興味の7カテゴリーを見出している。

情動の判断のなされる主要な次元についての研究を次元研究といい，それは，各表情の類似性を判断させて，その結果を因子分析を行って，次元を決めるものである。シュロスバーグの表情研究では快－不快（pleasant-unpleasant），注意－拒否（attention-rejection），眠り－緊張（sleep-tension）の3次元をあげた。構成要素研究とは，目や口（目は口ほどにものをいい）が情動伝達機能の重要性をもつことを立証することである。表情の構成要素（目や口）を中心に表情写真を分類して情動を判断－予測させた。怒りのような情動は構成要素との関係がはっきりしなかったが，幸福は顔と口の部分，恐怖・悲しみは目

とまぶたの部分から多く予測された。

表情のクロスカルチュラルな研究も行われている。文化差のみられるのは表情表出にブレーキをかける習慣，あるいは同じ対象に対して異なった表情を示す場合とがある。日本人は親しみを示すとき，抱きついたり，手をにぎったりしないで，ていねいなお辞儀をするのはその一例である。エクマンらはアメリカ人，ブラジル人，チリ人，アルゼンチン人，日本人の表情写真を用いて実験を行い，これらの人々の間では表情と情動の対応関係に高い一致度がみられた。

文化差のあるものとしての従来の情動研究に対して，研究の方法上問題があったのではないかという提案をしたのはラザルスである（Lazarus, 2000）。

「これまでの異文化間心理学では，大きく分けて，第一に，個人中心の文化（individualism）と集団中心の文化（collectivism）の対比，第二に，各文化（それぞれの固有文化）に特異的な個別的心理学の体系化，第三に，各文化に非特異的な（共通の）人類普遍の文化（cultural universals）の探求，という3つの視点からの研究が行われてきた」。

今日，主として欧米文化にみられるような個人中心の体制化（個性優位の社会）と日本文化にみられるような集団中心の体制化（全体優位の社会）というものを互いに相反するものと考えて（効果的なストレス対処にとって），いずれかが優れているかを見出すというような単純なとらえ方はあまり重要なものではなくなってきている。ここで必要なことは，むしろ各個人が，それぞれその時々の対処行動を営むときに，個人中心か全体中心かのいずれの（あるいは双方の）体制化あるいは価値観に準拠して，自分と社会環境（自分と相手）との関係を認知的に評価（再評価）していくようになるか，ということを明らかにすることである。

*4*節　情動の機能

常識では情動は人間の心を素朴に表現するものだという思い込みがある。たしかに，喜怒哀楽を率直に表現することはある。しかし，情動の特質はむしろ柔軟性にあるといわれている。特に対人関係の維持のために強力な対応をみせる。上司に仕事のやり方についてひどく叱られたときに，部下の従業員は怒り

や攻撃の行動を示すだろうか。むしろ上司への服従心を示し，罪悪感あるいは感謝の念を示すはずである。こうした問題への対処の仕方は，企業集団において通用する情動表現となろう。情動はこうした対人関係の維持，あるいは変更のために機能するものである。一般的に情動は物事を順応的，適応的な解決に到達する働きをもっている。しかし，当事者の心の中の問題として考える場合にも，柔軟な対応によって，より多くの満足感が得られる。いやな上司に皮肉を言われたり，怒られてもそれを受容するためには，心の中に起こっている怒り，悲しみを自分で変更して心から受容しているような表情，表現に変更する操作をすることになる。それは情動表現の変更による利益（よい評価を受けるために）を考えたり，あるいはよい人間関係を維持できるという選択がなされるためである。こうした内面的な調整機能によって，おだやかな状況が続けられる。これは対人関係のみでなく，環境条件に対し，一般的に生ずる情動の機能である。特にストレス状況に対して，ネガティブな情動が生じても，それをポジティブな情動（快適な情動）に変える機能は健康な対処となる。

　家庭や学校，あるいは一般社会の場でよい関係を維持するときにも，情動の機能を無視できない。仲良し集団の特徴はみんなある状況に一致してある情動（笑い，悲しみ，怒り）を示すところにある。こうした集団のメンバーとしての関係の維持も情動の作用は大きい。情動は社会的団結の維持に重要な役割を果たしている。集団のメンバーは集団の目標達成の努力をするべきであるが，同時にリーダーに柔軟であることを示さなくてはならない。しかし，服従の表現はみかけ上，情動表現が最も効果がある。

　情動を機能面からみると人間関係の維持や社会的グループのメンバーとしての地位を維持するために重要な働きをするものである。

〔本明　寛〕

☞ さらにもう一歩先へ

1．欲求不満（フラストレーション）についての研究をまとめてみよう。
2．自殺者の心理的特性，特にうつ反応について調べよう。
3．バイオフィードバックの方法とその効果について具体的に説明してみよう。
4．ポジティブ・エモーション（安心，希望，愛情，同情，喜び，感謝，プライド）の社会的意味を考えてみよう。

引用・参考文献

肥田野直・福原眞知子・岩脇三良・曽我祥子（著訳）　2000　新版 STAI マニュアル　実務教育出版

Lazarus, R. S.　2000　ストレス対処の仕方に関する方法上の問題点　健康心理・教育研究, **6**(1), 1-12.

Lazarus, R. S. & Folkman, S.　1984　*Stress, appraisal, and coping.* Springer.　本明　寛・春木　豊・織田正美（監訳）　1991　ストレスの心理学　実務教育出版

6章 発　達

　卵子と精子の出会いによって発生した受精卵は，約40週子宮内にとどまった後，一個の独立した存在として，人間社会に送り出される。誕生後，個体は，その遺伝的素質を開花させ，環境の影響を受けつつ，大きさを変え，形態を変え，特徴を変化させて，約80年生存する。受胎から死にいたるまでの経過における，身体的，生理的，精神的な変化のプロセスを発達と呼ぶ。発達心理学は，人間がいかに発達するかについて理解することを目的とするものであり，人間存在の本質をとらえるために欠くことのできない知識である。

1節　発達のとらえ方

　自然科学が勃興し，科学としての心理学が生まれた19世紀，心理学の対象となっていたのは，刺激に対する反応が安定しており，内観などの自省的報告が可能な大人であった。

　その後，大人とは異なる子どもの特質についての社会的な関心が高まるとともに，子どもに関する研究も促進された。子どもへの興味は，教育の効果と未熟な精神状態をとらえることにより心理的な過程の起源を明らかにするという点にあったといえる。観察や実験および数量的データの処理を通して子どもの特徴を分析することにより，子ども理解が進んだ。

　このように，従来の発達研究は，身体の成長が進み，さまざまな機能が熟達していく，20歳以前の若年期の能力獲得過程に焦点があてられていた。これは，社会的な価値観において，成熟に向けて，年齢とともに，体格，体力，能力が上昇し，機能的な効率もあがるプロセスが評価され，発達と特定されていたためである。成熟に達した時点以降は，停滞または下降ととらえられていた。

　これに対して1970年代以降，受精から死にいたるまでの個体の発達過程を検

討する，**生涯発達**の視点をもった検討が，活性化した。これは，近年，成熟以降の生存期間が飛躍的に延長し長寿化したことにより，ライフサイクルが変化し，若年期以降の比重が増したことや，若年期以降における個人の変容の多様性が注目されるようになったことから，発達について，再検討する機運が高まったことによる。さらに，認知心理学や，比較心理学など他の領域における研究の蓄積に負うところも大きい。

発達心理学の一般的定義は，「受胎から死に至るまでの生体の心身の形態や機能の成長・変化の過程，これに伴う行動の進化や体制化の様相，変化を支配する規制や条件などを解明し，発達法則の樹立を目指す心理学の1分野」（柏木惠子ほか，1996）とされている。

バルテス（Baltes, P. B., 1987）は，生涯発達心理学を特徴づける主な理論的観点を以下のように示している。

(1) 生涯発達：個体の発達は生涯にわたるすべての過程である。どの年齢も発達の性質を規定する上で特別の地位をもたない。発達の全過程を通じて，また生涯のあらゆる段階において，連続的（蓄積的）な過程と不連続（革新的）な過程の両方が機能している。

(2) 多方向性：個体の発達を構成する変化の多方向性は，同一の領域内においてすら見出される。変化の方向は行動のカテゴリーによってさまざまである。さらに同じ発達的変化の期間において，ある行動システムでは機能のレベルが向上する一方で，別の行動システムでは低下する。

(3) 獲得と喪失としての発達：発達の過程は，量的増大としての成長といった高い有効性の実現へと単純に向かう過程ではない。むしろ発達は，全生涯を通じて常に獲得（成長）と喪失（衰退）とが結びついて起こる過程である。

(4) 可塑性：個人内の大きな**可塑性**（可変性）が心理学的発達において見出されている。したがって個人の性格条件と経験とによって，その個人の発達の道筋はさまざまな形態をとりうる。発達研究の重要ポイントは，可塑性の範囲とそれを制約するものを追求することである。

トピック14

出生前診断

　発達心理学は，人間が生きていく過程を検討する領域であり，「いのち」と向き合う視点をもつといえる。少し前まで，「いのち」は自然の摂理に支配された人知を超えたものと考えられていた。しかし近代の科学技術の飛躍的な進歩により，医療特に生殖医療において，「いのち」へ人為的な操作が関与するようになった。新しい「いのち」は，授かるものというよりも，個人の意志や計画に基づき，医療機関の援助のもとに，宿し，**自己決定**によって産むものとなってきているとさえいえるだろう。自己決定をするための手続きの一つとして，**出生前診断**が浸透しつつある。

　出生前検査を受けるという選択によって，妊婦およびその家族は，胎内の子どもの遺伝的な情報を把握することができる。この情報は，遺伝性疾患や奇形をもつ子どもが生まれることに対する不安を除き，安心を求める妊婦とその家族のニーズに合わせて提供される。結果として生殖上の選択肢の拡大や，生殖の自己決定権の確立をもたらすと，医療現場では考えられている。北米をはじめとする先進諸国では，高齢出産などリスクをもつ場合，この検査を受けないことは自己管理能力の低さを示すとさえとらえられている。しかし大きな問題として，産むかどうかの判断の背景に優生思想が潜んでいることは否めない。また，検査そのものの問題や，検査が妊娠に喜びでなく不安をもたらすものとなる弊害もありうる。

　1998年4月第1週の朝日新聞「どうするあなたなら」のコーナーでは，このような出生前診断の問題をとりあげた。保因者とわかり，葛藤の末，人工妊娠中絶を受けた女性や，障害をもって生まれ，生活を送っている方々などからの問題提起を受け，妊娠中の母親や子育て期の養育者などから400通以上の手紙，ファックス，メールなどがよせられ，大きな反響を生んだ。ほとんどの意見は，出生前診断への反対意見であった。命の選別をすべきでない，子どもの命は親のものではない，障害があるなしに関係なくわが子はかわいい，など「いのち」の重さを論ずるものであった。

　少数ではあるが賛成意見もみられた。高度な医療技術の恩恵を受けて生活設計をしていくのは，人類の一つの方向ではないか，負債をかかえ経済的負担を考慮すると検査を避けられない，診断を受け，障害児の可能性が高い場合，生まれるまでの間にサポート施設の手配や，援助体制などの準備にあてたい，

などの現実的な意見や前向きな意見が含まれていた。

　実態を取材した4つの病院では，胎児の染色体異常が診断された約100名の妊婦はほとんど人工妊娠中絶を選んだという事実がある。検査の利点として出産の自己決定権がうたわれているにもかかわらず，結果に多様性がみられない背景には，検査が安易にすすめられ，自己決定するための正確な情報提供が十分でないといった**インフォームド・コンセント**の未熟性の問題や，

障害者が生きていくための教育体制や社会福祉施策の問題など，検討し解決すべき大きな問題がある。

　あなたならどうするだろうか？

（森　和代）

引用文献
朝日新聞　1998.4.1-4.4　どうするあなたなら　出生前診断
ローゼンバーグ・カレン，トムソン・エリザベス　堀内成子・飯沼和三（監訳）1996　女性と出生前検査——安心という名の幻想　日本アクセル・シュプリンガー出版

2節　発達のメカニズム

　発達変化のメカニズムについては，検討すべきいくつかの基本的な問題がある。本節では，遺伝と環境，初期経験，連続と段階についてとりあげる。

1. 遺伝と環境

　発達を規定する条件となるのは，生来プログラムされている遺伝的な要因であるのか，または後天的に学習される環境要因であるのか。家系研究や双生児研究など能力の個人差における遺伝的要因の影響の検討や，環境が阻害された野生児に関する検討など，遺伝か環境かは論点として関心を集めてきた。

　生得的な遺伝要因を重視する立場を明らかにしたのは，ゲゼルら（Gesell, A. L. & Amatruda, C. S., 1945）である。ゲゼルらは，双生乳児を被験者として階段のぼりなどの実験を行い，機能が未成熟な早期に訓練をしても有効な成果が得られないことを示して，生来的にプログラムされている各機能の成熟により発達が進行すると主張した。

　後天的に獲得される環境が有効な条件と考えたのは，ワトソン（Watson, J. B., 1930）らである。環境刺激への反応として，発達的変化が生じるのであり，

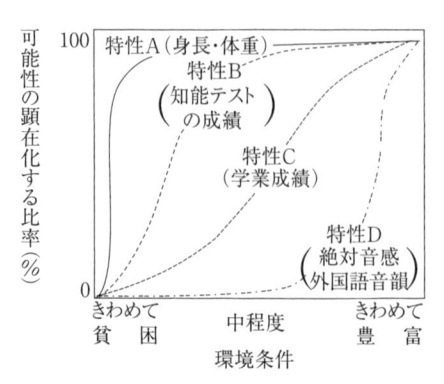

図6.1 遺伝的可能性が顕在化する程度と環境の質の関係 (Jensen, 1969)

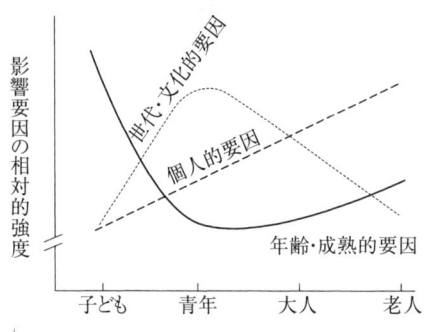

図6.2 発達に影響を及ぼす要因の強度の変化 (Baltes et al., 1980)

遺伝的な特質がどのようなものであっても，環境統制によって意図的に人間形成をすることが可能であると主張した。そして乳児に恐怖を条件づけ，恐怖心が類似の刺激にも般化した実験結果によりその論理を立証した。

これらに対し，遺伝，環境の両方が，相互の影響を受けつつ発達の条件として有効に働いているとするとらえ方が多く受け入れられている。

またジェンセン（Jensen, A. R.）は**環境閾値説**を唱えた。遺伝的可能性が顕在化するためには環境の質が影響するが，発達特性によって影響力は異なり，それぞれに固有の閾値があるとしている（図6.1参照）。

バルテスら（Baltes et al., 1980）は生涯発達の視点から，発達を規定する影響因として，年齢・成熟的要因，世代・文化的要因，個人的要因の3要因を想定している（図6.2参照）。

年齢・成熟的要因は，年齢を関数として成熟へ向かう内的な要因である。例えば，まず目で見た物を手でとるという二項関係が出現し，その後，対象との関係を他者と共有する指差し行動など三項関係が成立して，1歳くらいで言語を理解したり表出するようになるといった外界とのコミュニケーション能力の変化に顕著にあらわされている。この要因の影響力は，加齢とともに減少する。

世代・文化的要因は，環境的側面の影響を意味する。発達する各個人の背景にある，時代や文化の価値的志向性が，発達的側面の強化の方向に影響する。社会への適応や各自の方向性が問われる青年期には，この要因の影響が大きい。

個人的要因とは，個人差をもたらす各人の興味や意欲，経験といった要因で

ある。加齢に伴いこの要因の影響力が増す。
　つまり発達への影響因は多次元構造をもち，影響が強い時期も異なる。

2. 初期経験

　経験要因のうち，特に発達初期における経験は，発達を決定する重要な影響力をもつという考え方も提唱されている。
　ローレンツ（Lorenz, K., 1970）は，ハイイロガンが孵化後の限られた時間内に見た動く刺激に対して追従反応を示し，修正や再学習は不可能であることを**刻印づけ**と名づけた。強化因と関係なく動く刺激は何でも刻印づけの対象となることが実験により明らかにされた。これは，特定な信号刺激の組み合わせの選別により反応が誘発される生得的な神経機構によると考えられた。
　また，ハーロウら（Harlow, H. F. & Harlow, M. K., 1962）による赤毛ザルの隔離実験では，集団からの隔離が生後6カ月以降まで続くと不適応となる場合が多く，隔離期間が長期化するほど社会的行動，性行動，母親行動などに影響がみられた。
　ヘッブ（Hebb, D. O., 1949）によれば，知覚や思考の発達には乳幼児期の**初期経験**が不可欠である。初期経験の刺激から中枢的な細胞集合体が生まれ，細胞集合間の位相連鎖が成立することで，知覚や思考能力が促進される。
　これらの見解に対して，人間発達には柔軟な可塑性があることも明らかにされている。藤永保ら（1987）によれば，初期経験が著しく不足しても条件が整えば，発達はかなり補償されることが事例報告から示されている。

3. 連続と段階

　発達変化のプロセスに関しては，連続的に変容するのか，あるいは質的転換があり段階的変化をするのかという問題がある。
　発達段階説では，始歩や始語の時期の子どもが，日々同じペースで歩行距離をのばしたり，言語を獲得するのではないことからも明らかなように，ある力を獲得すると飛躍的に変容をする階段状の発達過程を想定している。ある時期の飛躍的な変化の結果，構造的変容が起こり，それに続く一定期間に特徴をもつまとまりの時期があると考える。そこで，その特徴に基づき，社会的基準，

身体基準，精神的基準などに着目したさまざまな段階区分がある。

例えばハヴィガースト（Havighurst, R. J., 1953）は，発達区分に応じて社会が期待する基準に対応した**発達課題**を設定している。各発達段階で目標とされる課題を達成することで，個人が適応的な社会生活を送るとともに次の発達段階での課題の達成を容易にすると考えた。

発達段階を狭義にとらえた場合は，個体の内部における質的な変容を検討して区分されたものであると考えられる。後述のピアジェの理論はその代表的なものである。このような視点では，発達段階は，心身の機能の質的な構造の変化を意味する。心身の発達によって，これまでの行動様式では矛盾が多くなると，環境に働きかけて行動様式を変え，次の安定した状態へと発達的に移行する。発達段階は個人差を含んだある程度柔軟なものとされている。

段階的な視点で発達をとらえることによって，特定な時期の個体の全体的特徴を，把握することができ，発達予測が容易となる。

しかし段階説に対して，一方向的な時間展望をもつ点や発達における領域特殊性の問題，状況依存的な行動変容がありうることをあげた反論もある。

連続説では，発達は連続的な過程で漸時進行し，ある時点を境界として異質な変容を遂げるものではないと考える。発達の規定因として遺伝より環境を重視する場合，この立場となる。例えば，発達とは，条件づけられた行動の連続的な増加過程であると考える学習理論家のスキナー（Skinner, B. F., 1969）などに代表される。

*3*節　発 達 理 論

どのような基本的枠組みで人間の発達をとらえるかによって多様な切り口があり，これまでたくさんの研究者がさまざまな発達理論を展開してきた。本節では，ピアジェ（Piaget, J., 1896-1980），ヴィゴツキー（Vygotsky, L. S., 1896-1934），エリクソン（Erikson, E. H., 1902-1994）の理論をとりあげる。

1. ピアジェの思考の発達段階論

ピアジェは20世紀の発達観の基礎を築いた心理学者といえる。生物学の基盤

に基づき，発生と構造の解明を課題として発達を検討した。以下の4点が発達観への主要な貢献といえる。①乳幼児の知的認識の力をとりあげた。②発達初期の学習可能性に注目した。③認識の構造的側面である知能と，エネルギー的側面としての感情を分離せず，知・情・意を統合した。④年齢別に発達現象をまとめて区切るのではなく，質的な転換に着目した**発達段階説**を提唱した。発達段階説におけるピアジェの認知発達のとらえ方は，機能的には連続しているが，構造的に非連続なものとする発生論的な考えに基づくものである。認知的な発達が，ある発達段階への到達をもたらし，それによって思考の質的な変化が生じると考えられている。

ピアジェの段階的な発達観に基づく思考の発達については，表6.1に示した。発達段階は，外界への直接的な働きかけによる「**感覚運動的段階**」と，心の中にあるイメージなどの表象を媒介とした思考が可能となる「**表象的思考段階**」

表6.1 ピアジェの知能の発達段階（村井，1977）

A **感覚運動的段階**（出生より1歳半または2歳ごろまで）
　この段階はさらに6つの下位段階に分かれる。
　出生後の反射活動の時期から出発して（Ⅰ段階），乳児が種々の動作型を確立し（Ⅱ・Ⅲ段階），それらを互いに協調させながら，目的手段関係において使いこなせるように（Ⅳ段階），動作型が柔軟になり，試行錯誤的に新しい手段の発見が可能になり（Ⅴ段階），さらには，動作的に予期や洞察行動を示し得るようになるまでの時間（Ⅵ段階）をいう。すなわち，感覚運動知能がいちおう成立するまでの時期である。

B **表象的思考段階**
1．**象徴的（前概念的）思考段階**（1歳半もしくは2歳ごろより4歳ごろまで）
表象的思考段階が始まり，感覚運動的なシェマが内面化され始めてイメージが発生し，それに基づく象徴的行動が開始される。またこれと同時に，コトバ記号の組織的獲得が急激に前進する。
2．**直観的思考段階**（4歳ごろより7，8歳ごろまで）
この時期では，概念化が進み，事物を分類したり関連づけたりすることも進歩してくるが，その際の推理や判断がいまだ直観作用に依存している。
3．**具体的操作段階**（7，8歳ごろより11，12歳ごろまで）
子どもは，自分が具体的に理解できる範囲のものに関しては，論理的な操作によって思考したり推理したりすることができるようになる。
4．**形式的操作段階**（11，12歳ごろより）
青年期に入るとともに，彼らは，「仮説演繹的」なかたちで推理することが可能になり，場合によっては，結果が現実と矛盾しようとも可能性の文脈においてものを考えることができるようになる。そしてその際，思考の対象となるのは，現実そのものではなく，「命題」である。

トピック15

発達障害

平均的な子どもの発達水準と比較して，学業や知的能力，生活能力，言語機能，コミュニケーション機能などのいくつかの領域について，発達的な遅れやずれが生じていることを**発達障害**と呼んでいる。

発達障害は出生前や乳幼児期，あるいは児童期に生じた何らかの原因で発生するが，原因が明確に特定できない場合もないわけではない。発達障害を引き起こす疾患が発生する部位は，中枢神経系，肢体の欠損，感覚器官の障害，内科的疾患に分けることができる。また，発達障害を症状別に分類すると，表のように，**知的障害，運動機能障害，行動・認知・情緒障害，感覚障害**という4分野に分けることができる。実際には障害は複数の領域にまたがることも多く，障害の程度も軽度から重度まであるため，症状は実にさまざまなものになる。

発達障害がさまざまな原因から発生しているために，障害をもつ子どもへの対応も，医療，福祉，心理，教育などの領域から多面的に行われている。医師，理学療法士，作業療法士，言語訓練士，視能訓練士，教師，カウンセラーなど多くの職種がそれぞれの専門性を生かして発達障害児の治療と指導にあたっている。例えば心理職にある

表　発達障害に関係する代表的な障害名と簡単な特徴の記述

＜知的障害を中心とするもの＞
精神遅滞：知的発達の遅れとそれに伴った社会的適応能力の弱さが顕著に認められる。

＜運動機能障害＞
脳性麻痺：全身の筋の緊張が硬くなったり，柔らかくなったり，あるいは，ゆれをもったりする運動障害が発生する。
筋ジストロフィー症：幼児期から筋肉の変性が進むことによって，徐々に筋力が衰え，やがて歩けないとか座れなくなってしまうという運動障害が起きる。

＜行動・認知・情緒障害＞
学習障害：一般的な知能に問題が認められないにもかかわらず，聞く，話す，読む，書く，計算する，推論するなどの特定の能力に障害が見られる。
言語障害：コミュニケーションが妨げられる障害が見られる。会話等の内容よりも伝達手段である言葉自体に注意を向けてしまうような場合や，さまざまな原因で意図が伝わらないような場合がある。
自閉性障害：社会的関係がうまく保てないといった対人的相互関係の問題，言語の問題，刺激に敏感すぎるなど知覚の問題，物や場所などへの強い固執，知的に高い部分とそうでない部分とのずれが大きいなどといった特徴のいくつかが，生後の早い時期から多岐にわたって認められる。
注意欠陥・多動障害：同年齢の子どもと比べて，一つの活動に集中できず，どうしても気が散ってしまうとか，おとなしくしなければならない所で著しく落ち着きを欠いた行動をとってしまう。むやみに席を離れて歩き回ったり，騒いだりする。
行為障害：人や動物に対する攻撃，放火や破壊など物への攻撃，窃盗，家出，怠学などの規則違反といった問題を繰り返す。落ち着きのなさや，ちょとしたことへの感情の爆発などが特徴的である。

＜感覚障害＞
視覚障害：見えない，あるいは極端に見えにくくなる。
聴覚障害：聞こえない，あるいは極端に聞こえにくくなる。

人は行動・認知・情緒障害児へのかかわりがけを中心として発達障害児を指導することが多くなり、理学療法士は運動機能障害をもつ子どもへのかかわりがけが中心となる。

このように専門家による専門的指導が必要であるが、それと同時に発達障害児に接するときに大切にしなければならないのは、子どもの長期的発達を認めること、子どもやその家族との人間的信頼関係をつくろうとすること、子どもをとりまく安定した環境づくりを心がけること、子どもの個性を尊重することといった、子どもに対する人間的視点であることはいうまでもないだろう。

〔山本利和〕

引用文献

American Psychiatric Association 1994 *Diagnostic and statistical manual of mental disorders*, 4th ed. American Psychiatric Association. 髙橋三郎・大野　裕・染矢俊幸（訳）1996 DSM-IV 精神疾患の診断・統計マニュアル（第 4 版）　医学書院

佐藤　剛（編）1999　作業治療学 3：発達障害（改訂第 2 版）（作業療法学全書 6）　日本作業療法士協会　協同医書出版社

とに大別される。後者はさらに 4 段階に分けられる。2 歳くらいから 4 歳くらいまでの**象徴的思考段階**，4 歳くらいから 7 歳くらいまでの**直観的思考段階**，その後 12 歳くらいまでの**具体的操作段階**，12 歳以降の**形式的操作段階**である。

ピアジェの発達段階説は，子どもの行動を発達的に追跡して，変化を記録し，それを順次分類して段階的なまとまりを探索的に見出したものではない。法則を立て，その法則をもとに段階を設定し，事例によって検証しているのである。段階発達には次の 5 つの法則があるとされた。①不変的順序性：段階の出現年齢には社会的経験，環境，個性の差による遅速があるが，出現順序は一定である。②全体構造性：各段階はその段階に特有な種々の行動の特色によって定義されるとともに，各段階に特有の全体構造によって特徴づけられる。③前後の段階との統合性：各段階の構造は，前段階の構造を含み，また同時に次の構造に組み入れられる。④準備期と完成期：段階内には準備期と完成期とがある。⑤均衡状態：発達段階は一つの均衡状態であるとともに段階間の移行の原理は均衡化による。

均衡化とは，環境と自分との間に不均衡が生じると，同化と調節という適応の手段によって既得の力とのバランスをとろうとする働きで，環境との相互作用を重視するピアジェ理論の中心とされる。**同化**とは，新しい環境に対し，先

行経験を通して獲得された自分の手持ちの方法で働きかける適応手段であり，**調節**とは，環境からの働きかけを受けて，先行経験によって組み立てた自分の枠組みを変える適応手段である。発達の各段階の終わりは，自律的な調整機能をもつ全体的構造としてまとまり，均衡状態に到達する。これは，固定的な均衡状態ではなく，次の新しい均衡状態への足がかりが含まれている。

2. ヴィゴツキーの発達＝文化獲得理論

　ヴィゴツキーの重要な視点は，精神発達を文化的学習または文化獲得としてとらえたことである。発達は，社会的な関係システムの全体的変化であると考え，個人の認識や行動の発達を理解するには，社会・文化・歴史的な文脈を外すことは不可能だと主張して，**発達＝文化獲得理論**を提唱した。発達研究が，実験室での実験や観察に基づく理論を主流とし，社会的文脈を考慮していないことへの反証として1970年代になって注目されるようになった。彼の発達の視点は，以下の3点である。①人間の発達は外の世界との社会的交渉による。②人間の高次な精神活動は，言語を媒介とした間接的な活動としての特徴をもつ。言語と思考は別々に発達するが，2歳ごろ交差して一致するようになり，思考は言語で表現されるのでなくそこで実現される。つまり思考は，言語の内面化したものと考えられる。③人間が発達する環境は歴史的，文化的な環境である。大人の認知過程は，対人的相互交渉の中で社会的に優勢なパターンが内面化したものである。子どもは，社会文化的影響を受けた認知過程をもつ大人とのやりとりを通して，環境を獲得する（精神間機能）が，相互交渉の経験の蓄積により，大人との関係で機能していた精神活動が内面化していき，子ども自身のなかで行われるようになる（精神内機能）。発達過程におけるこの機能の推移を重視している。

　また発達促進に関して，独自の理論である「**発達の最近接領域**」を提唱した。これは，子どもが独力で解決するのは困難だが，より有能な大人や仲間のガイダンスがあれば解決できるような，現時点では少し高度なレベルの課題（潜在的発達可能水準）に着目し，発達しつつあるこの領域への働きかけが教育効果をもたらすという相互交渉の有効性に着目した考えである。

3. エリクソンの自我発達の漸成原理

精神分析の立場で深層心理を追求したフロイト (Freud, S.) は，人間を行動にかりたてる基本的な力を**リビドー**（性的欲動のエネルギー）と名づけた。そして退行現象を念頭に，リビドーの快感充足部位と快感充足の様式は，発達に伴って変化すると想定し，患者の回想に基づいて精神性愛的発達段階を提唱した。

エリクソンは，フロイトの精神分析的な発達理論を発展させ，生涯の展望

表6.2 エリクソンの心理・社会的発達段階 (Erikson, 1959)

発達段階	A 心理・性的な段階と様式	B 心理・社会的危機	C 重要な関係の範囲	D 基本的強さ	E 中核的病理 基本的な不協和傾向
I 乳児期	口唇－呼吸器的，感覚－筋肉運動的 （取り入れ的）	基本的信頼 対 基本的不信	母親的人物	希 望	引きこもり
II 幼児期初期	肛門，尿道的，筋肉的 （把持－排泄的）	自律性 対 恥，疑惑	親的人物	意 志	強 迫
III 遊戯期	幼児－性器的，移動的 （侵入的，包含的）	自主性 対 罪悪感	基本家族	目 的	制 止
IV 学童期	潜伏期	勤勉性 対 劣等感	近 隣 学 校	適 格	不活発
V 青年期	思春期	同一性 対 同一性の混乱	仲間集団と外集団：リーダーシップの諸モデル	忠 誠	役割拒否
VI 前成人期	性器期	親密 対 孤立	友情, 性愛, 競争, 協力の関係におけるパートナー	愛	排他的
VII 成人期	（子孫を生み出す）	生殖性 対 停滞性	（分担する）労働と（共有する）家庭	世 話	拒否性
VIII 老年期	（感性的モードの普遍化）	統合 対 絶望	人 類 私の種族	英 知	侮 蔑

（ライフサイクル）のもとに理論化した（表6.2参照）。性衝動の側面だけでなく，心理社会的次元にも焦点をあて，自我の分化・統合・発達過程を記述している。これは，生物学的過程，精神的過程，共同的過程の3側面の体制化により，人間存在は成り立つとする理論的背景に基づくものである。

　エリクソンの，自我発達の図式では，**心理・社会的危機**という重要な視点がある。危機とは，発達の転機という意味をもち，力動的均衡状態にある個人の自我を概念化したものである。発達過程の各段階で直面する課題を解決し，正の側面が獲得される場合と，解決されず，阻害されて負の側面が表れる場合との心理・社会的葛藤が対概念として提示されている。正・負両側面の葛藤をいかに解決していくかが問題とされている。心理・社会的危機は人間の生涯に8段階想定されている。そのなかで青年期に遭遇しなければならない危機として，自我同一性対同一性の混乱をあげている。自我同一性の確立は，自我とリビドーの相互関連な発達によって，生涯の中で最も大切な心理社会的課題であるとされている。

　エリクソンは個体の発達分化には，グランドプランの関与を想定している。身体発達のレベルにおいて，生殖細胞の中に，将来の素質がすべて備わっているように，心理・社会的自我発達でも，基本的なプランは，あらかじめ存在している。身体的発達，社会環境，文化，時代などの規定因が，グランドプランに対してプラスに作用するかマイナスに作用するかによって，自我の発達分化は異なる。しかし，平均的な環境では，期待される方向で発達分化が進み，各個人の基本的な素質は，特定の時期に特定の主題における危機を迎える。各段階の課題を達成することは，その段階の個人的，社会的適応を補償すると同時に次の段階での課題達成の基礎となる。したがって，発達分化の図式は，線的な変容ではなく，階段状に示されている。

*4*節　ライフコースにおける発達の特徴

　発達的な特徴を具体的に把握するためには，全発達過程を統括してとらえることは困難である。そこで，**ライフコース**に応じて胎児・新生児・乳児・幼児・児童・青年・成人・老年に区分し，その特徴を述べる。

各区分は以下の通りである。新しい生命が母親の胎内にとどまっている時期を胎生期（一般的には胎児）。出生後1カ月間を新生児。生後1年〜1年半くらいまでを乳児。乳児期以降5，6歳くらいまでの時期を幼児。小学校入学ころから小学校卒業ころまでのおよそ6年間の時期を児童。第二次性徴が発現し，身体的成熟の開始する12歳ころから，就職など社会的成熟の方向がほぼ定まる22，23歳くらいまでを青年。青年以降，主要な社会的役割が終わる60歳くらいまでを成人。成人以降を老年。

1. 胎　児

　正確には，受精から出生までの約40週間を，胚期，胎芽期，胎児期の3期間に分類している。胚期は，受精から，受精卵が子宮に着床するまでの8〜10日間。胎芽期は，受精卵の着床から受精後8週目まで。胎児期は，胎芽期以降出生までをさす。

　妊娠3カ月までに身体の重要な臓器がほぼ形成され，妊娠4，5カ月までには微細な構造もおおむね完成する。妊娠5カ月では胎児の手足の動きが活発になり，妊婦が胎動を感じるようになる。妊娠7カ月になると諸機能が充実し，子宮外の生活が可能となりはじめる。妊娠8カ月ころになると聴覚や，味覚などの刺激に対する反応がみられるという報告もある。近年の技術革新により，超音波断層影像などの測定機器が開発され，子宮内における胎児の状態が観察可能になった。観察データから，胎児はすでにさまざまな能力を備え，母胎内でそれらを積極的に活用しながら子宮外生活への準備をしていることが明らかになってきた。発達を補償する意味でも，胎児の胎内環境への配慮の重要性が示唆されている。

2. 新 生 児

　この時期は，個体にとって環境が非常に大きく変わり，単独で生存し，社会に適応するために多大なエネルギーが費やされる。養育者による保護・養育が不可欠である。人間がこのように生存能力の低い状態で生まれてくることについて，生物学者のポルトマン（Portmann, A., 1951）は，本来自立的な状態で生まれてくるべきであるのに，母体への負担が大きすぎることから，早産をし

ている（**生理的早産**）状態であり，生後1年間は「子宮外胎児」であると説明した。

　このような新生児の無力さの認識は，変化しはじめた。最近の発達心理学における注目すべき新しい動向の一つとして，新生児の能力が明らかになり，有能性が確認されたことがあげられる。測定機器や方法が開発され進歩したことにより，新生児が自分をとりまく周囲からの刺激をかなりきちんと，選択的に受けとめ，反応することが明らかになっている。視覚刺激に対しては，コントラストの強い部分や明るい色をよく見ること，聴覚刺激に対しては，音源の方向の定位や音程の弁別ができること，味覚に関しては味の違いを識別できること，嗅覚においても識別していることなどが実験を通して確認されている。また，学習効果があることも判明しており，新生児が受け身ではなく周囲の状況を把握して，主体的にかかわっていることが明らかになっている。

3. 乳　　児

　乳児期は，さまざまな側面において急速に発達変化する。運動能力および身体コントロール能力が躍進し，各自の意志で移動できるようになる。また手指操作もスムーズになり，道具も扱えるようになる。

　最も注目すべき側面は，養育者との相互作用を通して促進される心理社会的な発達である。乳児はかなり早い時期から人間が発する多様な刺激（視覚的・聴覚的など）に対して指向性をもち，よく反応する。そして，欲求のサインをキャッチして，その欲求を満たすとともに，不安や不快を解消してくれる養育者とのやりとりによって，乳児には基本的な信頼感が育つ。愛着要求，分離不安など養育者との強い絆も結ばれる。また，やりとりを通して，言語獲得における前言語期の基礎が形成される時期でもある。他児との仲間関係も形成されはじめる。

4. 幼　　児

　この時期に自立歩行を開始し，言語を獲得することにより，生活は大きく変化する。行動範囲が広がり，身体活動を発達させるとともに，これまでと比較できないほど多様な刺激に触れ，探索行動を活発に行うことで，身のまわりの

世界への理解も深まる。

また象徴機能の促進を基盤とした言語の獲得およびシンボルの活用は,「いま・ここ」に限定されていた世界を大きく広げるとともに,対人関係も拡大させる。遊びも豊かになる。遊びを通して他児との交流が発展し,社会的な力が育つ。また排泄コントロールなど養育者による基本的生活習慣のしつけが行われ,身辺自立が促進される時期でもある。自分の思い通りばかりにはいかない経験から,養育者との葛藤を通して,がまんすることを学び,自律性が養われる。この反面,自我が育ち養育者からの社会的圧力に対する反発がみられる時期でもある。

幼児後半は,言語と移動の能力が充実することによってさらに活動範囲が拡大し,積極性が発達する。新しい可能性に挑戦するとき,モデルとして親を同一視しはじめる。両親の価値観が取り入れられて内在化し,超自我が育つのもこの時期である。

5. 児　　童

この時期は身体成長および運動能力が着実に発達する。知的な側面においては,自分の目で見たり,実際に体験できる具体的な場面では,論理的思考が可能になる。思考操作が構造化されてくるという個々人の力と,学校で,組織的な学習活動が展開されるようになるという環境的刺激が働きかけあい,知的活動が充実してくる。所属する文化の基本的な規則や技術を学ぶ。多岐にわたる能力を身につけ,自由に使いこなせることで有能感を身につける。

社会的側面においては,社会的活動の中心が,家庭から学校へ,親子関係から友人関係へと移行する。学校の中でクラスの一員として,担任教諭や,他のクラスメンバーとの相互交渉の経験を積み重ね,集団における自分の地位や役割を獲得するとともに,集団活動を活性化していくようになる。凝集性の高い仲間集団との交流の中で同一視や相互批判が行われることにより,社会性が育成され,自律的なルール遵守の力や,自己概念の形成が促進される。

6. 青　　年

この時期は,身体発達などの生物学的側面や,社会的役割などの社会文化的

トピック16

現代の子どもの遊び

　現時点で子どもの間で流行している遊びをあげるとしたら，男児では携帯ゲーム・カードゲームおよび最新のベーゴマを使った遊びになり，女児ではモバイルノートやケータイなどのコミュニケーション・ツールや化粧玩具を用いた遊びになるだろう。男児においては相変わらずゲームのような「情報」を使った遊びが流行しているが，それが携帯性をもつことによって友だちとの対戦や通信・交換といった「対面性」を促している。また，伝統的な遊びであるベーゴマは手を存分に使って友だちと対戦して遊ぶ「手遊び」であったのに対して，最新のベーゴマはパーツという情報を取捨選択して組み込むことによって強化をはかる「情報遊び」になっている。が，同時にコードを手で引くというアナログ性や友だちと対面して戦うという要素も重視している。

　情報社会の進化を背景に情報を駆使した遊びが促進されると同時に，ヒトという生身の「情報の束」と向き合って遊ぶ面白さも見直されてきているといえよう。IT化が進む時代において，子どもの遊びの世界ではデジタルな情報とアナログ的な情報が遊びを促進するべく融合されつつあるのかもしれない。

　同様のことは女児においてもいえるだろう。従来の交換日記や文通などのやりとりを，モバイル機能をもつコミュニケーション・ツールが代行し，さらにデジタルカメラやシールメーカーなどがそれらを装飾して「カワイイ自分」の像を交換し合うことを進めている。同様に，従来のタブーを破って登場した本物に限りなく近い化粧玩具も，女の子たちの自分を飾る夢にリアリティの高い形を与えている。が，ここでいう「自分」とはそういうモノで容易に縁取られ交換され散布されるきわめて軽い像である。「これこそがわたし」というアイデンティティを求めるのではなく，さまざまな像をまとうことで自分を遊ぼうとする傾向が見られるのだ。

　これは男女児ともに浸透しているキャラクター文化につながることといえよう。男児の場合はゲームやカードやおもちゃの形で自分とともに戦うキャラクターを連れ歩き，女児の場合はさまざまなグッズを用いて自らがキャラクター化することによって自分を遊ぼうとする。いずれの場合もTV文化によって定着した映像を媒介とする遊びが，進行するコンピュータ文化によってインタラクティブな関係を促進している過程を示すものとなっている。

（森下みさ子）

トピック17

高齢社会における発達の視点

　高齢社会の到来により，人生の中に占める高齢期の比重が増すにつれて，**ライフサイクル**全般にわたる人間発達観には，さまざまな視点がみられるようになった。加齢と心身の変化の関係性を「発達」ととらえるならば，それには以下のような視点がある。

1．衰退・退行とみる視点

　第一は，老いを下り坂，つまりマイナスのイメージでみる視点である。視覚，聴覚，記憶，反応速度，知能など，個々の機能の年齢別変化を調べると，その多くは，青年期・成人初期がピークであり，それ以降は低下していく。第一の視点は，これらの諸データをもとに，高齢期を衰退・退行期ととらえるものであり，人間の諸機能の変化を生物学的な視点からみる学問的枠組みの影響を強く受けた考え方である。これは，発達心理学の歴史の中で最も古くからみられる立場であり，その多くは，人間の発達のピークを青年期・成人初期ととらえ，人生後半期はそこからの衰退として理解した。

2．成長・成熟とみる視点

　第二の見方は，加齢に伴う心身の変化に，積極的，肯定的なプラスの意味を与える視点である。その代表的な発達論は，エリクソン（Erikson, E. H.）の**精神分析的個体発達分化の図式** Epigenetic Scheme に示されたライフサイクル論である。この考え方は，人間は，それぞれのライフステージに固有の心理・社会的課題を有し，加齢に伴って新たな発達的資質を獲得しながら，生涯を通じて発達をとげる存在であるという見方である。特に，自我の発達や人間の高度な精神的機能をとらえるためには，このような視点は重要である。しかし，この視点の多くは，より早期の段階の発達の質を重視する傾向がある。

3．深化・統合とみる視点

　2．の視点を発展させた第三の見方として，人間はライフサイクルにおける発達的危機期（節目）に同じ課題に直面し，再体制化を繰り返しながら，深化と統合をとげていくという視点がある。例えば，アイデンティティの確立は，青年期の心理・社会的課題であるが，自分の生き方を問い直し，将来の生き方の再方向づけを行うという心の作業は，中年期や現役引退期においても重要な課題となる。この視点は，今日のような高齢社会，変動社会においては，発達のレベルや生き方の方向性は青年期に確定されてしまうのではなく，いくつになっても発達可能性のあることを示唆するものである。

　　　　　　　　　　　　（岡本祐子）

側面をはじめとする諸側面において，発達各期の中で特に変化が大きい。子ども時代の均衡状態がやぶれて，自己の存在が根底から揺るぎ，手探りで道を切り拓いて進む不安の中で，青年の心は風雨が吹き荒れる嵐のように激しく動揺する。このような青年期の状態を，ホール（Hall, G. S.）は「疾風怒濤」の時代と形容した。

青年の社会的立場は，身体的成熟や，知的な発達を基盤とした価値観の獲得に基づき，人間関係を再構築して，社会的自立に向けて準備をすすめることが期待されているといえよう。

また，エリクソンは青年期の課題を「自我同一性（アイデンティティ）の確立対自我同一性の混乱」としている。青年期は，乳児期における自己および他者に対する信頼感を基盤とし，その後の発達段階で形成される自律性や，積極性，生産性などを統合して，新しい主体的な自己を確立する課題に取り組む時期といえる。

7. 成　　人

ユング（Jung, C. G.）は40歳を人生の正午と呼んで成人期の発達に焦点をあてた。成人期以降は，人生を再検討し，外的な生活から内的な生活へと重点を移し，個人の可能性を実現する高次の自己実現過程ととらえた（Staude, J. R., 1981）。

成人は，各自の役割を獲得して，社会的，経済的，人格的な自立を達成し，所属社会を支える重要な構成員としての自覚をもつことが期待される。職業への適応過程における成長・学習はキャリア発達と呼ばれ，成人期の重要な課題といえる。

成人期に関する検討は，個性化に基づく個人差や個々人のおかれた状況に対する適応が主要な視点と考えられてきた。しかし成人の歩みは，定めた道筋を，確固とした足取りで進むばかりではなく，危機や転換期もあるととらえられるようになった。各自の役割や立場の変化に応じて，それまでの生き方を問い直し，将来へ向けて新たな方向づけを行うアイデンティティの再構成も求められる。

8. 老　年

　生涯発達最後の段階である老年期を迎え，各個人は人生の締めくくりをする。老年期に関しては従来**エイジング**（加齢現象）の視点で検討されてきた。一般的に老化という場合，心身機能の衰えていく成熟後の生理的現象をさす。老化は，個人的資質と社会的環境の影響によって，個人差が大きいことが特徴である。高齢化社会を迎え，近年高齢者研究が活性化した結果，高齢期に各機能がすべて低下・衰退の方向へ向かうのではないことが明らかになりはじめた。課題達成において作業の質を問題にすれば，成果は加齢により向上する。また，言語的な理解や表現，社会的知識など経験の蓄積を活用できる分野においては高齢期にも伸びが見られることが，実証されている。

　日常生活の上で，老年期はそれまでに獲得し，保持してきた社会的役割や身体能力などさまざまなものを喪失し，多くの別れを体験する。その反面，義務や役割から解放され，各自が生き方を主体的に選択して自己決定し，自由な生活を楽しむことができる時代ともいえる。老年期には各自が歩んできた人生を省察し，肯定的な意義と価値を認められることによって統合感を得ることができ，終幕をも受け入れることができる。　　　　　　　　　　　　（森　和代）

☞さらにもう一歩先へ

1．人間の赤ちゃんとチンパンジーの赤ちゃんの類似点および相違点を調べてみよう。
2．各自の発達的側面における特徴を，老年期の人々（祖父母）と比較してみよう。

引用・参考文献

Baltes, P. B. *et al*. 1980　Life-span developmental psychology. *Annual Review of Psychology*, **31**, 65-110.

Baltes, P. B. 1987　Theoretical propositions of life-span developmental psychology : On the dynamics between growth and decline. *Developmental Psychology*, **23**, 611-626. 東　洋・柏木恵子・高橋惠子（監訳）1993　生涯発達の心理学1　新曜社　pp. 123-204.

藤永　保・斎賀久敬・春日　喬・内田伸子　1987　人間発達と初期環境——初期

環境の貧困に基づく発達遅滞児の長期的追跡研究　有斐閣
Erikson, E. H.　1959　*Identity and the life cycle* (*Psychological Issues Monograph*, Vol. 1, No. 1). International Universities Press. 小此木啓吾（訳編）1973　自我同一性——アイデンティティとライフサイクル　誠信書房
Gesell, A. L. & Amatruda, C. S.　1945　*The embryology of behavior*. Greenwood Press. 新井清三郎（訳）1978　行動の胎生学　日本小児医事出版
ホール, G. S.　元良勇次郎ほか（訳）1910　青年期の研究　同文館
Harlow, H. F. & Harlow, M. K.　1962　古浦一郎（訳）1972　サルの環境への適応　別冊サイエンス　特集：不安の分析　日本経済新聞社
Havighurst, R. J.　1953　荘司雅子（訳）1958　人間の発達課題と教育　牧書店
Hebb, D. O.　1949　*The organization of behavior*. Willy. 白井　常（訳）1957　行動の機構　岩波書店
Jensen, A. R.　1969　（井上健治　1979　子どもの発達と環境　東京大学出版会より）
ユング, C. G.　秋山さと子・野村美紀子（訳）1980　ユングの人間論　思索社
柏木惠子・古澤頼雄・宮下孝広　1996　発達心理学への招待　ミネルヴァ書房
Lorenz, K.　1970　日高敏隆（訳）1977　ソロモンの指環　早川書房
村井潤一（編）1977　発達の理論　ミネルヴァ書房
村井潤一　1987　幼児期の人間形成と自我の発達　岩波講座教育の方法9：子どもの生活と人間形成　岩波書店
無藤　隆・やまだようこ（編）1995　講座生涯発達心理学1：生涯発達心理学とは何か——理論と方法　金子書房
Piaget, J.　1947　波多野完治・滝沢武久（訳）1967　知能の心理学　みすず書房
Portmann, A.　1951　高木正孝（訳）1961　人間はどこまで動物か　岩波書店
Skinner, B. F.　1969　*Contingencies of reinforcement*. Prentice-Hall. 正城正光（監訳）1976　行動工学の基礎理論　祐学社
Staude, J. R.　1981　*The adult development of C. G. Jung*. Routledge & Kegan Poul.
Vygotsky, L. S.　1934　柴田義松（訳）1970　精神発達の理論　明治図書
Watson, J. B.　1930　*Behaviorism* (rev. ed.). Norton. 安田一郎（訳）1968　行動主義の心理学　河出書房新社

7章 パーソナリティ

人間は同じ環境の中にあっても，同じ行動をとるとは限らず，各人それぞれによって異なる。例えば多数の人前で平気な人もいれば，緊張してものも言えない人もいる。また親に叱られて反抗する子もいれば，素直に従う子もいる。このように同じ環境条件にあっても，人によって行動が異なるのは，各人の内的条件が異なるからだと考えられる。心理学ではこのような内的条件は，パーソナリティの問題として扱われる。本章ではまずパーソナリティとは何かについて考え，次にパーソナリティの構造についての諸理論，そしてパーソナリティの形成要因をとりあげる。

*1*節　パーソナリティとは何か

　私たちは日常用語として「性格」という言葉をよく使っている。しかし，心理学では性格に代わって，1930年後半からアメリカではパーソナリティ（personality）という語が使われるようになった。パーソナリティは，性格よりも包括的な意味内容をもち，知能も，身体能力も，社会性も含む個人を特徴づけている精神・身体的システムをさすようになった。それはまた，人間の個性，独自性，自我の性質などを示すときにも用いられるようになった（星野命，1998）。
　しかし，この語を正確に定義することはきわめて難しい。英語圏で最初に体系的なパーソナリティの本を書いたオルポート（Allport, G. W.）によると，その定義は50種類も見出せるという。彼はこれらの定義を整理して，生物・社会的（bio-social）な見方と生物・物理的（bio-physical）な見方に大別している。前者は人が他人からどのように見られているか，つまり他人の判断ということであるが，これによってパーソナリティをとらえる立場である。後者は，パーソナリティをそれ自身の内的構造をもつ一つの単位としてとらえる立場で

ある。オルポート自身は後者の立場に立ち，従来からあるさまざまな定義をふまえて，みずからも定義を試みた。「パーソナリティとは，個人の内部にあって，その人の特徴的な行動と思考を決定する精神・身体的システムの力動的な組織である」。この定義は包括的な定義で，さまざまな定義を代表しているとみられる。この定義から私たちはパーソナリティを次のように理解することができる。

　この定義において，パーソナリティとは精神的・身体的な複合体である個人の力動的な組織であると述べているが，パーソナリティが組織（organization）であるということは，統一的に秩序づけられていることを意味する。人の行動に一貫性がみられるのは，この統一的秩序（統合性）があるからである。したがって"環境が変化"しても，AさんにはAさんらしい，BさんにはBさんらしい行動が常にみられるのである。しかもこの組織が力動的（dynamic）であるということは，絶えず変化し発達しているということである。つまり統合的な組織としてのパーソナリティは，それ自身に新しい要素を絶えず加えて，再組織化しつつ発達するということである。またパーソナリティはその人の特徴的な行動と思考を決定する（determine）と述べているが，これはパーソナリティの独自性（uniqueness）を表していると同時に，パーソナリティが行動や思考そのものではなく，個々の行動や思考の背後にある何ものかであり，そして何ものかを為すものであるということである。

2節　パーソナリティの理論

　パーソナリティはどのような構造をもっているか，そのとらえ方の違いによって，さまざまなパーソナリティの理論が提唱されている。以下，代表的な理論をとりあげることにしよう。

1. 類　型　論

　私たちは自分のまわりに陽気で人づきあいがよく，自信家で自分の考えを表現するのが上手な人がいれば，その人の性格を外向型とみなすであろう。この場合の外向型は一つの性格の類型（タイプ）である。一般にAさんの性格は何々型である

トピック18

性格は変えられるか

　心理学では，性格は変えられない，変わらない，と断じることはほとんどない。あまり変わらない，基本的なところは変えられない，がせいぜいである。つまり，「性格は変えられるか」という問いに対する答えは「イエス」である。問題は，どの程度変えられるか，そして基本的なところとは何か，という点である。

　「性格は（あまり）変えられない」と考える心理学者はたいてい，遺伝による効果の大きさを主張する。また，遺伝的要因に強く関連する性格を特に「**気質**」と称して区別することがある。この立場（**遺伝論**）に立つと，表面的な行動や思考のパターンは時とともに変化しうるが，気質の面（基本的なところ）ではあまり変化しないということになる。気質の面とは例えば，テンポの速さとか外部刺激に対する敏感さといったものである。

　それに対して「性格は変えられる」と積極的に論じる立場（**状況論**）では，かりに気質の面が変わりにくかったとしても，変えられないわけではなく，大きく変わる人もいるとする。また，「性格は変えられない」という主張に対して，人間の変化や発達の可能性を否定することに通じるので適当でないとの指摘によって，状況論的立場が正当化されることもある。

　ただし，状況論的立場でも，ある人物をとりまく状況や人間関係が安定していればその人物の性格は変わらないと考えるので，自分の性格を変えようという意志をもちさえすれば簡単に性格を変えられるということにはならない。そして，当たり前のことではあるが，転校や結婚などにより周囲の状況が大幅に変わったからといって，昨日までの自分とは全然異なる自分になれるというわけではない。状況の変化が急激である場合に性格の大きな変化が見られるかもしれないが，それは必ずしも自ら変えようとして変わったわけではない。このように，性格が「変わる」ことと「変えられる」ことには違いがあることに注意すべきである。

　また，自分では「変えられた」と思った性格が周囲の人から見たら「変わってない」という場合もあれば，その逆もあり，さらに，親と友人とではまったく違う見方をされることもあれば，友人によっても違う，といったことがある。誰から見た性格が本当の性格なのかというのは，実は非常に難しい問いであり，特に状況論的立場では，本当の性格は一つだけであるといった常識的な答えは正しくないと考えられている。

（尾見康博）

という言い方は，性格を類型的にとらえていることになる。学問としての類型学は，一定の原理に基づいて性格をいくつかの型に類別し，これによって性格を把握し理解しようとする。したがって類型学で問題になるのは，類別する原理を何にするかということである。この原理の設定は各学者によってそれぞれ異なり，これがさまざまに異なる類型論の提唱となっている。

a　クレッチマーの類型論

クレッチマー（Kretschmer, E.）は精神科医として多くの患者を診察しているうちに，精神病がある体型と著しい関係があることに気づいた。そこで彼は**体型を細長型，闘士型，肥満型**に分類し（図7.1），これと精神病との関係を調べたところ，図7.2のように細長型と分裂病，肥満型と躁うつ病の間に関係があることがわかった。この関係は，精神病者と正常者の中間段階にある「分

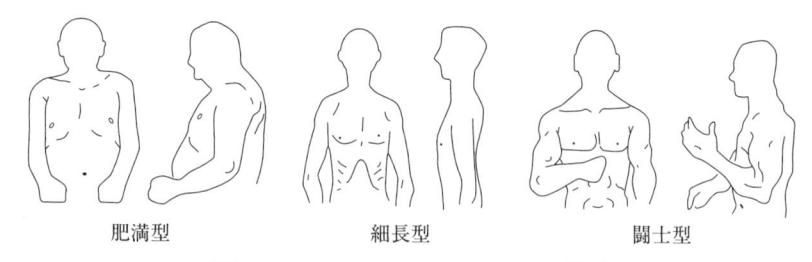

図 7.1　クレッチマーによる3つの体型

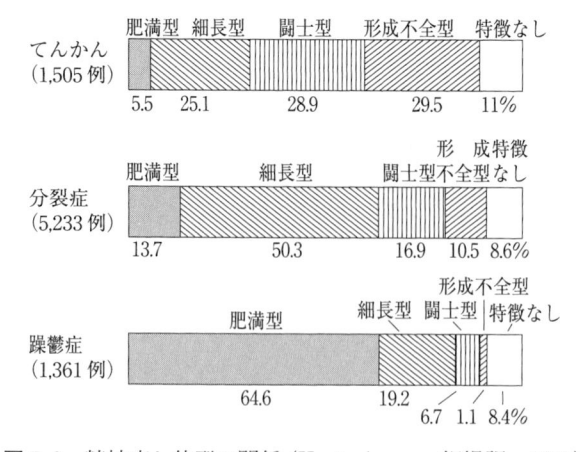

	肥満型	細長型	闘士型	形成不全型	特徴なし
てんかん（1,505例）	5.5	25.1	28.9	29.5	11%
分裂症（5,233例）	13.7	50.3	16.9	10.5	8.6%
躁鬱症（1,361例）	64.6	19.2	6.7	1.1	8.4%

図 7.2　精神病と体型の関係（Kretschmer，相場訳，1960）

裂病質」や「躁うつ病質」の人にもあてはまり，さらにこの傾向は健康な正常者にも見出せることが明らかになった。そこで彼は病的な者にも健康者にもあてはまる気質の総括的名称として「**分裂気質**」と「**躁うつ気質**」を用いた（のちに闘士型と親和性のある粘着気質をあげている）。それぞれの気質の特徴は次の通りである。

〈分裂気質の特徴〉
(1) 非社交的，静か，控えめ，まじめ，変人
(2) 臆病，恥ずかしがり，敏感，感じやすい，神経質，興奮しやすい
(3) 従順，気立てがよい，正直，落ち着き，鈍感，愚鈍

以上は分裂気質の総括的な特徴であるが，健康者にみられる代表的なタイプとして次のような人間像があげられている。上品で感覚の繊細な人，孤独な理想家，冷たい支配家と利己的な人，無味乾燥または鈍感な人など。

〈躁うつ気質の特徴〉
(1) 社交的，親切，温厚，人好きがする
(2) 明朗，ユーモア，活発，激しやすい
(3) 寡黙，落ち着いている，陰うつ，気が弱い

以上は躁うつ気質の総括的な特徴であるが，健康者にみられる代表的なタイプの人間像は次の通りである。多弁な陽気者，静かな諧謔家，無口で情趣豊かな人，気楽な享楽家，行動力のある実際家など。

b さまざまな類型論

類型論は古くはギリシア時代のヒポクラテス（Hippocrates）の体液に基づく気質類型があり，その歴史は長い。近年ではシュプランガー（Spranger, E.）の価値観に基づく類型，ユング（Jung, C. G.）のリビドー（精神的エネルギー）の作用する方向によって決まってくる外向型と内向型，イエンシュ（Jaensch, W.）の直観像に基づく類型，プアーラー（Pfahler, G.）の注意作用に基づく類型，シェルドン（Sheldon, W. H.）の体型による類型，ローゼンツワイク（Rosenzweig, S.）のフラストレーションの反応の仕方による類型など，非常に多くのものがある。そしてこれらは主としてヨーロッパにおける性格学の中心をなしてきた。

類型論の特徴は，人間を統一的・全体的にとらえようとすることにある。つ

トピック19

血液型と性格

　ABO式の血液型と性格に関連があるという説は，日本社会で広く知られているが，心理学や隣接諸科学では全般的に否定されている。否定される理由はさまざまであり，多くの理論的，実証的研究がこの説を否定しているが，以下ではそのうちの一部を簡単に紹介することにしたい。

　一つには，血液型は基本的に生涯不変のものであるから，もしも関連があるならば，性格も不変のものでなければならないということである。しかし，トピック18でもふれたように，性格を不変のものと考えるのは難しい。

　また，「関連がある」と思うのは，「性格を見て血液型を当てることができたから」「血液型から性格を当てることができたから」という経験的事実の蓄積があるためであろうが，はずれてしまったときというのは忘れやすいものである。さらに，「ひょっとしてA型？」「ちがうよ」「じゃ，O型だ！」「あたり！　すごいね」「やっぱりな」という経験も（本来はハズレなのに）「関連がある」という（誤った）信念を強化することになる。だいいち，このやり方を常に用いると，当たる確率は70％となる（日本人の場合，A：O：B：AB≒4：3：2：1であるため）。このように，日常会話での当てっこでは，単純なくじ引きの確率以上に高まる可能性があるのである。

　最近の日本の心理学では，「血液型と性格に関連があるかどうか」を問うこと（性格心理学的な問い）はめったになく，「なぜそのような関連性を信じてしまうか」「誤って関連性を信じることが，他者や社会にどのような影響を与えるのか」「どのようにして『関連がある』という説が広まっていくのか」といった問いを立てて研究されている。

　科学的に関連があろうとなかろうと，血液型と性格の話は場を盛り上げる道具になるし，楽しむこと自体が目的なのだから，そんなに目くじらをたてるなという反論があるかもしれない。たしかに娯楽ですむぶんには問題はあまりないかもしれない。では，（おそらくごく少数の）企業などが血液型による人事を行っている（いた）事実をどう考えるだろうか。根拠のない基準で採用・不採用が決められたらたまらないではないか。血液型バナシが，娯楽の場のみで完結するとは限らず，別の生活の場に持ち込まれる可能性が十分ある以上，血液型バナシと血液型による人事というのは別次元の話とはいいきれないのである。

（尾見康博）

まり性格を典型的な個々の事例研究によってとらえようとする。この根底には性格は説明されうるものではなく,理解されるものであるという考え方がある。しかし類型学は一般に思弁的であり,次のような欠点が指摘されている。ある人をある類型にあてはめようとすると,その類型に固有の面のみが注目されて,その人のもつ他の特徴が見失われてしまう。また多様な性格を少数の類型に分けると,中間型の人が無視されてしまう。さらに体質や体型に基づく類型学では性格に及ぼす社会的,文化的要因が考慮されていないことなどである。

2. 特　性　論

　特性とは,パーソナリティの一貫した特徴をいう。例えばある人は恥かしがりで反省的であり,他の人は型破りで想像力に富むというように,人にはそれぞれの特徴がある。このような特徴の中には,状況が変われば現れないものもあるが,状況がいろいろに変化しても一貫して現れる特徴もある。この一貫した恒常性のある特徴を「**特性**（trait）」という。特性論は,特性をパーソナリティの構成要素とみなし,この組み合わせによってパーソナリティを記述し,説明しようとする。したがって特性論で問題になるのは,要素としての特性を測定することである。そして測定された個々の特性の総和が個人のパーソナリティであるとされる。個々人のパーソナリティの違いは,測定された特性の量の差と考えられている。

a　オルポートの特性論

　オルポートは特性を誰にでも共通する一般的特性（common trait）と,ある個人にだけあってその人に独特の特徴を与える型としての独自の特性（unique trait）に分けている。前者の一般的特性をさらに次の2つに分けた。一つは表出的特性であり,これはある目標に向かう人の行動を特徴づけるもので,例えば支配的であるとか服従的であるとかなどである。もう一つは態度的特性で,これはある特定の状況に対する当人の適応様式をいう。

b　ギルフォードの特性論

　因子分析法ははじめは知能検査の分析に用いられていたが,ギルフォード（Guilford, J. P.）はこれをパーソナリティの記述や分析に用いた。彼の研究は矢田部達郎や辻岡美延,少し遅れて本明寛により,わが国に紹介されている。

表7.1　本明・ギルフォード性格検査のプロフィール

	記号	特性	傾向	5段階評価 1	2	3	4	5	傾向	
服従性	G	活発さ	不活発	0～2	3～4	5～7	8～9	10～12	活動的	支配性
	A	指導性	服従的	0～1	2～4	5～6	7～9	10～12	指導的	
社会的未成熟	S	社交性	非社交的	0～4	5～6	7～9	10～11	12	社交的	社会的成熟
	Co	協調性	非協調的	0～4	5～6	7～8	9～10	11～12	協調的	
	Ag	攻撃性	攻撃的	12	11～9	8～6	5～4	3～0	非攻撃的	
	O	判断傾向	主観的	0～3	4～5	6～8	9～10	11～12	客観的	
衝動性	R	気楽さ	短気	0～2	3～4	5～6	7～8	9～12	のんき	非衝動性
	T	思考性	即行的	0～3	4～5	6～8	9～10	11～12	慎重	
情緒不安定	N	神経質傾向	神経質	12～9	8～7	6～5	4～2	1～0	神経質でない	情緒安定
	D	抑うつ性	陰気	12～11	10～9	8～6	5～4	3～0	陽気	
	I	劣等感情	劣等感あり	12～11	10～9	8～6	5～4	3～0	劣等感なし	
	C	情緒の安定	情緒不安定	0～1	2～3	4～5	6～7	8～12	情緒安定	
	L	虚構性	あり	12	11	10～9	8～7	6～0	なし	

本明はギルフォードが因子分析法によって抽出した特性を，表7.1のように13の因子に改めて発表している。

　以上の特性論は米英におけるパーソナリティ心理学の主流をなしている。ここではパーソナリティは測定できるものという前提のもとに，多くのパーソナリティ・テストが開発された。そしてテストによって得られた結果を，因子分析法によって数学的に処理するのである。この点では類型論に比べて，はるかに科学的で精密である。しかしパーソナリティの因子の抽出はこのように科学的であっても，因子分析の結果得られた因子の命名は科学的であるとはいいがたい。また抽出された特性は，そのテストの内容によって規定されるので，テスト項目の選定に不十分な点があるならば，抽出された因子そのものにも欠陥が反映されることにもなる。

【折衷的立場——アイゼンクのパーソナリティ論】

　近年，類型論と特性論の間に注目すべき試みがなされている。アイゼンク

7章　パーソナリティ

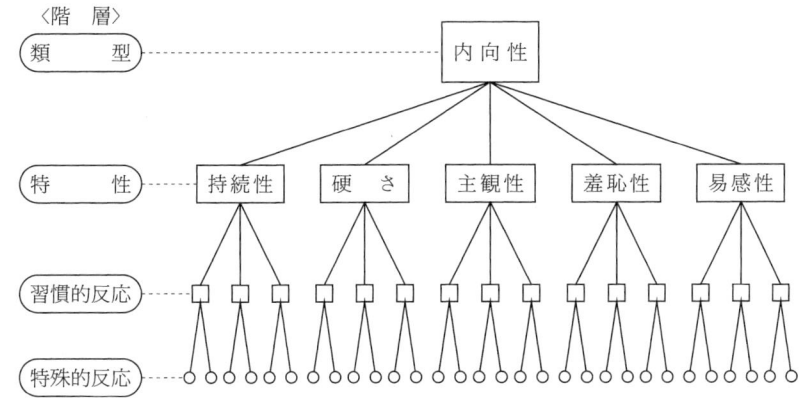

図7.3 アイゼンクによる人格の階層 (Eysenck, 1960)

(Eysenck, H. J.) は，因子分析で抽出した特性によって，類型を科学的に裏づけようと試みた。彼はパーソナリティには4つの水準からなる階層的体制があると考えた（図7.3参照）。図のなかの「特殊的反応」とは，日常にみられる具体的反応で，「習慣的反応」とは繰り返し現れる習慣的行動であり，これらの習慣的反応の中でかなり高い相関を示すのが「特性」である。これら特性間に高い相関があるのが「類型」である。

3. 精神分析的力動理論

フロイト (Freud, S., 1856-1939) に始まる**精神分析**は，彼の活躍以後もユング，アドラー (Adler, A.)，フロム (Fromm, E.)，サリヴァン (Sullivan, H. S.)，ホーナイ (Horney, K.)，エリクソン (Erikson, E. H.) など，多彩な研究者によって，多様な展開をなし，現代にいたっている。

a　フロイトの精神分析 (psychoanalysis)

(1)　パーソナリティの構造

フロイトによると，パーソナリティはエス，自我，超自我の3つの体系から構成されている。彼はこの3体系と意識－無意識をあわせて，次のような精神構造 (topography) を描いた（図7.4）。

エス (Es)：これは英語のitに当たり，別称イド (id) とも呼ばれる。フロイトはこの非人称の言葉によって，人間の内にある非人格的で自然なものを表

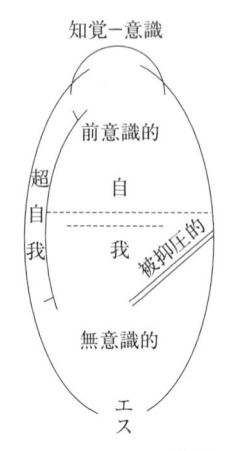

図7.4 フロイトの精神図式
　　　（Freud, 古沢訳, 1969）

現した。つまり自分の心の中に存在するものでありながら，自分の意志でコントロールすることが難しい本能的・欲動的な心的なエネルギーのことである。エスは「**快感原則**」に従って働く。すなわち一方的に快のみを追求し，不快や苦痛を避けようとする。非論理的，非道徳的で，社会的価値を無視して，即時に欲動の充足を求める。これは「一次過程」と呼ばれている。

　自我（ego）：自我の基本的な役割は，現実をよく調べ，合理的に反応し，調和し，適応することにある。これは「**現実原則**」と呼ばれる。すなわち自我は，外界のさまざまな要請と内界のエスや超自我の要求の双方をうまく調整する。そのためには自我は，現実の対象が見出されるまで，エネルギーの発散を一時的に延期したり，迂回したり，時には断念したりする（二次過程）。こうすることで，結局より確実に未来の快を得ることができるからである。ゆえに自我は，理性とか分別といわれているものに相似している。

　超自我（super ego）：超自我とは，しつけを通して親の要求と禁止が内在化したものである。その基本的な役割は自我を監視することであり，いわば自我の検閲官のようなものである。つまり悪しき行為をやめさせ，悪行の後では自己反省や罪悪感を生じさせる良心の役割を果たす。さらに自我が現実的な事柄だけにとどまっていることに対して，理想を追求するよう促す。

（2）パーソナリティの力学

　エス，自我，超自我というパーソナリティの3つの体系を動かすエネルギーは**リビドー**（libido）と呼ばれる。このエネルギーはパーソナリティの3体系の間でさまざまな交換がなされる。フロイトは物理学におけるエネルギー恒存の法則の影響を受け，心的エネルギーの配分についても，その観点からとらえた。すなわち個人のパーソナリティ内のエネルギーの量は一定であるから，もし自我にエネルギーが多量に配分されると，エスと超自我はそれだけエネルギーの量は減少する。エネルギーがエスに多く配分された場合も，あるいは超自

トピック20

防衛機制

　フロイト（Freud, S.）に始まる精神分析の中心概念の一つ。不安や葛藤によって自我が脅かされたとき，自我は無意識のうちに防衛にあたるが，その際用いられるさまざまな手段を**防衛機制**（defense mechanism）という。自我を脅かすものとしては，一方にはその個人をとりまく外界の厳しい現実があり，他方には自分の内部にあって，衝動を一方的に満足させようとするエスや，道徳的な禁止を命ずる超自我などがある。自我はこうした外的現実や内界のエスならびに超自我の三者間の葛藤による不安や苦痛や罪悪感などから自身を守り，現実に適応しようとするのである。

　自我による防衛機制の主要なものは下記の通り。

　①抑圧：容認しがたい思考，観念，感情，衝動，記憶などを意識から排除し，無意識へ追いやる自我の働きをいう。例えば「思い出せない」「わからない」という事態はこの機制による。防衛機制の基盤をなしているのが，この抑圧である。

　②投影（投射）：自分が他人に対してもっている認めがたい考えや感情を他人に移して，他人がそのような考えや感情をもっているとみなすことで，例えば自分の中にある他人への憎悪感が，無意識のうちに他者に移され，相手が自分を憎んでいると思うことによる未熟な防衛。

　③合理化：自分の行動の本当の動機を無意識のうちに隠し，他のもっともらしい理屈をつけて納得すること。例えば，『イソップ物語』に登場するキツネが取ろうとしてもどうしても取れないブドウに対して，あれは酸っぱいブドウなのだと思い込むことによる防衛。

　④昇華：抑圧された衝動が社会的，文化的に価値ある活動に置き換えられる成熟した防衛。

　防衛機制にはこのほか，反動形成，同一化・同一視，退行，否認，打ち消し，転換，隔離（分離），置き換え，摂取（取り入れ），知性化，回避などが指摘されている。

　防衛機制はその名称が示すように，「防衛」という消極的な心理機制であって，積極的に合理的な方法で問題解決をはかるものではない。それゆえに一種の自己欺瞞的な問題処理の仕方である。人間はすべての問題を真正面から合理的に解決することは不可能であるので，防衛機制を用いざるをえない。しかし，防衛機制はあくまで適切な範囲内で用いられるべきものであり，頻繁にこれが用いられると神経症的な症状を形成することになる。

（久保田圭伍）

トピック21

コンプレックス

コンプレックスとは，そもそもラテン語のcomとplectereの合成語であり，どちらも「複雑に絡み合ったもの」を意味する。この語を心理学の世界で最初に用いたのはユング（Jung, C. G.）とされ，「診断学的連想研究」(1906)のなかに，gefühlsbetonter Komplexつまり「感情に彩られた（心の）絡まり」という形で登場している。この語は，より正確にはgefühlsbetonter Vorstellungskomplexとも記されるように，「表象（Vorstellung）が感情に彩られながら複雑に絡み合ったもの」，というのがコンプレックス本来の意味である。

例えば当該概念の代表ともいえる**エディプス・コンプレックス**を例にとると，「男根期」（3〜6歳ころ）の男児の心の中には，母親への性欲的な愛情およびそれを阻害する父親への憎しみ，またこうした気持ちを父親に知られて去勢されてしまうことへの恐怖心が渦巻いている。そして父親に気に入られる存在になろうとすることによって，こうした葛藤状況の解決がはかられ，男根期が終了する。しかしこの次の時期をフロイト（Freud, S.）が「潜伏期」と名づけたように，上記の諸感情に彩られた母親ー父親表象の複雑な絡まりが消失してしまうことはなく，無意識のなかに潜伏しつづける。そしてその後も自我－意識の活動にさまざまな干渉をもたらし，神経症などを発現させうるという考え方である。

以上が基本概念であるが，エディプス・コンプレックス以外にも，同様の心的過程を女児にあてはめたエレクトラ・コンプレックス，あるいはフロイトに弟子入りした古沢平作が，東洋人の深層心理を特徴づけるものとして提唱した阿闍世コンプレックスなどさまざまなものがある。ただしフロイト自身は，古沢の説を否定し，それ以前にエディプス・コンプレックス以外には原則としてコンプレックスなる概念を認めなかった。

これに対して，ユングと同様，フロイトと訣別したアドラー（Adler, A.）は，人間の自我－意識に多大な影響を及ぼす今一つの潜在要因として，劣等感コンプレックスを提唱した。これは権力への意志を背景とし，他者に対する優越感情を過度に追求しようとする無意識的な衝動，およびその挫折によって形成されるものである。ちなみに日本では，コンプレックスがしばしば劣等感の意味で用いられるが，これはアドラーの概念がアメリカにおいて定着するなかで生じた混同が，そのまま日本に移入された結果である。（河東　仁）

我に多く配分された場合も同様であり，他の2体系のエネルギーはそれだけのぶんが減少する。

端的にいえば，心的エネルギーがエスに多く配分されている人は衝動的であり，自我への配分が多い人は現実主義的であり，超自我への配分の多い人は道徳主義的であるということができる。この三者のうちパーソナリティの中枢をなすのが自我である。そこで問題になるのが自我の防衛機制である。この点で自我は精神分析の中心テーマでもある。

b ユングの分析心理学 (analytical psychology)

(1) 人間の心

フロイトの無意識が抑圧された願望や欲求（主に性的なもの）であるのに対して，ユングは無意識はそのような内容ばかりではなく，天才の霊感のような創造的なものも内蔵していると考えた。彼は無意識を，個人的無意識と普遍的無意識に分けたところに特徴がある（図7.5）。

意識：意識とは自我によって知覚された心の内容である。私たちは意識の中心である自我によって，事物・事象を判別し認識し，合理的に秩序だった仕方で環境に適応しているのである。この意味で意識とその中心である自我はきわめて重要な役割を担っている。

個人的無意識：これはかつて意識されていた経験内容が，抑圧や忘却によって無意識になったものと，経験はしたのだが意識化されるだけの強さがなく，それが何らかの方法で心の中に痕跡として残って無意識になったものとがある。この個人的無意識の中に**コンプレックス**が存在する。この言葉を心理学用語として最初に使用し定着させたのはユングである。神経症は，意識の中心としての自我が無意識界のコンプレックスによって支配される場合に生じるのである。

普遍的無意識（集合的無意識の訳もある）：人間なら誰でもが共通にもっている無意識で，パーソナリティの基盤をなすものであり，人類の心の遺産と可能性の貯蔵庫である。普遍的無

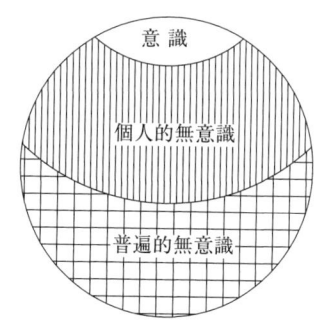

図7.5 ユングの心の構造（河合，1967）

意識の内容が意識に現れる場合，心像（または象徴）という形をとる。ユングはこの普遍的無意識の内容の表現の中に見出すことのできる共通した基本的な型として「**元型**」を仮定した。さまざまな元型のうちで代表的なものとして，影，アニマ，アニムス，自己などがある。

(2) パーソナリティの類型（タイプ）

ユングは外見的に観察される態度でなく，その人が生まれつきもっている素質的な意識の根本的態度を，**外向型**と**内向型**の2タイプに分けた。外向型とはリビドーが外界の諸事象に向かって流れやすいタイプであり，内向型とは内界の精神的な諸過程に流れやすいタイプである。各人はふつうこの両タイプの要素をもっているが，どちらかの態度が習慣的に優位に現れるので，それによって外向－内向のタイプに類別できると考えたのである。

外向型・内向型は人間を理解するのに非常に有効であるが，これだけでは不十分と考え，それとは別に根本的な心理機能を指摘した。すなわち思考－感情，感覚－直観である。この4機能の強さは各人によって異なる。例えば日常生活で主に思考機能を使って物事や人間関係の処理にあたっている人は思考型ということになる。さらにこの思考型にも，外界の事象をそのまま客観的所与として受けとめ，それを基準として知的推論によって自分の行動の仕方を決める外向的思考型（例えば自然科学者）と自分の内面に関心を向ける内向的思考型（例えば哲学者）がある。他のタイプも同様であり，彼は外向－内向を軸にして，これと4つの心理機能をかけあわせて，外向的感情型，内向的感情型，外向的感覚型，内向的感覚型，外向的直観型，内向的直観型の8タイプを示した。

(3) パーソナリティの発達

ユング心理学の最終目標は，自己実現の過程（**個性化の過程**ともいわれる）にある。これは各個人がもっている潜在的可能性を開発し，その本来的生命の全体を実現することである。それは心の深層から湧出してくる心像や象徴を通して段階的に進展するが，心の内部は外部の諸事象とも密接に関連しているので，投影などの機制によって外界にも現れる。その過程の第一段階は，人間が誰でももっている影（shadow），いわばその人の「黒い分身」であるが，このなかに肯定的要素を見出し，それを統合することである。第二は心の「内なる異性」であるアニマもしくはアニムスの統合である。そして第三の自己

(self) にいたる。自己において，心の中に存在するあらゆる二元的対立が統合される。例えば意識と無意識，外向と内向，思考と感情，感覚と直観，男性性と女性性，霊と肉……等々の対立が止揚され，より高い次元で統合される。心の発達とは，この自己を実現する過程をいうのである。

4. 人間学的理論

人間性心理学(ヒューマニスティック・サイコロジー)は，1962年アメリカで設立された新しい心理学である。代表的な研究者としてマズロー (Maslow, A. H.)，ロジャーズ (Rogers, C. R.)，オルポート，ゴールドシュタイン (Goldstein, K.)，ロロ・メイ (Rollo May)，ビューラー (Bühler, C.)，フランクル (Frankl, V. E.)，ジェンドリン (Gendlin, E. T.) などをあげることができるが，この立場の中心人物がマズローである。彼はそれ以前の心理学を代表する行動主義心理学と精神分析の二大勢力に対して，人間性心理学を第三勢力の心理学と名づけた。行動主義心理学では，人間は環境からの条件づけに規定され，刺激－反応の結びつきによって人間の行動は説明できると考える。他方，精神分析では人間は過去によって規定され，無意識の欲求に動かされるものと考える。このように人間性を一部からとらえる偏った人間理解に対して，人間性心理学は人間を統一性をもった存在として全体的(ホリスティック)に理解しようとする。ここでは人間は，目的や価値をもち自己決定の能力をもつ主体的な存在とみなし，人間性のポジティブな面をとりあげて探究する。なかんずく**自己実現**は人間性心理学の中心テーマということができる。

a マズローの自己実現的人間

(1) 動機の階層的発達と自己実現

マズローは人間の動機を**欠乏動機**と**成長動機**に2分する。前者は有機体において欠けている空ろな穴であって，外部から満たさねばならないものである。後者は人が満ち足りた状態にあるときの欲求で，自己の充実したエネルギーを外部に表現し，他に分かち与えたいという動機である。欠乏動機は，基本的欲求とも呼ばれるが，これは4章の図4.1に示したように，①生理的欲求，②安全の欲求，③愛と所属の欲求，④承認と自尊の欲求からなる。これらの欠乏動機が十分に満たされると，成長動機が現れてくる。マズローは人間の動機・欲求をこのように分類し構造化したが，彼の関心は成長動機にあり，自己実現と

いう人間にとって最も高次の動機を探究することにあった。

(2) 自己実現者にみられるパーソナリティの特徴

マズローは自己実現に関連あるとみなされる現存あるいは歴史上の人物をとりあげて検討し、これらの自己実現者の研究を、心理学的健康の研究（a study of psychological health）と呼んだ。彼はこの自己実現を中心動機とする人々の研究から、自己実現者にみられるパーソナリティの特徴を18項目あげている。

①自己実現者は現実を正確に知覚し、現実と効果的な関係をもつことができる。②彼らは自分自身や他人や自然をあるがままに受容している。③内面において自発性と純真さと自然さを有する。④自分の使命、仕事、問題をもち、課題中心的である。⑤超越性があり、プライバシーを保つ要求をもっている。⑥文化や環境から独立した自律性をもっている。⑦人々や事物に対する評価が常に新鮮である。⑧時空を超越した神秘経験（至高体験）をもっている。⑨人類と自己とを同一視したわれら人類という感情をもっている。⑩少数の人々と深い愛の関係をもっている。⑪誰にも公平で、価値や態度はデモクラティックである。⑫手段と目的、善と悪を混同しない。⑬哲学的で悪意のないユーモアのセンスをもっている。⑭創造的である。⑮文化の規範性に抵抗し、特定の文化を超えて自分自身の規範をもつ。⑯自己実現者は強者であるゆえに、弱者に対する思いやりが不足する場合があり、この点で不完全である。⑰明確な価値観と自己実現の目標をもっている。⑱両極性（例えば肉体と精神）を解消し、一つの統合としてとらえる。以上の18の特徴ははなはだ網羅的であり、これらの特徴をすべてもっている人はほとんどいない。しかし、自己実現者はこれらの特徴を相当程度に備えているのである。

b ロジャーズの自己実現的傾向

ロジャーズは、非指示的カウンセリング（1941年）、クライエント中心療法（1951年）、さらに1960年以降は人間中心のアプローチで、カウンセリングの実践と研究に大きな功績を残した（13章参照）。

(1) 実現傾向

ロジャーズは人間を固有の特徴と方向性をもった有機体ととらえる。人間は有機体として、**実現傾向**（actualizing tendency）を有しているという。実現

傾向とは，有機体を維持し強化する方向に，全能力を発展させようとする有機体に内在する傾向のことで，彼はこれを人間の唯一の基本的動因と考えた。この実現傾向は，人間の一部分の機能ではなく，有機体が全体として，個体の建設的，前進的な潜在可能性を現実化する方向に働くという性質のことである。例えば，生体の正常な働きを脅かす内外の刺激に対して，生体のすべての機能を総合的に動員して防衛にあたるように，精神面の実現傾向もこれに類似した全体的な働きなのである。この考え方は，ロジャーズのパーソナリティ理論と治療理論の根幹をなすということができる。

(2) パーソナリティ論

ロジャーズはパーソナリティと行動に関する19の命題の第一に「個人はすべて自分がその中心となっている不断に変化している経験の世界に生存している」と述べている。ここでいわれている経験の世界は，その本人だけの私的なもので，人それぞれによって異なっており，いわゆる「現象的な場」と同義と考えられる。彼によればこの経験はすべて意識的に認知されているとは限っていないという。つまり経験は意識化される可能性はあるにしても，個人の経験の総体は一部分しか意識化されていないということである。

他方，自分の認知として，「自己概念」がある。これは個人の全体的な経験世界のうち，その人が自分自身として認知する部分である。したがって自己概念の内容は，意識化されたものに限られている。これは部分的な認知の寄せ集めではなく，一つのまとまりをもったゲシュタルトである。このゲシュタルトの背景には，未分化で漠然としか感じられない「経験」がある。

この「自己概念」と「経験」の両者に矛盾が多くなり，不一致が意識されるようになると，その人は不安を感じ不適応に陥る。カウンセリングにおいて，クライエントの「経験」が，カウンセラーによって共感的に理解されることによって，当人に自身の経験が十分に自覚されるようになる。つまりその人は「自己概念」によって，自分の「経験」に秩序を与え，一貫性を保持することができるようになる。これが「自己概念」と「経験」の一致である。これによってパーソナリティの変化がもたらされるのである。

*3*節　パーソナリティの形成要因

　パーソナリティの形成は，先天的な遺伝的素質によるのか，それとも後天的な環境条件によるのか，これは生得説対経験説として古くから多くの議論がなされてきた。しかしこの議論はシュテルン（Stern, W.）の「パーソナリティは，遺伝と環境の両者が相互的に補足しあって形成される」という「**輻輳説**」（1921年）によって，一応の決着がつけられている。

1. 環境的・外的要因
a　自然的要因

　これはその土地の気候や風土ということであるが，これらがそこに住む人々のパーソナリティの形成に何らかの影響を及ぼしていることは，十分に予想される。文化人類学によれば，自然環境は直接的にパーソナリティ形成に働きかけるのではなく，それが社会や文化に影響を与え，それを通して二次的にパーソナリティ形成に働きかけると考えられている。

b　社会的要因

　パーソナリティ形成にとって最も大きな影響を与えるのは家庭環境である。諺に「三つ子の魂百まで」といわれているように，幼少時の体験はパーソナリティの土台を形成するものと考えられている。子どもは家庭の中で，さまざまな生活様式や行動様式を習得しつつ，パーソナリティを形成していくのである。

(1) 親の愛情

　子どもにとって愛情への要求は根本的な要求だといわれる。ことに人生の最初の過程において母親から十分な愛情が与えられなければ，後年その人は他人を愛することもできず，パーソナリティは歪んだものになる。**ホスピタリズム**（hospitalism）にその一端をうかがうことができる。そこに必要なのは親の保護，愛撫，献身などであり，これなくして人間らしいパーソナリティは形成されないのである。

(2) 親子関係

　親の養育態度と子どものパーソナリティについてのサイモンズ（Symonds,

P. M.) の研究をとりあげてみよう。彼は子どもに対する親の態度を，受容－拒否，支配－服従の2方向をもった4つの要因に分けた。そしてこれらの要因の組み合わせによって，過保護型，甘やかし型，無視型，残忍型の4つの親子関係の型ができあがる（図7.6）。親の態度と子どものパーソナリティについては次の通りである。

受容的態度 → 情緒の安定した思慮深いパーソナリティ

拒否的態度 → 冷淡，神経質で反社会的なパーソナリティ

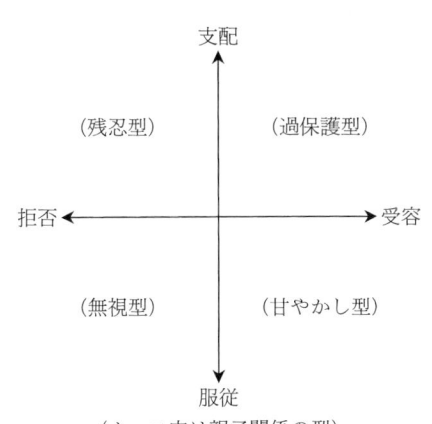

支配的態度 → 自発性のない，消極的なパーソナリティ

服従的態度 → 従順でない，無責任なパーソナリティ

図 7.6 子どもに対する親の態度 (Symonds, 1939)

親の理想的な態度としては，2方向の中庸を保つことだとサイモンズは述べている。親の態度は家庭の雰囲気に反映し，親子間に相互信頼と愛情のある家庭では，情緒が安定し，独立心と適応性のあるパーソナリティが形成され，逆に拒否的，放任的な家庭は問題児を生じやすい。

きょうだい関係や出生順序については，一般に長子は責任感が強く，独立的，指導的で，末っ子は快活，多弁，社交的で甘えん坊であり，ひとりっ子は依存的になりやすいなどの傾向が指摘されている。

(3) 学校・職場

学校における教師や友人との関係，職場における上司や同僚との関係も，当然パーソナリティの形成に影響する。このような人間関係ばかりでなく，これらの集団の中における地位や役割もパーソナリティの形成にあずかる。日常私たちは社長タイプ，官僚タイプなどといっているが，これらはその人の地位や役割の反映と考えられる。つまりパーソナリティは，集団における地位や役割の体制化されたものという面をもっているのである。

C 文化的要因

これについては10章を参照していただきたい。

2．遺伝的・内的要因
パーソナリティ形成に及ぼす外側からの要因に対して，ここでは遺伝的要因および遺伝とは必ずしも関係のない内側からの要因として，身体的要因と主体的要因を概観することにしよう。

a 遺伝的要因
これを調べる方法としては家系研究法，双生児法および動物実験による研究法がある。これらの研究によると，パーソナリティの表層は環境の影響を受けやすいのに対して，感情や根本気分などの基底層は遺伝の影響が強いと考えられる。

b 身体的要因
パーソナリティの基礎には身体諸器官の機能や体格，健康状態などの生物学的・生理学的要因が働いている。

(1) 中枢神経系：例えば脳に外傷を受けた人はパーソナリティに変化が起きることが多いことから察せられるように，中枢神経は高次精神機能としてパーソナリティの形成に関係している。

(2) 自律神経系：これは交感神経と副交感神経とからなるが，この両者のバランスがとれていない者は，情緒不安定で，抑うつ的で，神経質である。

(3) 内分泌系：内分泌腺には脳下垂体，甲状腺，副甲状腺，副腎腺，生殖腺などがあるが，これらから分泌されるホルモンによってもパーソナリティは影響を受ける。例えば甲状腺から分泌されるサイロキシンが増大すると，新陳代謝を盛んにして興奮しやすく，落ち着きのないパーソナリティになる。

(4) 体型・容貌・健康：体型と気質の関係については，クレッチマーのところで述べた。容貌・容姿あるいは健康状態については，これらは直接的にパーソナリティに影響するのではなく，身体的特徴に対する他人からの評価や自己認知を媒介として，二次的にパーソナリティの形成にかかわっている。

c 主体的要因
パーソナリティは以上に述べてきた各要因によって，ただ受動的に形成されるものではない。当人がみずからのパーソナリティをある方向に形成していこ

うとする能動的で主体的な面がある。最近よく話題にされるようになった「自己実現」は，パーソナリティ形成の主体的な側面ということができる。

（久保田圭伍）

☞ **さらにもう一歩先へ**

1．乳幼児期の初期経験は，パーソナリティに大きな影響を及ぼすといわれているが，どのような経験がどのような影響を及ぼすかについて調べてみよう。
2．これまでの心理学ではパーソナリティの病的で異常な側面は研究されてきたが，健康的な側面の研究は少ない。健康的なパーソナリティあるいは望ましいパーソナリティとはどのようなパーソナリティか，またそれはどのような要因や条件によって形成されるか，探究してみよう。

引用・参考文献

オルポート，G. W.　今田　恵（監訳）　1968　人格心理学（上・下）　誠信書房
カーシェンバウム，H., ヘンダーソン，V. L.（編）　伊東　博・村山正治（監訳）　2001　ロジャーズ選集（上・下）　誠信書房
Eysenck, H. J.　1953　*The structure of human personality*. Methuen & Co.
フロイト，S.　古沢平作（訳）　1969　続精神分析入門（フロイド選集3）　日本教文社
フロイト，S.　懸田克躬・高橋義孝（訳）　1971　精神分析入門（フロイト著作集1）　人文書院
星野　命　1998　文化と性格　詫摩武俊（監修）　青木孝悦ほか（編）　性格心理学ハンドブック　福村出版
河合隼雄　1967　ユング心理学入門　培風館
河合隼雄ほか（編）　1984　性格の科学（講座現代の心理学6）　小学館
クレッチマー，E.　相場　均（訳）　1960　体格と性格　文光堂
マズロー，A. H.　小口忠彦（訳）　1998　改訂新版　人間性の心理学　産能大学出版部
本明　寛ほか（編）　1989～1992　性格心理学新講座（全6巻）　金子書房
佐治守夫・肥田野直ほか　1983　岩波講座精神の科学2：パーソナリティ　岩波書店
Symonds, P. M.　1939　*The psychology of parent-child relationships*. Appleton.
詫摩武俊（監修）　青木孝悦ほか（編）　1998　性格心理学ハンドブック　福村出版
渡邊芳之・佐藤達哉　1996　性格は変わる，変えられる　自由国民社

8章 知　　能

　人間が万物の霊長といわれるのは，他の動物に比べて知能が格段と進化しているからである。では，知能とはどんな能力か？　知能はどんな要素からなっているか？　知能にはどういう種類のものがあるか？　知能は年齢とともにどう発達し，変化していくか？　個人の知能の高低は，生まれつき決まっているものか，それとも環境に応じてかなり変動するものか？　知能を測ったり診断したりするために使われる知能検査とはどういうものか？　これらの問いにふれながら，人間の知能の心理学的意味と知能のとらえ方についての理解を深めていこう。

*1*節　知能の構造と形成

1. 知能の構造

　知能の構造を明らかにするために，**知能検査**の諸問題にみられる相関を手がかりとして，共通に測定されている能力（知能因子）を取り出す手法がある。**因子分析**という統計的方法がそれであって，スピアマン（Spearman, C.）はこの方法を用いて研究した結果，知能にはあらゆる知能検査問題に共通する一般因子（G因子）と，それぞれの知能検査問題に固有の特殊因子（S因子）が含まれているという「**二因子説**」を提唱した。これに対して，サーストン（Thurstone, L. L.）は，知能が相互に独立した因子の集まりとみなす「**多因子説**」を提唱した。それは，言語理解，語の流暢性，数，空間，記憶，知覚速度，推理の7因子であって，これらの因子のいくつかが問題の解決に関与するというのである。

　またキャッテル（Cattell, R. B.）は「**結晶性知能**」と「**流動性知能**」の存在に着目した。結晶性知能とは，言語や一般的知識のように獲得した経験の結果の蓄積によってつくられた知能であって，文化や教育等の環境条件に強く影響

される。それはなだらかな発達を示し,その頂点に達する時期がかなり遅いし(20歳ごろ),また老化に伴う衰えも比較的緩慢である。

一方,流動性知能とは,数や図形や推理の問題のように新しい状況に迅速かつ柔軟に適応しなければならないときに働く知能である。それは生得的な条件,特に脳機能とその成熟に強く規定され,環境条件にそれほど影響されない。そのためこの知能の発達は比較的速く,14歳ごろにその頂点を迎えて,20歳ごろになると衰退が始まり,老年になると著しく衰える。この二種の知能の存在への注目は,知能の形成要因や年齢的変化の要因の分析に,貴重な手がかりを与えている。

知能検査の弱点は,それが知的活動の結果のみがとりあげられ,その結果にいたる過程が不問に付されていることである。知的活動の働きをもっと統合的にとらえる必要性を訴えて,3次元因子モデルを提案したのが,ギルフォード(Guilford, J. P.)である。彼は知能の概念を広げ,ある内容をもった対象に,ある知的操作を加えて,ある所産を得る知的活動を,「**知性**(intellect)」と呼び,4種の内容(図形,記号,意味,行動),5種の操作(認知,記憶,拡散的思考,収束的思考,評価),6種の所産(単位,類,関係,体系,変換,含意〔見通し〕)の組み合わせによって生じる120(4×5×6)個の知能因子を想定した(図8.1)。現在のところ,それらの因子のすべてが実際に検証されているわけではない。しかし知能を広い視野でとらえることにより,新しい構造モデルを提示したことは,知能研究に新しい道を切り開くこととなった。

最近の認知心理学の進歩とともに,知的活動の結果よりも,その過程に

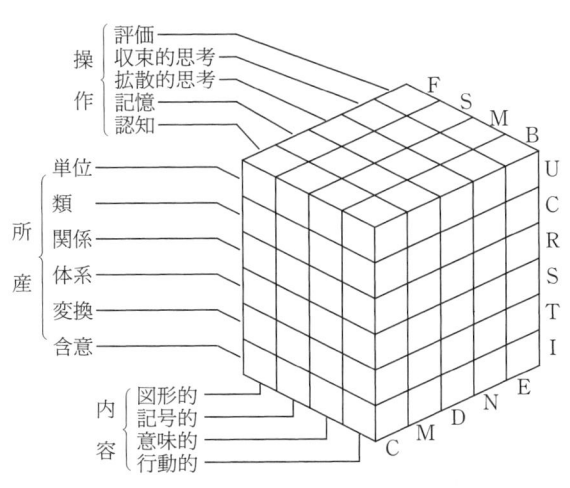

図 8.1 ギルフォードの知能構造モデル (Guilford, 1967)

関心が向けられている。そのため，知能を成り立たせている因子構造を解明するよりも，人間の知能の働きの仕組みがどうなっているか，どういう仕方で情報処理を行うか，などを明らかにすることに努めている。この動向はコンピュータによる人工知能の研究の進歩にも関係する。機械で処理できる知能に対比して，人間固有の知能をとりあげるとき，作業の速さと正確さだけを要求する従来の知能検査で除外されていた知的活動が，視野に入ってこざるをえない。そこで，熟達した領域で働く「**領域固有の知能**」，日常生活の問題を処理する「**実用的知能**」，対人関係をうまく処理する「**社会的知能**」などが，とりあげられるようになってきたのである。

2．知能の発達と形成

　知能検査の得点を年齢別にみると，13歳ごろまでは比較的急激に発達するが，その後は上昇がゆるやかとなり，20歳ごろになると一定の水準に達する。その後はしだいに下降していくが，その下降の仕方の著しいのは，流動性知能であって，結晶性知能はほとんど変化しないか，時には上昇することさえある。

　このように知能を量的にみると，一つのなめらかな発達曲線がえがかれるが，質的にみると，年齢とともに異なる構造が出現する。ピアジェ（Piaget, J.）は，知能のこの構造的変化を，新しい発達段階の出現としてとらえ，「**感覚運動的知能**」の段階（0～2歳），「**表象的思考**」の段階（2～6，7歳），「**具体的操作**」の段階（6，7～11，12歳），「**形式的操作**」の段階（11，12歳～）に区分している。

　知能には個人差がみられる。この個人差が，生得的な素質によるのか，環境に規定されるのかについて，古くから論議されてきた。知能検査が普及しはじめたころは，知能指数が一生涯変わらないという立場から，生得説が支配的だった。たしかに統計的にみるとそういう傾向があるが，個人ごとにみるとかなり変動があり，環境説も無視できなくなる。流動性知能は素質により，結晶性知能は環境により規定されるといえるかもしれないが，実は素質と環境との境界はかなり漠然としているのである。類似した環境に育つと知能も似てくるからである。

　とはいえ，知的刺激に恵まれた環境にあっても，子どもが知的刺激に関心を

トピック22

領域固有の知能

　人間の知能を伸ばすには，経験や訓練を積むことがぜひ必要だと昔からいわれてきた。かつては論理学や古典語の学習が，思考力を高めるのに貢献するとみなされたし，今でも数学をよく勉強すれば頭がよくなると信じている人も，少なくない。たしかにそういう学習で，論理の進め方や古典語の使用や数学の問題解決などの領域では，優れた知能を発揮するかもしれない。しかしそれ以外の領域でも高い知能を発揮できるとは限らない。

　人間の知能の発達は，どんな領域でその知能が用いられたかに規定されるのであって，内容とは無関係に伸びていくものではない。逆に，ある特定の領域で長期にわたって経験や練習を積んでいくと，その領域の事柄に対しては優れた能力を発揮することとなる。その領域の技能に熟練し，知識を豊富に獲得することによって，物事を速く正確にほとんど自動的にやってのけることができるからである。こういう能力を「**領域固有の知能**」という。いわゆる**エキスパート**（達人）は，この種の知能を発揮しているわけである。

　しかしこういう能力が適用できるのは，あくまでもその領域だけに限られるものである。街頭で物を売る子はお金の計算が実に巧みだが，学校で学ぶ算数の能力はそれほど高くない。その子の計算力は算数学習という領域で働かないからである。

　また，チェスの達人は，駒の配置をよく記憶できるといわれている。実際，ゲームが進行中の場合には，盤面上の駒の位置をよく覚えていて，速く正確に置くことができる。チェスの得意な子どもなら，チェスに不慣れな大人よりもずっとよくこれを記憶する。ところが駒をランダムに配置してそれらを覚えさせてみると，達人と素人の差はほとんどない。つまり達人の優れた記憶力も，対局中の盤面上の駒の配置に対してだけ発揮されるわけである。達人は一つひとつの駒の位置を機械的に覚え込むのではなく，身につけた知識を有効に使い，ゲームのやりとりと関連づけつつ，意味のあるいくつかのまとまりとしての駒の関係を把握する。一方，駒がランダムに配置されると，そういうまとまりをつくれなくなるため，素人と同様，駒の位置を一つずつ機械的に覚え込んでいかざるをえないのである。

　このように領域固有の知能とは，その分野での多くの知識と巧みな技能を身につけているだけでなく，それらをさまざまな仕方で構造化して使いこなす能力だといえる。

（滝沢武久）

向けてかかわりあう活動がなければ，またその環境からの応答がなければ，知能の発達は十分に進行しないだろう。子どもが環境と積極的にやりとりすることが，知能の発達の原動力となる。この意味で，知能の発達を支えるものは，素質だけでも環境だけでもなく，主体と環境との相互作用なのである。

2節　知能の評価と診断

　知能を測定するための用具である知能検査を最初に作成したのは，フランスのビネー（Binet, A.）である。彼は理解，判断，推理などを必要とする一連の日常的な問題を，難易により順序づけ，年齢尺度を構成した。そして問題への子どもの解答結果から明らかにされた**精神年齢**（mental age：MA）が，その子の知能の進みや遅れを表す指標として用いられた。最初，知的障害児を鑑別するために作成したこの検査は，健常児の知能の個人差の診断にも活用され，個人差に応ずる教育をすすめるための道具となった。

　この方法はさらに，アメリカのスタンフォード大学のターマン（Terman, L. M.）により採用され，成人の知能まで測定できる「スタンフォード・ビネー検査」として発表される。このときに用いられた指標が，「**知能指数**（intelligence quotient：IQ）」である。それは以下の公式で求められる。

$$IQ = \frac{MA}{CA} \times 100$$

　このようにIQは，精神年齢（MA）と**暦年齢**（chronological age：CA）との関係が一つの数字で示されるので，知能の発達の度合いを直接読み取ることができる。しかもそれが個人の生涯を通してあまり変動しないという考えから，その個人の知能の高低を示す指標とみなされた。ただし知能指数は，その標準偏差値が年齢によって異なるため，一般には同一年齢層の平均点からのずれを表す「**知能偏差値**（intelligence standard score：ISS）」で知能の高低を示すことが多い。

$$ISS = \frac{(個人の得点 - 平均点) \times 10}{標準偏差} + 50$$

　この公式から求められた知能偏差値は，平均が50で，ほぼ15から85の間に分

布する。

　ビネー検査は1名ずつ実施する個別式検査であるが，第一次世界大戦の際，アメリカ陸軍が多数の被検者を同時に実施する集団式検査を作成した。また，問題内容が言語だけからなるA式検査のほかに，図形や記号を取り扱って作業するB式検査も作成された。そしてその効用が大いに注目されるところとなり，世界各国に普及することとなった。

　以上の知能検査は，総合的な知能の測定に主眼がおかれている。これに対して，ウェクスラー（Wechsler, D.）の作成した **WISC**（Wechsler Intelligence Scale for Children）や **WAIS**（Wechsler Adult Intelligence Scale）では，総合的な知能指数のほかに，言語性知能指数と動作性知能指数が算出され，さらにそれらの下位検査から知能プロフィールがえがかれるようになっている。そのため，知能診断に有益な資料を得ることができる。

　このほか，キャッテルの作成した文化環境の差に影響を受けない「**文化公平検査**（Culture fair-test）」や，コース（Kohs, S. C.）の作成した盲児用の「**立方体構成検査**」など，さまざまな知能検査が作成されている。知能診断にあたっては，検査目的や被検者の特徴を考慮しつつ，適切な知能検査を選んで実施することが望まれる。

（滝沢武久）

☞ さらにもう一歩先へ

1．知能と学力との関係について調べてみよう。
2．創造性と知能との関係について調べてみよう。
3．知能検査の効用と限界を考えてみよう。

引用・参考文献

ビネー, A., シモン, Th.　中野善達・大沢正子（訳）　1982　知能の発達と評価　福村出版

Guilford, J. P.　1967　*The nature of human intelligence.* McGraw-Hill.

ウォールマン, B. B.　杉原一昭（訳）　1995　知能心理学ハンドブック（第1〜3編）　田研出版

9章 社会心理と行動

　人間と社会の接点を心理学はどのように扱うのであろうか。本章ではこれらの問題を社会心理学の立場から概観する。社会的認知に関しては，対人認知に関する研究・対人関係の認知に関する研究そして帰属理論をとりあげる。社会的態度に関しては，態度と行動の関係を概観した後，直接経験に基づく態度変容と社会的学習に基づく態度変容，説得的コミュニケーションをとりあげる。集団行動に関しては，他者の存在，集団の意思決定，集団規範と同調行動に関して論じる。集合行動に関しては，群集の制御と流言に関してとりあげる。

1節　社会的認知

　私たちは，身のまわりの出来事をどのくらい客観的に認知しているのであろうか。

　ブルーナーとグッドマン（Bruner, J. S. & Goodman, L., 1947）は，何種類かの硬貨の大きさを貧乏な子どもと金持ちの子どもに推量させると，貧乏な子どもの方が金持ちの子どもよりも硬貨の大きさを大きく推量することを発見した。同時に，硬貨の代わりに厚紙でつくられた円盤の大きさを推量させると，貧乏な子どもも金持ちの子どももかなり正確にその大きさを推量できることもわかった。私たちは，社会的価値が付与されていないものは正確に認知できても，社会的価値が付与されているものは過大視するという傾向（知覚的強調化）をもっていることをこのことは意味している。このように私たちの認知的活動は，さまざまな文化的要因や社会的要因の影響を受けていることが知られている。

　社会的認知とは，1970年代以降の認知心理学の発展を受けて主として社会心理学で成立した領域で，情報処理的アプローチを用いた研究が進められている

分野である（中島義明ほか，1999）。情報処理的なアプローチという観点から，社会的認知研究を分類すると，①顕著性の要因の効果に関する研究（Taylor, S. E. *et al*.；Strack, F. *et al*.），②体制化に関する研究（Hamilton, D. L.；Rothbart, M. *et al*.；Ross, L. *et al*.），③スキーマに関する研究（Cohen, C. E. *et al*.；Cantor, N. & Mischel, W.），④仮説検証過程での情報の用いられ方のバイアスに関する研究（Snyder, M. & Cantor, N.；Darley, J. M. & Gross, P. H.），⑤ヒューリスティックスに関する研究（Tversky, A. & Kahneman, D.）に大別できる。そこでは，他者や自分自身に関する知覚，およびその知覚を正当化するための「素朴な」理論に関連する研究が行われている（Hewstone, M. *et al*.）。ここではこの領域の基礎をなしている「対人認知に関する研究」「対人関係の認知に関する研究」「帰属理論」に関する代表的な研究を紹介する。

1. 対人認知に関する研究
a　印象形成
印象形成のプロセスにはじめて注目したのは，アッシュ（Asch, S. E., 1946）である。彼は微妙に異なる架空の人物のパーソナリティ特性を被験者A群と被験者B群に示し，そこから形成される全体的な印象を比較した。

　被験者A群のリスト：知的な－器用な－勤勉な－温かい－決断力のある－実際的な－用心深い

　被験者B群のリスト：知的な－器用な－勤勉な－冷たい－決断力のある－実際的な－用心深い

　その結果，被験者A群の方が被験者B群より，提示された架空の人物に対してかなり好意的な印象を形成したことがわかった。そしてこの「温かい－冷たい」というパーソナリティ特性は，他者に関して印象を形成する上で重要な役割を果たす中心的特性と呼ばれるものであることがわかった。アッシュはまた別の実験で，リストの最初の方に提示される特性の方が最後の方に位置する特性よりも最終的な性格評価に影響を与えることを発見した（**初頭効果**）。その後の研究で，最後の方の情報が重視される**新近効果**が現れることも確認されたが，一般的には初頭効果の方が重視される傾向があることがわかっている。

b　暗黙裡のパーソナリティ観

私たちは他者のパーソナリティ特徴を正確に判断することができるのであろうか。このような問いに対して「私たちは他者のパーソナリティ特徴には，不正確な判断を下しがちである」とし，その背後に暗黙裡のパーソナリティ観があるとしたのは，ブルーナーとタジウリやクロンバック（Bruner, J. S. & Tagiuri, R.；Cronbach, L. J.）である。暗黙裡のパーソナリティ観とは，私たちがパーソナリティに関してもつ素朴な信念体系のことである。私たちがもつ暗黙裡のパーソナリティ観には次の3つの基本的認知次元が想定できる（林文俊，1978）。

(1) 個人的親しみやすさ：おもに好き－嫌いの対人感情に関連するもの。
(2) 社会的望ましさ：おもに尊敬－軽蔑の対人感情に関連するもの。
(3) 力本性：活動性と強靱性に関した次元。(1)(2)に比べ良い－悪いといった評価的な意味をあまり含まないもの。

2．対人関係の認知に関する研究──ハイダーのバランス理論

バランス理論は，認知者（P）と認知対象（X，人の場合はQ），認知者と関係のある他者（O）という3種類の関係間の関係（R_1, R_2, R_3）を扱うものである（図9.1参照）。私たちはバランス状態を好む傾向がある。もしもインバランスな状態におかれれば，私たちは不快な緊張状態に陥り，インバランスな状態を解消しバランス状態にいたろうとする力が働くと考えるのがバランス理論である。このバランス理論で扱う関係には心情関係と単位関係があり，それぞれの関係がプラスもしくはマイナスに符号化される。

ハイダー（Heider, F.）のバランス理論は，後のA－B－Xモデルや適合性理論や超二値論理・線形補外モデルなどさまざまなモデルへと発展している。

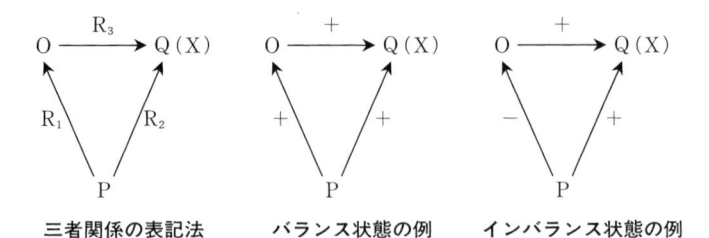

図 9.1　バランス理論（大坊・安藤，1999より）

3. 帰属理論

　もしあなたがデパートにおいてある高価な壺を誤って割ってしまったら，どう思うだろうか。「しまった，自分はなんとそそっかしい」とか「なんて運が悪い」というように自分に起きた出来事の原因を考えるはずである。私たちはこのように日常生活で経験するさまざまな出来事を認知し，その原因を推論する。この推論は**原因帰属**と呼ばれている。

　帰属の理論的枠組みを最初に提唱したのは，「**素朴心理学**」を提唱したハイダーであった。この帰属理論はその後大きな発展をとげ，①ケリー（Kelley, H. H.）の分散分析モデルや因果スキーマ・モデルに代表される原因帰属における基礎的推論過程に関する研究や，②ベム（Bem, D. J.）の自己知覚理論，シャクター（Schachter, S.）の情動の二要因理論に代表される自己に関する理論，③ワイナー（Weiner, B.）の理論に代表されるような成功と失敗の帰属に関する研究，④ジョーンズ（Jones, E. E.）らの対応推論理論に代表される他者認知における特性推論に関する研究など幅広い成果を生んでいる。

2節　社会的態度

　ローゼンバーグとホブラント（Rosenberg, M. J. & Hovland, C. I.）によれば，**態度**とは，ある種の刺激に対して特定種類の反応を示そうとする占有傾向である。**社会的態度**という用語は，ポーランドに住む農民とアメリカに住むポーランド系農民の日常生活における行動の違いを説明するためにトーマスとズナニエツキ（Thomas, W. I. & Znaniecki, F.）が用いたことから，社会心理学でも用いられるようになった。

　態度は一般的に，「感情」「認知」「行動」という3要因から成り立っているといわれている（態度の3要因モデル）。態度には次の4つの機能があると考えられている（Katz, D.）。①自己防衛機能，②自己実現機能，③適応機能，④知識的・経済的機能。態度という概念は社会心理学において非常に普及している概念である。

　態度研究がここまで普及した理由は，態度が行動に影響を与えていると考えられているからである。ここでは，態度と行動の関係について行われた研究を

トピック23

親密行動を測る尺度

　家族，友人，恋人，配偶者といった人々との間に**親密**な関係を築いていくことは，生涯を通じて重要な意味をもつ。二者間における関係の親密さは，相手との関係をどのように認知しているかという認知的側面と，実際にどのようなやりとりをしているかという行動的側面から，主に測定されている。

　例えば，①互いに影響を与えあう頻度，②互いに与えあう影響の強さ，③共に行う行動の多様性，④①～③の行動が続いている期間の長さ，といった二者間における相互依存性から「親密さ」をみることができるとするケリーら (Kelley, H. H. et al., 1983) の議論に基づき，バーシャイドら (Berscheid, E. et al., 1989) は，親密性尺度を作成している。そこでは，④を除く3点について，①1週間に2人だけで会う時間(接触時間)，②日常の行動に及ぼす相手の影響の強さ，③2人だけで行う行動の種類，を10段階尺度に直したものの合計得点が「関係の親密さ (Relationship Closeness Inventory：RCI)」得点とされている。

　久保真人 (1993) は，RCI尺度内容の修整，追加を行い，大きく6つの行動特性から親密性を測り，RCI尺度との関係を検討した。その結果，RCI尺度はつきあいはじめてからの期間が短い現在進行形の関係の親密さ評定には有効であるが，つきあいはじめてからの期間が長く，現在は会う機会が少ないが会えば長時間共に過ごすような安定的な関係の評定には適さないこと，友人関係よりも恋人関係の評定により適していることを報告した。このとき久保によって測定された6つの行動特性は，①接触時間と接触頻度(実際に会う場合と電話)，②相手との関係が生活に与える影響の強さ，考え方に与える影響の強さ，③2人で行う行動の種類，話題の種類，④親密な関係になってからの期間，⑤会話での疲労度，⑥関係の親密さの評定であった。

　また，山中一英 (1994) は，二者間における相互作用の領域の「広さ」と親密性レベルの「深さ」の2次元でとらえた「友人関係行動チェックリスト」を作成し行動的側面を，「好感度」「関係関与度」「関係のラベリング」から認知的側面を測定し，両者に比較的強い結びつきのあることを見出している。

　対面している二者間における親密さは，対人距離，接触，身体の向き，視線，表情といった非言語的行動にも表れると考えられるため (和田実, 1996)，対人距離の近さ，視線の交錯や微笑の量によって測定されることもある。

(山﨑瑞紀)

引用文献

Berscheid, E., Snyder, M. & Omoto, A. M. 1989 The relationship closeness inventory: Assessing the closeness of interpersonal relationships. *Journal of Personality and Social Psychology*, **57**(5), 792-807.

Kelley, H. H., Berscheid, E., Christensen, A., Harvey, J. H., Huston, T. L., Levinger, G., McClintock, E., Peplau, L. A. & Peterson, D. R. 1983 *Close relationships*. Freeman.

久保真人 1993 行動特性からみた関係の親密さ―― RCI の妥当性と限界 実験社会心理学研究, **33**(1), 1-10.

山中一英 1994 対人関係の親密化過程における関係性の初期分化現象に関する検討 実験社会心理学研究, **34**(2), 105-115.

和田 実 1996 親密さのコミュニケーション 大坊郁夫・奥田秀宇（編） 親密な対人関係の科学 誠信書房 pp. 183-203.

概観した後，直接経験による態度変容と社会的学習による態度変容，説得的コミュニケーションを概観したい。

1. 態度と行動の関係

　態度と行動は相関するのであろうか。ラ・ピエール（La Piere, R. T.）は中国人カップルとの旅行の研究を通して，態度と行動は相関しないという結論を出した。彼らは，反アジア的偏見が広く行き渡っていた200以上のアメリカのレストランやホテルを旅行した。予想に反して受け入れを拒否した施設は1軒だけであったが，6カ月後「中国人の客を自分の施設で受け入れるか」という手紙を書くと，返答のあった施設の92%が否定的な回答をよこした。その後のいくつかの研究例からも，態度と行動とはそれほど直接的に結びついたものではないという議論が出た（Wicker, A. W.）。

　その後の研究は「態度と行動が相関するか」といった一般的な問いではなく，「どのような時に態度と行動は相関するか」といった問いへとテーマが移っている。その後の代表的な研究によれば以下のことがわかった。①態度の特定性と行動の特定性の間に対応性が見出せれば，態度と行動との間に大きな相関が見出せる（Ajzen, I. & Fishbein, M.）。②態度対象との直接経験に基づいている態度は行動と強い関係をもつ（Fazio, P. H. *et al.*）。③ある状況下で生じる社会的規範が態度と行動の関連に影響を与える（図9.2参照）。④状況を超えて比較的一貫していると自己定義している人だけが態度と行動との間に高い相関を示す（Bem, S. L. & Allen, V. L.）。

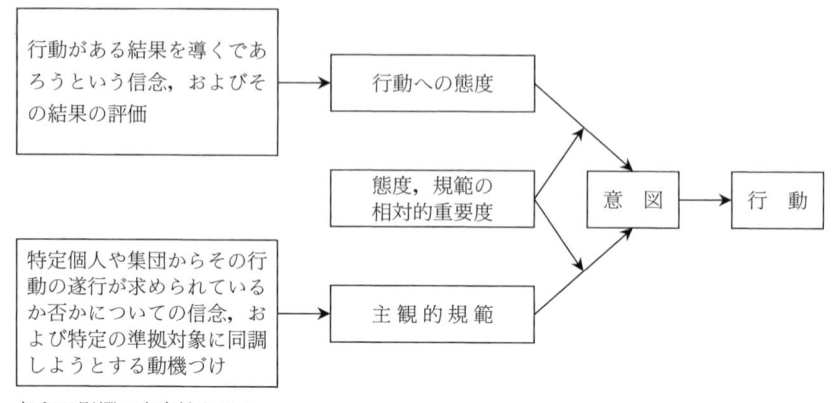

```
┌─────────────────┐
│行動がある結果を導くであ│
│ろうという信念,およびそ │──→ 行動への態度 ┐
│の結果の評価      │                    ↓
└─────────────────┘          態度,規範の  ┐
                             相対的重要度 ──→ 意 図 ──→ 行 動
┌─────────────────┐                    ↑
│特定個人や集団からその行│                    │
│動の遂行が求められている│                    │
│か否かについての信念,お │──→ 主観的規範 ┘
│よび特定の準拠対象に同調│
│しようとする動機づけ   │
└─────────────────┘
```

矢印は影響の方向性を示す。

図9.2 推論行為理論において人の行動を決定すると考えられている要因
(Fishbein & Ajzen, 1975)

2. 直接経験に基づく態度変容

直接経験に基づく態度とは,その人による直接的な個人的経験によって形成される個人的態度のことである。この態度は社会的学習によって形成された態度や説得よりも,より強固で**態度変容**が生じにくいといわれている。

3. 社会的学習に基づく態度変容

バンデューラ(Bandura, A.)は,人間の学習が直接学習と間接学習(**観察学習**)の2つから成り立つと考えた。そして他者を観察することによって生じる学習(**モデリング**)に注目し**社会的学習理論**を提唱した。例えばテレビ番組で,ファッションリーダーと自他ともに認められているスターが愛用する化粧品やバッグが紹介されると,それらの商品に対する視聴者の態度が好転することがある。このような他者との交流や影響によって生じる態度変容を社会的学習に基づく態度変容という。

4. 説得的コミュニケーション

説得的アピールとは,他者に特定の方向性を示しそれを支持するように意図した一つ以上の議論を提示することである。**説得的コミュニケーション**とは,モデリングに比べて他者の態度により直接的な影響力をふるおうとするもので

ある。

　説得的コミュニケーションの研究は，ホブラントをはじめとしたエール大学の研究者グループによって開始された。ホブラントらの研究は，説得を促進するための外的要因（説得者・説得方法・説得相手）の研究に主眼があった。例えば，説得する側の要因の研究としては，魅力性効果，専門性効果，信頼性効果などをあげることができる。また説得する方法に関する研究としては，情報の一面性・両面性，ブーメラン効果，恐怖喚起，リアクタンス理論，摂取理論，段階的要請法などをあげることができる。

　その後，説得に影響を与える認知的プロセス研究も行われるようになった。代表的な研究としては，ペティとカシオッポ（Petty, R. E. & Cacioppo, J. T.）による精査可能性モデル（ELM）やチャイキン（Chaiken, S.）のヒューリスティック処理をあげることができる。

3節　集団行動

　集団とは，持続的な相互作用があり，規範形成がみられ，共通した目標があり，地位や役割が分化しており，境界が設定され，愛着心があるといった諸特性の一部またはすべてをみたすものをさしている。

　集団に関するとらえ方は，時代を経るごとに変化している。例えばデュルケーム（Durkheim, E.）の「集合表象」，マクドゥーガル（McDougall, W.）の「集団心」が論じられていた20世紀初頭のころ，集団特性は個人の心理に還元できると考えられていた。しかし，オルポート（Allport, F. H.）は集団心を認めることは集団錯誤であると批判している。その後，グループ・ダイナミックスを唱えたレヴィン（Lewin, K.）によって，集団は成員間相互依存性の力動的全体としてとらえられるようになった。

1. 他者の存在

　私たちは，その場に他者が存在し自分の行動を見ているだけで，影響を受け行動が促進される場合がる。このような現象を**社会的促進**と名づけたのはオルポートであった。その後の研究で，他者の存在が必ずしも促進的ではなく抑圧

トピック24

社会的手抜き

　フランスの農業工学者であるリンゲルマン（Ringelmann, M.）は19世紀後半に綱引き実験を行い，1人で綱を引く単独条件で最も大きな力が出され，集団の大きさが2人，3人，……8人と増すに従い，1人あたりの綱を引く力が小さくなる傾向のあることを見出した（Kravitz, D. A. & Martin, B., 1986）。また，ラタネら（Latané, B., Williams, K. D. & Harkins, S., 1979）は，より組織的な研究を行い，できるだけ大きな声を出したり大きな音で拍手する課題において，集団の大きさが増すにつれて個人の遂行レベルが低下することを報告した（図1参照）。こうした現象は，複数の人々が同時に一つのことを行う際にはタイミングを合わせる必要があるといった「調整による作業量の低下」によるものとも考えられるが，そうした傾向を差し引いてもなお観察されたことから，作業従事者の動機づけにかかわる問題と結論された。

　個人で作業するときに比べ，集団で作業するときに動機づけや努力量が低下する，このような現象を「**社会的手抜き**（social loafing）」という。上述した以外にも，アイディアの創出やタイピングなどさまざまな課題において観察されている。

　現実の集団や組織への介入方法に利用できるということもあり，こうした現象を生じさせない条件を特定する研究がなされてきた。

　例えば，ウィリアムズら（Williams, K. D., Harkins, S. & Latané, B., 1981）は，遂行量が他者に知られる状況では社会的手抜きがみられないことを示し，他者との協同作業では個人の遂行量が不明確になるため，評価への懸念が低まり，手抜きが生じるとした。また，人は協同作業者の努力量と自分の努力量を釣り合わせようとするために手抜きが生じるという説もあるが，協同作業者の作業量があまり期待できない場合に，むしろ自分の努力量を増すことのあることが観察されており，こうした効果は「**社会的補償**」と呼ば

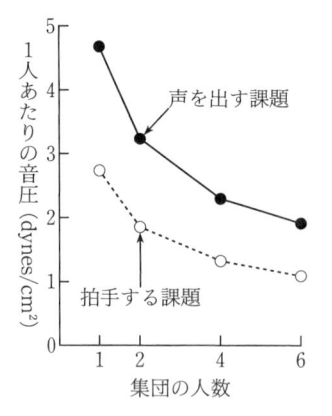

図　集団の大きさによる音圧の変化

れている (Karau, S. J. & Williams, K. D., 1993)。　　　　（山﨑瑞紀）

引用文献
Karau, S. J. & Williams, K. D. 1993 Social loafing : A metaanalytic review and theoretical integration. *Journal of Personality and Social Psychology*, **65**, 681-706.
Kravitz, D. A. & Martin, B. 1986 Ringelmann rediscovered : The original article. *Journal of Personality and Social Psychology*, **50**, 936-941.
Latané, B., Williams, K. D. & Harkins, S. 1979 Many hands make light the work : The causes and consequences of social loafing. *Journal of Personality and Social Psychology*, **37**, 822-832.
Williams, K. D., Harkins, S. & Latané, B. 1981 Identifiability as a deterrent to social loafing : Two cheering experiments. *Journal of Personality and Social Psychology*, **40**, 303-311.

的に働くケースがあることも明らかになった。これらのケースを統合的に説明したのがザイアンス（Zajonc, R. B.）である。彼は、「見物者や共行動者の存在は、個人の一般的覚醒水準ないしは動因水準を高めることによって、優勢反応の生起率を増大させる。その結果、単純な課題やよく学習された課題を遂行する場合のパフォーマンスは促進され、複雑な課題や未学習の課題を遂行する場合のパフォーマンスは抑制される」と考えた（Zajonc, 1965）。

　これとは別に、集団で一つの目標を達成しようとするとき、一人ひとりの参加者は単独でするよりも手抜きをしてしまう現象もある。ラタネ（Latané, B.）はこの現象のことを**社会的手抜き**と名づけた。

2. 集団の意思決定
a 集団極性化

個人で下す判断と集団で討議の後下す判断には差があるのであろうか。ストーナー（Stoner, J. A. F.）は、集団討議が意思決定に及ぼす効果に関して実験的に検討した。その結果、個人で単独に決定を行った場合よりも集団討議後に下す決定の方が、より危険性の高い決定になることを発見した（リスキーシフト）。また項目によっては、集団討議後に下された決定の方がより慎重で保守的な方向へ変化するものもあることがわかった（コーシャスシフト）。その後の研究で、これらの現象は、**集団極性化**現象の一つであると考えられるようになった。

b 集団決定の効果

集団決定の効果を最初に明らかにしたのはレヴィンであった。彼は第二次世界大戦中，ある政府機関の依頼を受けて行われた「食習慣の研究」に参加したが，そのなかで集団決定の過程が明らかになった。そこでは食習慣を変えるための心理学的方法の研究，例えば「主婦たちがレバーを食べたり，料理人としてレバーを人にふるまったりすることを学習することができるか」などを調べる一連の実験が行われた。その結果，主婦たちの食習慣を変えるには，講義による説得よりも自分たち自身で討議をした後に態度を決める集団決定法の方が明らかに効果的であることがわかった。

3．集団規範と同調行動
a　集団規範の形成

集団規範は集団成員が相互作用を繰り返す過程で形成されるもので，大多数の集団成員が共有する思考様式や判断枠組みのことをさしている。集団規範の形成に関する実験としては，集団規範が形成される過程を自動運動現象を利用して実験的に示したシェリフ（Sherif, M.）をあげることができる。シェリフの実験には，各成員たちが相互に他成員の判断を自分の判断の手がかりとしていった結果，集団規範が形成された過程が示されている（情報的影響）。

b　同調行動

この集団規範は，成員に対して**同調行動**をうながす集団圧力として作用することがある。例えばアッシュ（Asch, 1951）は集団圧力と同調行動に関する実験を行った。この実験は，1本の標準線と同じ長さの線分を3本の比較刺激の中から選ばせるというものである（図9.3）。個人的には誤答であることが明確な試行に対して，他の成員全員（サクラ）が誤答を支持していると，被験者も誤答を支持することがしばしばみられた。このように集団圧力は同調行動を生み出すことがある。

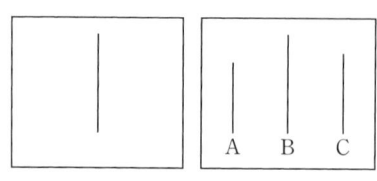

図9.3　アッシュの用いた実験課題の例（Asch, 1951）

4節　集合行動

集合行動とは，人々の相互作用によって自然に発生し，しだいに拡大する流動

的で組織化されていない社会行動をさしている。具体的には，群集心理，パニック，流行，流言，世論などの多様な集合現象を含む概念である。

集合行動に関しては，集合行動がいかに発生するか（ル・ボン〔Le Bon, G.〕の感染説，収斂説，ターナー〔Turner, R. H.〕らの創発規範説，スメルサー〔Smelser, N. J.〕の社会的要因の 6 分類など）や集合行動の分類（ブルーナーの「原初的形態の集合行動」と「組織化された形態の社会運動」の分類など），集合行動の機能（パーク〔Park, R. E.〕による社会変動をうながすエージェント説など）等が研究されている。

1. 群集の制御

群集とは特定の場に不特定多数の人々が共在するとき生じるものであるが，災害時の都市はまさに群集が発生する状況にあてはまるといえよう。群集行動をいかに制御するかという問題は，災害時の群集の避難方法の研究につながるものである。

杉万俊夫ら（1983）によれば，誘導者一人あたりの避難者数が多すぎない場合には，避難の際「出口はあちらです。あちらに！ あちらに逃げて!!」と指差誘導法をとるよりも「お客さん！ お客さん！ わたしについてきて!!」と吸着誘導法をとる方がより効果的な誘導法であることがわかった（図 9.4）。

大地震などの災害にみまわれたとき，恐ろしいのは**パニック**である。特に大都市では，緊急自動車や消防自動車の活動を阻み，避難

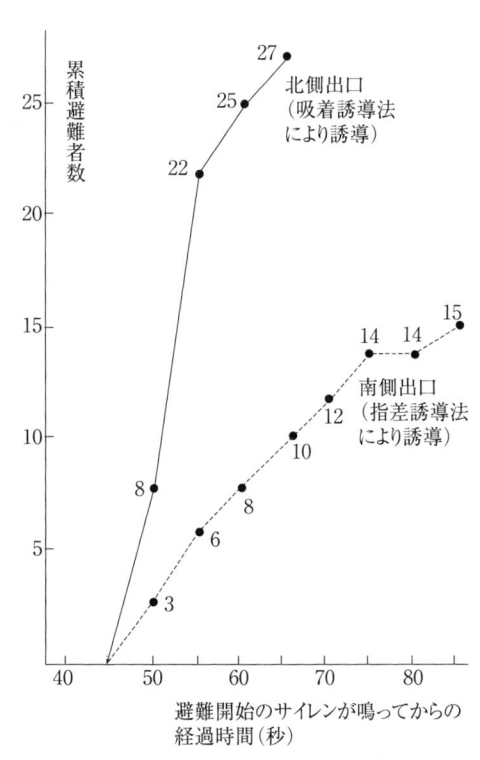

図 9.4 北側出口・南側出口における累積避難者数の推移（杉万ほか，1983）

トピック25

行動や感情の「感染モデル」

　特定の場所に共通の動因に駆られて不特定多数の人々が一時的に集合しているとき，この集合体を「**群集**」と呼ぶ。「群集」は，組織や役割分化をもたず，永続的なものでないという点で「集団」と異なる。また，特に激しい動因を共有する群集を**モッブ**と呼ぶが，ブラウン（Brown, R. W., 1954）はモッブを，破壊にかりたてられる攻撃的モッブ，緊急避難時などにおける逃走的モッブ，限られた資源をわれ先に得ようとする利得的モッブ，有名人の熱狂的ファンやデモといった表出的モッブの4つに分けている。

　こうした群集に加わる人々の特徴として，精神的同質性，衝動性，情緒性，非合理性，被暗示性，無責任性などがあげられるが，これらの群集行動を説明する説の一つが，行動や感情の「**感染モデル**」である。

　群集行動発生の心理的要因として従来考えられてきたものとして，①他者の行動や感情が感染するという**感染説**，②もともと類似した態度や行動傾向をもつ者が集合，合流して群集をつくりだすという**収斂説**，③人々が集合するとその状況に合った社会的規範が形成され，規範に同調させようとする圧力が個人に加わり，特定の集合行動が促されるという**創発規範説**などがある（安倍北夫，1977など）。

　感染説はル・ボン（Le Bon, G., 1895）に代表される考え方であり，感情や観念，思想が個人から個人へ伝わっていき，等質化した群集が形成され群集行動が起こるとする。ル・ボンはこれらの伝播が無意識に行われるとしたが，感染は無意識ではなく，他者の行動を模倣する学習によって起こるという考え方もある。例えば，ある集団において，気分が悪く吐き気がすると訴える者が一人出ると，物理的原因はないと考えられるのに，次々に同様の症状を訴える人々が出てくるとか，気分が高揚し攻撃的な振る舞いをする者が出ると他の人々にも攻撃的な感情や行動が広がっていくといったことが観察されている。このとき，行為者が意図せずして周囲の者に影響を与え，行動などが模倣されていくことで群集がつくられるとする。それに対し，収斂説では，群集の等質性は結果ではなく原因であると考える。また創発規範説では，群集の行動は，その時々の群集の社会的規範に沿った行動であり，同調への圧力の存在により反対意見をもつ者が異議を唱えないため，結果的に支持していると受け取られ同質にみえるだけであり，実際には群集は同質ではないと考える。

（山﨑瑞紀）

> **引用文献**
> 安倍北夫　1977　入門群集心理学　大日本図書
> Brown, R. W. 1954 Mass phenomena. In G. Lindzey (Ed.) *The handbook of social psychology*, Vol. 2. Addison-Wesley. 青井和夫（訳）1957　大衆　みすず書房
> Le Bon, G. 1895 *La psychologie des foules*. Presses Universitaires de France. 桜井成夫（訳）1993　群衆心理　講談社

ルートを渋滞によって閉ざすかもしれない自動車によるパニックの危険性が近年指摘されている（安倍北夫，1986）。安倍（1986）は，昭和53年6月におきた宮城県沖地震のときの仙台市の様子を調査し，仙台市で自動車によるパニックが起きなかった理由を次の5つにまとめている。①地震発生が夕方の帰宅ラッシュ時であったため，車はほとんどが郊外に向いていた（群集流は拡散流であった）。②帰宅する流れとは逆向きの対抗群集流がなかった。③中心部の被害が少なかったため，中心部にいる人の不安動因が相対的に低減されていた。④まだ明るく，見通しがよかった。⑤地域ラジオ局によって正しい情報が流された。例えばたずね人放送に準じて個人情報でも，人々の不安や心配の解消に役立つものものは放送された。宮城県沖地震のような好条件がそろわなかった場合，自動車によるパニックは大きな被害をもたらす可能性がある。

2. 流　　言

オルポートとポストマン（Allport, G. W. & Postman, L., 1947）は**流言**を「正確さを証明することのできる具体的なデータがないのに，普通，口から耳へと伝えられて，次々と人々の間に言いふらされ信じられていく，出来事に関する記述」と規定した。日本において，流言がパニックになった例としてよく知られているのは豊川信用金庫事件である。この事件は，3人の女子高生による「信用金庫は危ないわよ」という何気ない冗談が発端となり，数日後には多くの人々がその信用金庫に押しかけ預金をおろすという「とりつけ」パニックが起こったというものである。

安倍（1978）は，このパニック現象を**群集雪崩**と表現し，群集雪崩が起きるその要因を次の6つに分析している。①不安動因に共通性がある。②脅威や緊張が発生する。③不安の投影と脅威の成長。④きっかけがある。⑤逃げ道が制限されているという認知が成立する。⑥行動への動員が行われる。

豊川信用金庫事件だけではなく，オイルショック時の「トイレットペーパー騒動」など流言が群集雪崩になると，日ごろは冷静な人でも巻き込まれてしまうことが多い。さらに，そのことが流言であると判断できる人でも，例えば多くの人がスーパーマーケットでトイレットペーパーを買えば一時的にその商品が品薄になることは明確なことであり，トイレットペーパーがなければ日常生活に支障をきたすという理由で，その流言を信じていない人もトイレットペーパーを買いに走るという現象が生じるのである。 (高橋　直)

☞さらにもう一歩先へ
1．テレビをはじめとしたマスコミュニケーションにみられる説得的コミュニケーションを観察し，その説得のしくみを分析してみよう。
2．身のまわりで観察される流言を調べて，その構造を分析してみよう。

引用・参考文献

安倍北夫　1978　危機的場面の行動　末永俊郎（編）　講座社会心理学2：集団行動　東京大学出版会　pp.263-285.

安倍北夫　1986　パニックの人間科学　ブレーン出版

Allport, G. W. & Postman, L.　1947　*The psychology of rumor*. H. Holt.　南博（訳）1952　デマの心理学　岩波書店

Asch, S. E.　1946　Forming impression of personality. *Journal of Abnormal and Social Psychology,* **41**.

Asch, S. E.　1951　Effects of group pressure upon the modification and distortion of judgments. In H. Guetzkow (Ed.) *Group leadership and men*. Carnegie Press.

Bruner, J. S. & Goodman, L.　1947　Values and needs as organizing factor in perception. *Journal of Abnormal and Social Psychology,* **42**.

大坊郁夫・安藤清志・池田謙一（編）　1989-1990　社会心理学パースペクティブ（1・2）　誠信書房

大坊郁夫・安藤清志（編）　1999　社会の中の人間関係　ナカニシヤ出版

Fishbein, M. & Ajzen, I.　1975　*Belief, attitude, intention, and behavior*. Addison-Wesley.

林　文俊　1978　対人認知構造の基本的次元についての一考察　名古屋大学教育学部紀要（教育心理学科），**25**, 233-247.

Heider, F.　1958　*The psychology of interpersonal relations*. Wiley.　大橋正夫

(訳) 1978 対人関係の心理学 誠信書房
ヒューストン, M. ほか (編) 末永俊郎・安藤清志 (監訳) 1995-1996 社会心理学概論――ヨーロピアン・パースペクティブ (1・2) 誠信書房
マロー, A. J. 望月 衛・宇津木保 (訳) 1972 クルト・レヴィン――その生涯と業績 誠信書房
中島義明ほか (編) 1999 心理学辞典 有斐閣
齊藤 勇 (編) 1987-1999 対人社会心理学重要研究集 (1〜7) 誠信書房
杉万俊夫 1983 緊急避難状況における新しい避難誘導方法の開発 年報社会心理学, **24**, 47-64.
杉万俊夫・三隅二不二・佐古秀一 1983 緊急避難状況における避難誘導に関するアクション・リサーチ(1)――指差誘導法と吸着誘導法 実験社会心理学研究, **22**, 95-98.
Zajonc, R. B. 1965 Social facilitation. *Science*, **149**, 269-274.

10章 文化の心理

　文化心理学はかなり長い歴史をもっているが,「文化」が心理学の中心テーマとなることはなかった。人間心理の解明に文化の重要性が注目されるようになったのは,心理学では1980年代であり,つづいて1990年代になって文化心理学は着実に成果をあげるようになった。この学問がめざすところは,異なる文化における人間行動を比較検討するなかから,文化と心理過程の相互関係を実証的に理解することである。本章では文化心理学の諸テーマの中から,文化と深くかかわっている発達,ジェンダー,パーソナリティをとりあげる。

1節　発達と文化

1. 発達における文化の役割

　「文化」にはさまざまな定義があり,各研究者の立場によって使われ方が異なるが,文化人類学や心理学において,よく用いられる最も包括的な定義として次のものがある。すなわち文化とは「ある社会・集団内の人々によって習得され,共有され,伝達される生活様式ないし行動様式の体系である」。人はある特定の社会と文化の中に生まれ育つが,同じ社会（集団）に属する人たちは,同じような考えをもち,同一の行動様式を示すとみられる。それぞれの社会には,どの年齢の子どもに何を教えるか,何を目標に定めどう教えるか,についてのおおよその決まりがある。本節では子どもの育児方法と愛着行動に関する比較研究をとりあげ,文化による差異をみることにしたい。

2. 乳幼児の就寝形態

　育児とは本質的に「親の個」と「子の個」の相互分離過程であるので,そこには対人関係の基本的な枠組みにおける文化差が反映されている。特に乳幼児

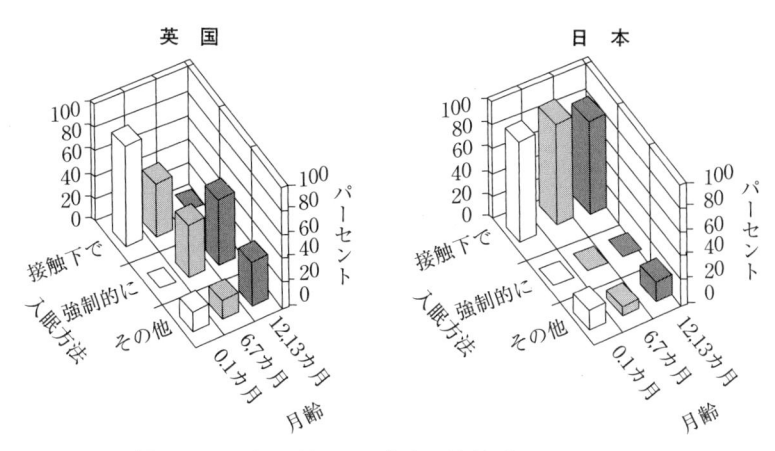

図 10.1　子を入眠させる方法の比較（根ヶ山，1997）

の睡眠時は，母子分離をもたらすという意味で，母子の自他分化と大きな関連がある。入眠法についての日英の比較研究によると，英国では1歳の時点で，覚醒中の子を母親から離れた部屋に独りおいて半ば強制的に入眠させるという傾向が顕著である（根ヶ山光一，1997）。またアメリカの中産階級白人の家庭でも，子どもは生まれてまもない時期から，両親とは異なった部屋に一人で寝かされるのがふつうである。ところが日本では，3～4歳ころまでは母親が子に寄り添って，母子一体の平安な雰囲気の中で子を寝かしつけ，子が寝入ってから母親は子の傍を離れるという，子ども本位の入眠法をとりつづける。このように日本の家庭では，子どもは両親と寝室を共にすることがふつうである（図10.1）。これは米英では子どもの独立心を育てることが重要な教育目標であるのに対して，日本では乳幼児が親に甘えることが発達にとって重要と考えられているからである。こうした社会・文化の中で育つ過程で，人はそれぞれ異なった特殊な心性を獲得していくのである。

　比較文化的研究は，こうした文化による違い（特殊性）を明らかにすることが中心であったが，発達において文化差を超えた共通した心性も存在する。例えば，思春期の娘が父親とベッドを共にするということは，どの社会でも見られない。発達を問題にする場合，文化による特殊性と通文化的な普遍性の両側面を考慮する必要がある。

トピック26

甘　え

　遠慮の美徳は、欧米人にはなかなか通用しないらしい。「おなか空いてる？　おいしいアイスクリームがあるんだけど」とすすめられたが、一応遠慮してみた。日本人なら、「でも、まあどうぞ」とすすめてくれるかもしれない。しかし、アメリカ人にとって、欲しくないと言っている相手に無理にすすめることは、むしろ失礼なことである。相手は、「ああそう」と言って、そのまま引っ込めてしまう。

　以上は、土居健郎がアメリカに留学したときのエピソードである。土居は、そこで日本人の「**甘え**」を自覚するようになる。アメリカ人は、相手の考えをはっきりと聞きだし、誠実に対応しようとする。それに対して、日本人は、自分の見解をはっきりと表明するのは、失礼なことだという態度をとりつつも、実は自分の要求をくみ取ってほしいという期待、すなわち「甘え」のサインをちらつかせているのである。

　甘えあい、思いやりあうコミュニケーションを、人間関係の規範にまで高めたところに日本人の特殊性がある。日本のタテ型社会や集団主義を解くかぎも、甘えにあるというのが土居の考えである。

　一方、土居は甘えの原型を、乳幼児の母親に対する愛、受け身的な愛に求める。「してもらいたい」という形で表現される相手への愛着ということである。したがって、これは人間心理にとって普遍的なものであるはずである。しかしながら、フロイト（Freud, S.）をはじめとする西洋人は、個人主義と自立を理想とするため、甘えの重要性を見過ごし、克服されるべき依存状態としてしかとらえられなかった。

　だが、個人主義と自立の理想は、西洋では行き詰まりを見せつつある。現代文明を享受することはできるが、主体的に何かを生産し創造することはできないという点で、現代西洋人は無力感を感じ、子どものように振る舞うことしかできない。これを自覚させ、むしろ甘えは個人主義を補う社会的規範として機能することもありうると示唆するところに、土居の議論のポイントがある。

　「甘え」論は、さまざまな方向性をもっている。フロム（Fromm, E.）の『自由からの逃走』や小此木啓吾の「モラトリアム人間」論と比較するのも面白い。歴史的観点・文化比較的観点が補足されるだろう。また最近の精神分析では、強迫的自立志向への批判から「**適切な依存**」がテーマ化され、土居の議論は海外でも注目されている。現代日本の若者における、距離をとる「やさしさ」への移行も重要なテーマである。

〈堀江宗正〉

3. 愛着の比較文化研究

愛着（attachment）とは，乳幼児が最も身近な養育者に対して特別な情愛的な結びつきをすることである。健全なパーソナリティの形成にとって愛着はきわめて重要と考えられている。エインズワース（Ainsworth, M. D. S.）らは，母子の愛着関係の質を調べ，これを3つの型に分けた。①母親に十分な信頼感をもっている「安定」した愛着型，②母親との接触を回避しようとする「不安定で回避的」な愛着型，③母親との接触を執拗に求める反面，母親への怒りも強く示すアンビバレントな態度を特徴とする「不安定で抵抗・葛藤的」な愛着型である。ではこの3つの愛着型のうち，どのタイプが理想的であるかというと，それは各文化によって異なっている。ドイツの母親は，きわめて早い時期に子どもの自立を重んじ，奨励し，「不安定で回避的」な愛着型を理想とする。イスラエルのキブツと呼ばれる集団農場で育った子どものうち，半数が「不安定で抵抗・葛藤的」な愛着型を示し，3分の1しか「安定」した愛着型を示さなかった。伝統的な日本の家庭で育った子どもは，高い割合で「不安定で抵抗・葛藤的」な愛着型を示した。伝統的な日本の母親は，たまにしか子どもの傍を離れず，子どもに強い依存心を植えつけているのである。しかし，日本でも母親が仕事をもっている場合は，米国と類似した愛着行動のパターンがみられる。

2節　ジェンダーと文化

1. ジェンダーとパーソナリティ

ジェンダー（gender）とは，生まれつきの性，つまり生物上の雌雄を示すセックス（sex）と区別して，社会的・文化的に形成される男女の差異のことである。どのような社会も，身体的な性別に対応させて，女はあるいは男は，こうあるべきだ，こういうものだと，行動，パーソナリティ，生き方にいたるまでの規範や習慣をもっている。こうしたジェンダーの研究の先駆的なものとして，マーガレット・ミード（Mead, M.）が行った南太平洋のニューギニア付近に住む3つの未開社会の部族，すなわちアラペッシュ族，ムンドゥグモア族，チャンブリ族の調査がある（Mead, 1935）。ミードは彼らの社会行動，特に男

女それぞれの対人関係などの差異や子どものしつけ行動の違いに注目し，それらとパーソナリティの関係について研究した。山中に住むアラペッシュ族では男女ともおとなしく，子どもをやさしく世話し，受け身的でどちらかといえば女らしい性格である。川のほとりに住むムンドゥグモア族では男女とも凶暴で，猜疑心が強く，攻撃的であり，きわめて男性的性格である。湖岸に住むチャンブリ族は女が積極的・能動的で決断力に富み，男性的性格であるが，男は消極的で，依存心が強く，女性的性格であり，明らかに男女に性格差がみられた。このように3部族のパーソナリティが違うのは，その部族がもっている文化が異なるからである。特にチャンブリ族における男女のパーソナリティが欧米社会のそれとまったく逆であるということは，男女の差が生物学的な差異によるのではなく，文化によるということである。この例から明らかなように，現代の日本で「男らしい」あるいは「女らしい」と考えられている特徴が，いつの時代どの社会でも共通にみられるとは限らないのである。

2．性同一性と思春期拒食症

英語では男性あるいは女性としての心理・社会的な自己認識を**ジェンダー・アイデンティティ**と呼び，生物学的・先天的な自己認識を**セクシャル・アイデンティティ**と呼んで，両者を区別している。前者のアイデンティティがそれぞれの文化によって異なることは上にみた通りである。しかし，このように2つのアイデンティティに分けてしまうことに対して，清水弘司はそれでは生物・心理・社会的な領域にまでわたる性のアイデンティティの全体性を表現することはできないとし，セックスとジェンダーとを包み込むものとして「**性同一性**」というあいまいな日本語を用いる方が人間の性の様相をよりよく把握できるという。しかし，実際に性同一性を形成することは，それほど容易でない。その実例として，女性に圧倒的に多い「**思春期拒食症**」と呼ばれている摂食障害がある。これはしだいに成熟していく女性としての自己を受け入れることを拒否することによる。つまり，自分の性を拒否しようとして，自分の身体を否定することを試みているのである。

トピック27

日本は恥の文化か

　欧米人は自らの罪悪感に基づいて善行をなすのに対し，日本人は恥をかかないことを第一に考え行動を律すると述べたのは文化人類学者のルース・ベネディクト（Benedict, R. F., 1946）である。この第二次世界大戦後まもないころに提唱された恥の文化論は，今日にいたっても日本文化を語る上での重要なキーワードとして受け入れられている。しかしながら，本当に日本は恥の文化なのだろうか。検討すべき課題も少なくないようだ。

　まず，第一の問題点は恥の多様性である。ベネディクトは他者の批判や嘲笑への恐れとして恥を考えたが，恥にはこの他にも一人内省しながら覚える恥（私恥）や誉められたときに感じる恥（羞恥）などがある（作田，1967）。これらの恥は日本人とどのような関係があるのか，さらに多角的な視点から恥の文化論を構築し直す必要があるとの指摘も多い。

　かりに公恥だけに話をしぼったとしても，恥かしいことの基準は文化によってさまざまである。ベネディクトは日本人の方がより強い恥の意識をもつ事例を多数見出しているが，その逆のケース，すなわち，欧米人の方がより強い恥らいを覚える事例には言及していない。しかし，日本人の多くが平然と服を脱ぐ共同浴場で，欧米人は少なくとも多少の躊躇を見せるように，状況によっては，文化間で恥意識が逆転する場合も少なくない。そうだとすれば，何をもって日本人は恥意識が強いといえるのかという課題が残る。

　さらに，日本人は恥の意識という面で一枚岩なのか，という点も気にかかる。同じ日本人でも，年齢により，性別により，あるいは所属集団によって恥の規範が大きく異なることがある。昨今，地べたに座り込んだり，電車の中で化粧をしたりする若者を見て，「何故恥かしくないのか？」と怪訝に思う大人たちも少なくない。しかし，彼ら／彼女らは，蒸しタオルで首筋を拭いたり，電車の中で鼻毛を抜いたりする大人たちの方がよっぽど恥かしいと言う。日本の中にも多様な恥の文化が乱立しているといえるかもしれない。

　いずれにせよ，日本は恥の文化なのかという問題は複雑であり，これを科学的な事実とするためにはまだ十分なデータが集まっているとはいえない。今後の比較文化研究における重要な課題の一つといえる。　　　（菅原健介）

引用文献
Benedict, R. F. 1946　長谷川松治（訳）1948　菊と刀　社会思想社
作田啓一　1967　恥の文化再考　筑摩書房

トピック28

いやしと救い

　もともとは「**いやし**」といえば身体的な回復，「**救い**」といえば精神的・霊的な再生というのが主な意味の違いだろう。同じく「いのち」にかかわることだとして，身体／霊，部分／全体，機能／本体といった対比に照応しているようだ。「いやし」は医師に相談すべき事柄，「救い」は宗教者に問いかけるべき事柄ということにもなるだろうか。この世の事柄以上の高い価値の次元があると信じるとすれば，「救い」こそ「一生の一大事」となるだろう。しかし，「救い」を押しつけられるのはいやだと感じる人もいて，「いやし」こそいのちの真実に近い最上の目標だといいそうだ。

　「いやし」や「ヒーリング」という言葉が流行語になっていくのは，日本では1980年代のことだろう。これは「いやし」が身体的な領域から精神的・心理的な領域に大きく進出したということとかかわりがありそうだ。ユング心理学の流行，自己啓発セミナーの流行が同じ時期だ。宝島出版（JICC出版局）から『精神療法と瞑想——心を解くセラピー&メディテーションガイダンス』という本が出たのが1991年だが，これと似たガイダンス本のたぶん最も早いものの一つに，『メンタル・アドベンチャー・マガジン The Meditation』（平河出版社）の1979年春季号「精神世界の本ベスト800」というのがある。

　「セラピー」と「いやし」が密接に関係があるとなると，これは心の病やストレスが広がっているということに原因を求められるのかもしれない。競争社会化が進み，不安や孤独が広まっている。だが，それはこの世が悪いのであって，個々人の側に究極の責任があるわけではなく，「救い」を求めるほどのことでもない。とりあえず，ストレスが克服されればよい。それは「いやし」ですむことだ，と。

　だが，それだけでもなさそうだ。「救い」が上位にあって「いやし」が下位にあるという序列がかつてはあったのだが，それが崩れてきたということのようでもある。「救い」の威信がいくらか失墜していったらしいのだ。「宗教」と「精神世界」とを対比すると，前者は「救い」にこだわるのに対して，後者は「いやし」でよしとするところがある。伝統的な「救済宗教」に納得できない人たちが，それにかわる「**精神世界**」の文化を求めるようになったという時代精神の変化である（島薗進『精神世界のゆくえ』東京堂出版，1996）。この「精神世界」の中で心理学はたいへん大きな位置を占めている。

　　　　　　　　　　　　　（島薗　進）

*3*節　文化とパーソナリティ

　文化の視点からパーソナリティの研究を最初に行ったのは文化人類学者たちである。1930年代の初めに文化人類学者ルース・ベネディクト（Benedict, R. F.）は，ゲシュタルト心理学をモデルとして，文化を個々の構成要素の単なる総和ではなく，特定の統合形態をもった統一体としてとらえるべきだと考えた。いわゆる「文化の型（patern of culture）」である。戦後出版された『菊と刀』(1946) の副題は「日本文化の型」であり，そのなかで日本文化を「恥の文化」としてとらえ，注目を集めた。彼女は「文化は大きく描かれたパーソナリティであり，パーソナリティは小さく描かれた文化である」と述べたが，これは文化の型と個人のパーソナリティを同型とみなした彼女の考えを端的に表現している。

　1940年代になると，特定の地域住民や民族にみられる「共通したパーソナリティ」の型へと関心が移っていった。例えばカーディナー（Kardiner, A.）は，文化を構成するさまざまな諸制度のうち，育児慣行にかかわる部分は，個人のパーソナリティの発達にとって根本的で永続的な影響をあたえるとみなし，それは同一文化においては基本的には共通していると考えられるので，その集団の成員は類似したパーソナリティを形成することになる。彼はこれを「**基本的パーソナリティ構造**」と呼んだ。このほかリントン（Linton, R.）の「**基本的パーソナリティ型**」，デュボア（DuBois, C.）の「**モーダルパーソナリティ**」（ある一つの集団に最も多くみられる代表的な最頻的パーソナリティのこと），フロム（Fromm, E.）の「**社会的性格**」，インケルス（Inkeles, A.）の「**国民性**」などの研究がある。

　新しい動向として，認知心理学者がパーソナリティの発達において，文化が重要な役割を果たしていることに注目し，「発達の文化心理学」を提唱している。その立場は，個人の認知，感情，動機づけなどの心理過程が，文化的慣習や意味構造によって形成され，またそのようにして形成された心理過程が，逆に文化的慣習や意味構造を維持・変容させるという，両者の相互影響過程を明らかにすることにある。

グローバル化する社会に伴って文化変容も急速に進む。このなかで人々は旧来の生活様式では対処しきれず，ストレスをため，それがさまざまな心身の症状を起こさせている。これに対して従来の医学による症状を除去するだけの治療（cure）にとどまらず，人間全体をまるごと治そうとする癒し（healing）に人々の関心が向きつつある。癒しの文化の芽生えが注目される。

（久保田圭伍）

☞ さらにもう一歩先へ

1. 男らしさ・女らしさは，各時代の社会や文化によって異なる。戦前の日本，あるいはある外国の男らしさ・女らしさと，現代日本における男らしさ・女らしさを比較して，その特徴を認識しよう。
2. 初めて外国へ行ったときの異文化体験で，多くの人はカルチャー・ショックを受ける。カルチャー・ショックの心理について考えてみよう。

引用・参考文献

土居健郎　1971　「甘え」の構造　弘文堂
星野　命　1984　文化とパーソナリティ　河合隼雄ほか（編）　性格の科学（講座現代の心理学6）　小学館
波多野誼余夫・高橋惠子　1997　文化心理学入門　岩波書店
柏木惠子・北山　忍・東　洋（編）　1997　文化心理学　東京大学出版会
マツモト, D.　南　雅彦・佐藤公代（監訳）　2001　文化と心理学　北大路書房
Mead, M.　1935　*Sex and temperament in three primitive societies*. William Morrow & Company Inc.
根ヶ山光一　1997　親子関係と自立　柏木惠子・北山　忍・東　洋（編）　文化心理学　東京大学出版会　pp. 160-179.
祖父江孝男ほか（編）　1982　文化と人間（講座現代の心理学8）　小学館

11章 脳 と 心

　複雑多彩な人間行動を理解するためには，環境情報を的確に処理し，評価し，制御する生体システムの理解が大切である。生体システムの中枢部は脳であり，現代の行動科学の中心課題は，脳が行動の主体としてどのような心理学的特性を備えているかを解明することにある。この章では，まず初めに認知，判断や言語行動を支える脳の分業体制をとりあげ，次に，さまざまな機能を統合する主体の問題として，性格や自己意識，自由意思をとりあげる。最後に意識と脳の働きの問題から，眠りと夢をとりあげ，無意識の行動科学的な意味を探る。

*1*節　大脳の働きと機能の局在

　高次の精神機能の大部分は大脳皮質がつかさどっている。大脳皮質はおよそ140億の神経細胞（**ニューロン**）で構成され，厚さ2.5mmで大脳の表面を覆っている。大脳皮質の表面は広げると新聞紙の見開き程度の大きさになる。これを頭蓋骨の限られた容積に収納するために，多くの溝（脳溝）をつくって表面積を大きくしている。おもだった脳溝を境に大脳皮質を分けると前頭葉，頭頂葉，後頭葉，側頭葉の4つに分けられる。ブロードマン（Brodmann, K.）はさらに細胞の大きさや層の構造から52の領野に分け，各領野を番号で示した。これが今日**ブロードマンの脳地図**として知られるものである。脳損傷の臨床例や手術前後の刺激テストなどから，これらの領野は構造だけでなく機能も異なることが確かめられている。ブロードマンの脳地図を白地図として，それぞれの領野に機能を書き込んだものが，脳の機能地図である（図11.1）。

1. 視覚野と聴覚野

　後頭部の**視覚野**はブロードマンの17野にあたり，網膜上の視神経はすべてこ

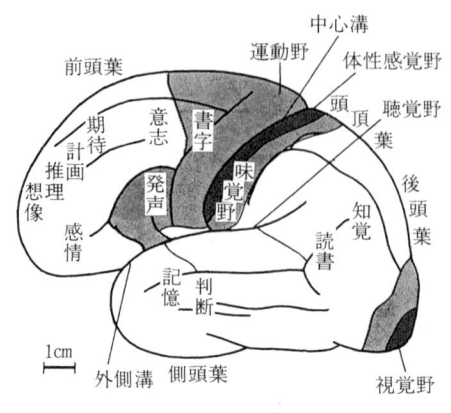

図 11.1 大脳皮質の機能地図
(Penfield & Roberts, 1959)

の部分に投射される。視覚情報はまず動き，色，形，奥行きなどの要素に区分され，さらにそれぞれの要素の分析と統合を得意とする上位の処理を行う領野へ送られる。ブロードマンの地図では隣接する18野と19野がこれにあたるが，最近は17野を第一次視覚野，これに続く部位を第二次，第三次，第四次視覚野と呼ぶようになってきた。

聴覚野は側頭葉の上部で外側溝に埋もれた41野と42野に分布している。耳からくる聴覚神経の大部分は反対側の脳の聴覚野に投射され，右耳と左脳，左耳と右脳が結びついている。聴覚野では音の周波数と強さが処理され，高音部は前方，中音部は中央，低音部は後方で処理される。隣接する22野は二次の聴覚野として聴覚情報の統合に関与している。

2. 運動野と体性感覚野

中心溝にそって向き合うように帯状に分布しているのが**運動野**と**体性感覚野**である。中心溝の前側が運動野で，随意運動の命令はすべてここから出ている。ここを損傷すると運動麻痺が起こる。中心溝の後側が体性感覚野で，全身の感覚神経はここに投射している。図11.2は中心溝にそって切断した体性感覚野の断面図と，左右半球の機能地図から合成した皮質上の再現像である。運動野の再現像もこれとほとんど変わらない形をしている。ところで，身体感覚と運動のどちらの伝導路も脊髄の上部で左右が交叉しているため，右半身は左脳と，左半身は右脳とつながっており，皮質の再現像は外界に対し左右が逆になっている。さらに再現像は頭を下にして逆立ちした格好になっており，上下も逆転している。再現像はヒトの身体像をひどくデフォルメした形をしており，手や顔，唇，舌は極端に大きい。これに比べると背や腹，尻などは実際よりもはるかに小さい。皮膚の2点弁別閾に見られる身体部位差は，この再現像での面積

11章 脳 と 心

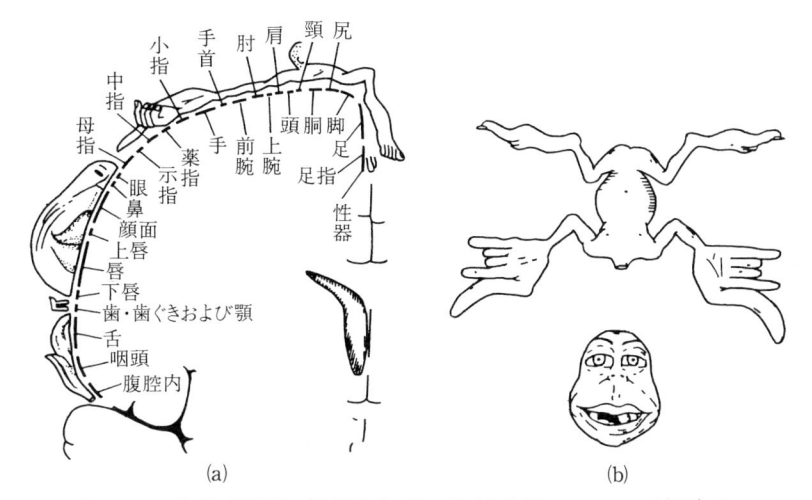

図11.2 体性感覚野の機能分布（Penfield & Rasmussen, 1957）と再現像（Penfield & Boldrey, 1937）

差によっていることがわかる。

3. 言 語 野

　フランスのブローカ（Broca, P. P.）は，左前頭葉の下部に損傷を受けた患者が，まったく話すことができなくなることを発見した。脳溝に囲まれた隆起部を脳回と呼ぶが，運動野の前側には縦に3つの脳回が並んでおり，その一番下の第三前頭回に発語の中枢がある。**ブローカ領**と呼ばれ，唇や舌の運動制御部（図11.2）のすぐ前にあり，発語に必要な運動のプログラムを組み立てている。この発見に続いて，同じ左半球で側頭葉の上部（第一側頭回）に損傷を受けると言語理解に著しい障害が起こることが発見された。発見者（Wernicke, C.）にちなんで**ウェルニッケ領**と名づけられている。側頭葉にある聴覚野の情報から言語情報を抽出して解読する中枢である。その後の研究により文字言語など聴覚言語以外の情報の理解は，隣接する**角回**という部位を経由してウェルニッケ領に伝えられ，言語情報として解読されることがわかってきた。このようにして，私たちの言語行動は話すという表現系（運動制御）と読む，聞く，理解するという認知系（情報処理）の2つのシステムの協働によって成り立っていることがわかる（図11.3）。

トピック29

生育環境と脳発達

　生まれたばかりの赤ちゃんは体も頭も小さいので，脳の**神経細胞**の数も少ないと思うかもしれない。しかし，**大脳皮質**の神経細胞の数（密度）は，一生を通じて新生児で一番多く，前頭葉では成人の5倍以上ある。これらの神経細胞は，生まれる前後に大量死してしまい，生後半年か1年でほぼ成人のレベルに達する。このような一見無駄にみえる脳の発達の仕組みは，環境への適応に役立っている。生まれてから何が必要になるかわからないので，胎児期にはたくさんの可能性を用意しておき，誕生後に本当に必要な神経細胞だけを厳選して育てていくのである。

　神経細胞を維持するには，たくさんの栄養が必要である。脳の重さは全身の2.5%にすぎないが，心臓から送り出される血液の約15%が脳に供給され，全身で必要な酸素の約20%が脳で消費される。使わない神経細胞を生かしておく余裕はなく，それらはしだいに衰退して消失する。例えば，ネコやサルの片目を生後すぐに覆って数カ月間育てると，その目から入る信号を扱っていた神経細胞の数は激減し，その後はいくら強い光を当てても回復することはない。

　知的能力に関していえば，変化に富んだ環境で育った動物は，変化に乏しい環境で育った動物よりも，迷路学習などの成績がよいことが知られている。ローゼンツバイク（Rosenzweig, M. R.）らは，そのような生育環境の「豊かさ」が脳の解剖学的構造に及ぼす影響を検討した。同じ親から同時に生まれた3匹のラットを，3つの飼育環境で別々に育てた。①標準的な環境（ふつうのカゴで他の1〜2匹のラットと一緒に生活する），②「貧しい」環境（ふつうのカゴで1匹だけで生活する），③「豊かな」環境（はしごやトンネルなどの遊び道具があるカゴで10数匹のラットと一緒に生活する）。どの環境のラットにも十分な量の餌と水を与えた。およそ1カ月後に脳を取り出して計量したところ，豊かな環境で育ったラットほど，大脳皮質が厚くなり，その重量も増えていた。このような環境の影響は，成長したラットでも認められたが，生まれたばかりのラットの方がより短い期間（1〜2週間）で現れた。また，カゴではなく自然環境に似せた屋外広場で自由に飼育されたラットは，実験室の「豊かな」環境で育ったラットよりも，さらに大脳皮質の発達がよいことがわかった。彼らの一連の研究によって，生育環境が脳の形態まで変えてしまうことが初めて実証されたのである。

（入戸野　宏）

4. 連合野と情報の統合

より高次の行動では,個々の局在機能だけでは処理も制御も困難である。皮質の広範な部位の機能を総動員し,これを統合することによって成立するような高次の機能を果たすのが**連合野**である。連合野は大脳皮質のなかで感覚野にも運動野にも属さない部位のことで,中心溝をはさみ前連合野と後連合野に分けられる。前連合野は前頭連合野とも呼ばれ,後連合野は頭頂連合野,側頭連合野,後頭連合野からなっている。すでに述べた2つの言語野と角回も,言語情報に関して発達した連合野である。環境情報は感覚情報ごとに分けられてそれぞれの感覚野で処理され,連合野で再統合される。映画の音声は聴覚野で処理され,唇の動きは視覚野で処理される。実際にはスピーカーと唇は別の位置にあるのだが,連合野で2つの情報が統合されると,音声は唇から出ているように聞こえる。脳内では視覚優先の情報統合がなされていることがわかる。また,手足の協応動作のためには運動連合野が必要になる。さらに複雑な知覚運動作業では複数の感覚連合野と運動連合野のネットワークが必要になる。このような情報の統合には記憶や判断など感覚・運動情報とは別の情報も動員される。これらの情報も連合野に蓄積されており,ネットワークに必要な情報が供給されると考えられている。

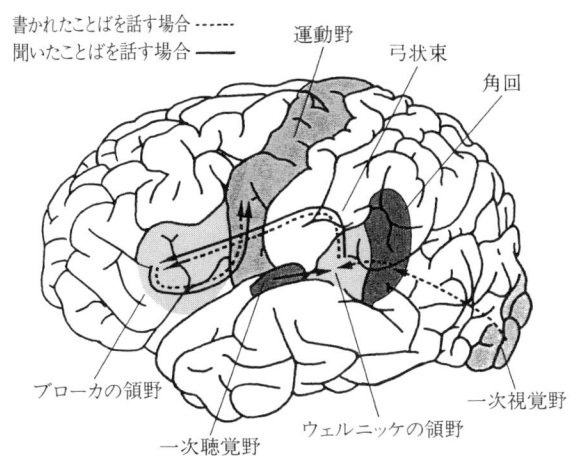

図11.3 ブローカ領とウェルニッケ領
(ゲシュヴィント,山河訳,1979)

2節 前頭連合野と性格

前頭葉は人類が最も発達しており,そのため古くから「知性の座」と考えら

れてきた。ところが，前頭葉に損傷を受けると「知的機能の障害」に加えて著しい「性格の変化」が起こる。最も古い例では，1848年のゲージ（Gage, P.）の症例がある。鉄道工事の現場でダイナマイトの暴発事故が起こり，ゲージは前額部を火薬充塡用の鉄パイプで打ち抜かれるという事故にみまわれる。幸い命はとりとめてまもなく職場復帰するが，性格がすっかり変わってしまい，子どもじみた自己中心的な振る舞いをするようになってしまった。性格のあまりの変貌ぶりから，前頭葉は「知性の座」よりも「性格・人格の座」という考え方が強調されるようになった。

ジェイコブセン（Jacobsen, C.）は，学習ノイローゼになってしまったチンパンジーの前頭葉を切除すると性格が温和になり，失敗して餌がもらえなくても怒って暴れたりしなくなることを報告した。手術後，このチンパンジーは成功や失敗を気にしなくなるので，成績は一向に改善することはなかったのだが，激しい感情興奮を鎮める効果があるというところが多くの注目を集めた。

ポルトガルの精神科医モニス（Moniz, E.）は，この研究にヒントを得て，それまで行われた脳外科手術の結果を周到に分析した結果，前頭葉の前端部を切除すると，精神障害に伴う激しい興奮を鎮めることができると確信した。そこで彼は精神病と神経症の治療法として，**前頭葉ロボトミー**を開始した。前頭葉ロボトミーは，額の横に小さな穴をあけてメスをさし込み，前頭葉の最前部にある前頭前野とその周辺の脳を結ぶ神経線維を切断する手術である。精神分裂病，躁うつ病，不安神経症の興奮性症状にきわだった鎮静効果が現れることが確かめられ，有効な薬物療法のない当時の人々には，まさに福音となるかに思えた。1960年までに全世界で約10万人がこの手術を受けたといわれている。ところが，手術を受けた人はかつてゲージがあらわにしたように，感情のコントロールがきかなくなり，多幸的で楽天的な壮快気分にひたったり，時と場所をわきまえない無作法な言動が目立つようになった。また，周囲の状況を把握したり，先を見通して判断することができなくなり，人生の重大事であっても他人ごとのように無関心であったりする。何よりも重大な問題は意欲の低下と自発意思の欠如である。たしかに激しい興奮は抑えられるのであるが，人間的な感情と社会的精神機能が著しく侵されてしまう。この手術によって得られるものよりも失うものの方がはるかに大きいという認識が徐々に広まり，1960年

トピック30

精神障害と神経伝達物質

　精神分裂病は，幻覚・妄想といった陽性症状（正常では存在しない症状）と感情鈍麻・意欲欠如といった陰性症状（あるはずのものが欠如した症状）が6カ月以上にわたって持続する病気である。思春期から30歳代にかけて，ほぼ100人に1人の割合で発症する。古くは不治の病とされてきたが，現在では抗精神病薬の服用とリハビリを通じた社会復帰が可能になっている。

　精神分裂病には，**ドーパミン**と呼ばれる**神経伝達物質**の分泌異常が関係している。神経伝達物質とは，ある神経細胞から別の神経細胞に信号を伝える化学物質である。脳の神経回路は，電気信号（活動電位）と化学信号（神経伝達物質）の両方で動いている。ある神経細胞が興奮すると，活動電位が神経線維を走り，末端にあるシナプスというボタン型の構造から細胞外に神経伝達物質が放出される。それが10万分の1mm程度の隙間をへだてた向こう側の神経細胞にある受容体に結合することで，その神経細胞の興奮を引き起こす。

　幻覚や妄想といった精神分裂病の陽性症状は，脳の中央部（中脳辺縁系）でドーパミンが過剰放出されるために起こるといわれている。簡単にいうと，他の神経細胞を必要以上に興奮させてしまうことで，存在しない声が聞こえたり，ありえないことを強く確信したりするようになるのである。このような症状を改善するには，放出されたドーパミンの影響が他の神経細胞に伝わらないようにすればよい。そこで，相手側の神経細胞のドーパミン受容体に先回りして，それをふさいでしまう薬品が1950年代に開発された（クロルプロマジンやハロペリドール）。

　しかし，これらの薬には副作用があった。ドーパミンは精神分裂病とは関係ない神経系でも働いているので，抗精神病薬によって機能障害が起こるのである。例えば，筋肉が硬直して手足の震えや歩行困難が生じる。そこで，運動調節に関連した神経系のドーパミン作用は保ったまま，精神分裂病に関連する神経系のドーパミン作用だけを抑制する新世代の抗精神病薬が開発され，ごく最近になって日本でも使用できるようになった（オランザピン，リスペリドンなど）。

　精神分裂病だけでなく，うつ病や強迫性障害（強迫神経症）などについても，セロトニンやノルアドレナリンといった神経伝達物質との関連が指摘され，分子レベルでの研究が行われている。私たちの心の働きに影響する薬物（向精神薬）の合成とその作用機序の解明は着実に進んでいる。　　（入戸野　宏）

に入るとほとんど実施されることはなくなった。この時期に向精神薬が次々と開発され、薬物療法がしっかりと根をおろしたことも、大きな力となっている。

　前頭前野の各部位の機能はまだ十分には解明されていないが、前頭前野の上側（背外則部）は自発的行動のプログラミングとその場の状況モニタ、自己コントロールに関係しており、下側（眼窩領域）は性格と感情の統合をつかさどると考えられている。前者は自分で行動を選択して実行する働きであり、「自由意思」をつかさどっている。後者は自分と他者の関係、自分自身の事柄や経験、感情、知識などに関する意識であり、「自己意識」をつかさどっている。自我機能は自由意思と自己意識の2つによって構成されると考えると、前頭前野はまさに自我領域とみなすことができる。

3節　左脳と右脳の働き

　人間の大脳半球の機能はそれぞれ異なった進化をとげ、左右で性質の異なる情報処理が行われている。最も著しい左右差は言語機能である。すでに述べたように言語機能は話すことも理解することもその中枢領域は**左脳**に偏在しており、側性化が著しい。利き手も右利きが多く、運動神経の交叉性支配を考えると左脳の活動が優位であるということになる。このようにして行動を支配する優位半球を調べていくと、人間の行動の大部分は左脳に支配されているようにみえる。そこで左脳を優位半球、右脳を劣位半球と呼ぶことが多かった。ところがアメリカの神経心理学者スペリー（Sperry, R.）の「分割脳研究」により、**右脳**の機能が次々と明らかにされ、大脳半球の機能差研究は優劣比較から機能分担の解明へと様変わりした。

　人間の左右大脳半球は脳梁で結合され、相互に情報交換がなされるようになっている。重度のてんかんや脳腫瘍の摘出のために、脳梁が切断されることがある。このような脳を**分割脳**と呼ぶ。人間の視神経は右視野の映像は左脳の視覚野に投射され、左視野は右脳の視覚野に投射される。健常者では左右の視覚野の情報は脳梁を介して相互に転送され、復元される。ところが分割脳の患者では脳梁が切断されており、半球間の情報交換ができない。もちろん眼球を左右に動かせば、どちらの半球にも視野全体の情報をとりこむことはできる。眼

球は動き出すと非常に速い速度で回転できるが，動き出すまでに約0.2秒かかる。そこで0.1秒くらいの短い時間だけ瞬間提示すると，眼球運動が間に合わないので，それぞれの半球は視野の半分しか見ることができない。こうして半球に別々の情報を提示して判断を求めれば，左右の半球の機能を測ることができる。このような半球機能の測定法を**タキストスコープ法**という。

　スクリーンの右視野に単語や絵を瞬間提示すると，患者は単語を音読し，絵の名前を答えたり，右手で書くことができた。さらにスクリーンの下をカーテンで覆った状態で，単語と対応する品物を手探りで探すようにしても，右手で正しく探り当てることができた。一方，左視野に提示したときは，音読したり左手で書いたりすることはまったくできなかった。そこで口で答える代わりに，左手で品物を探り当てるテストを行うと，鍵の絵を見せると正しく鍵を探り当てることができる。さらにタバコの絵を見せて関連する品物を選んでもらうと，灰皿を探り当てることができる。ところが，まさに鍵を握った瞬間に「今あなたがつかんでいるものは何ですか」と質問しても，患者は戸惑うばかりで「わかりません」と答える。右脳は自分の手が正解を握っているのに，それを口に出して答えることはできない。声の主は左脳であり，右脳は自分の声をもっていないことがわかる。

　一方，図形の模写をしてもらうと，右手はほとんど模写することができない。図11.4は右利きの患者が左の見本を模写したものである。右手の書いた絵は立方体としての特徴をまったくとらえていない。これに比べると左手が書いた絵の方が，はるかに正確な模写となっている。積み木パズルでも，左手はさっさとつくってしまうが右手はほとんど解答できない。右脳が空間的・映像的な処理に優れていることを示している。このほか，和音の弁別など音楽的な情報

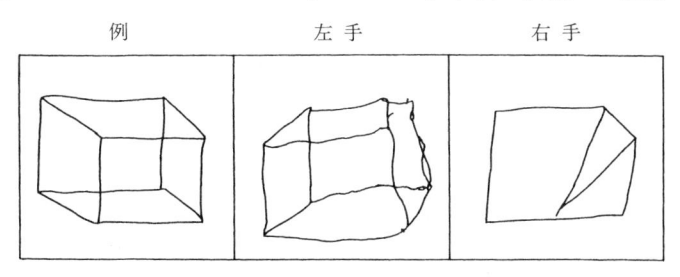

図11.4　分割脳患者の模写テスト（ガザニガ，春木訳，1972）

処理も，右脳の方がはるかに的確であることがわかっている。

4節　2つの心と一人の私

　脳梁切断という大手術のわりには，分割脳患者の性格や知能，記憶にはほとんど障害はでない。ところが，自分の左半身が思うように動かなかったり，勝手な動きをして困るという訴えが多い。例えば洋服ダンスを開けて服を選んでいると，左手がするすると伸びてきて，着ようと思った服とはまったく違う服を取り出したりする。勝手な動きをする左手。左手を支配する右脳には明らかに自由意思があり，自分の好みに合った服を選んでいる。ところが患者自身はそのことに困惑し，なぜ左手がそのような振る舞いをするのか理解できない。このことは，私たちの自己意識は左脳にあって右脳にはないことを示している。2つの自由意思がどのような関係を保ちながら，統一的な自己意識を形成しているのであろうか。

　ガザニガ（Gazzaniga, M. S., 杉下・関訳, 1987）は図11.5のような雪景色と鳥の足を瞬間提示してから，手もとの8枚のカードから関連のある絵を選んでもらった。右脳は雪景色を見ており，左手はスコップを指している。左脳は鳥の足を見ており，右手はニワトリを指している。どちらも正解である。ところが「どうしてそう答えたの？」とたずねると，驚くような答えが返ってきた。「それは簡単なことですよ，ニワトリの足はニワトリに関係があるし，スコップはニワトリ小屋の掃除に必要だからです」。左脳は雪景色を見ていない。見ていればこんなこじつけは言わ

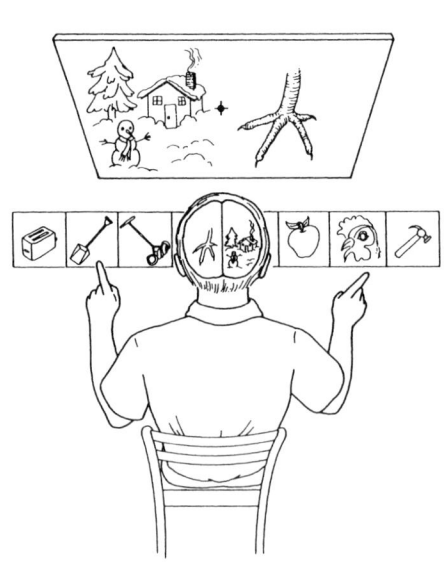

図11.5　絵合わせゲーム・テスト
　　　（ガザニガ，杉下・関訳，1987）

ずにすんだであろう。なぜ自分の左手はスコップを指しているのだろう。左脳の解釈機構は手もとの知識を総動員して推理し，筋のうまく通るような理屈を即座につくりあげたのである。左脳にある解釈機構は左右半球に宿る2つの自由意思に矛盾や葛藤が生じると，その不協和を解消するために発動される。行動の主体が矛盾なく統一的であり，個としての現実感を保つためには自我状態を調整する必要がある。そこで，2つの自由意思に折り合うところを探り，一つにまとめあげる機能が発達したと考えられる。

　左脳が口にする虚構は切り裂かれた自我が何とかして統一性を回復し，一人の私という個人の現実感をつくりだそうとする努力にほかならない。前節で自我機能は前頭葉にあることを述べた。このことと組み合わせると，意識される自我の座は左脳前頭葉にあり，右脳前頭葉の自由意思は本人にも気づかれることなく，無意識の世界に潜んでいると考えることができる。

5節　眠りと夢

1. ノンレム睡眠とレム睡眠

　睡眠研究では脳波，眼球運動，筋電図を同時記録する**睡眠ポリグラフィ**（polysomnography：PSG）によって睡眠状態を測定し，睡眠中の刺激応答性や意識体験の分析が行われる。図11.6は標準判定基準に基づく睡眠段階の特徴的な脳波パターンを示したものである。覚醒では8-12Hzのα波と14-40Hzのβ波が現れる。うとうとしてくると段階1の脳波が現れる。α波は不連続になり，2-7Hzの低振幅で周波数の低い波（徐波）が現れる。眼球はゆっくりとした振り子運動（SEM：slow eye movement）を示す。行動的には半睡状態であるが，眠っていたという答えはまれで，うとうとしていたが眠ってはいないと答える。段階2では12-14Hzの睡眠紡錘波とK複合という振幅の大きな3相性波が現れる。セム（SEM）は停止し，規則正しい寝息が始まる。起こしてたずねると，ほとんどが眠っていたと答える。段階3と4では0.5-2Hzの高振幅δ波が出現する。判定区間に占めるδ波の割合によって50％以上を段階4，20～50％を段階3に分類する。最も深い眠りで段階3と4をまとめて徐波睡眠と呼ぶこともある。

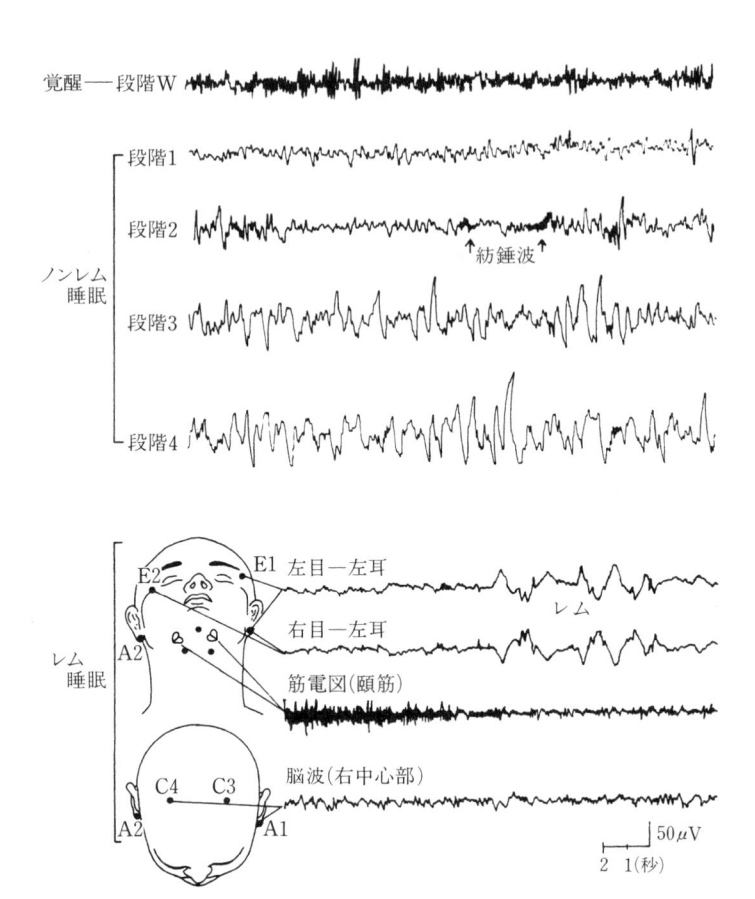

図11.6 睡眠段階の国際標準判定基準（Rechtschaffen & Kales, 1968, 清野訳, 1971を改変）

　眠り始めてから1時間半から2時間すると，脳波パターンは段階1に移行する。ところが入眠期と異なり，閉じたまぶたの下で眼球が急激な速さで運動を繰り返す。ふつう，**急速眼球運動**（REM：rapid eye movement）は緊張興奮状態で現れ，安静弛緩するとレムが起こる。睡眠中にレム（REM）が起こることは行動と矛盾しており，古くは逆説睡眠と呼ばれた。現在はレムを伴う睡眠を**レム睡眠**，レムのない睡眠を**ノンレム睡眠**と呼んでいる。またレム睡眠では顎や首の抗重力筋の緊張が著しく低下する。このレム睡眠はおよそ90分周期で出現するという周期性があり，ノンレム睡眠とそれに続くレム睡眠までを一

つの睡眠構成単位として，睡眠周期と呼ぶ。1夜にはこの睡眠周期が4，5回繰り返されるが，各周期を構成する睡眠状態の割合は一定ではない。深い眠りを示す徐波睡眠は初めの3時間に集中して出現する，一方，レム睡眠は周期ごとに持続が延長し，朝方は30〜40分持続する。睡眠は2つの睡眠の単純な繰り返しではないことがわかる。

2. ノンレム睡眠の夢，レム睡眠の夢

入眠期の段階1では入眠期特有の心像体験が起こる。鮮やかな視覚映像や聴覚心像が体験される。また，急に谷底に墜落するような落下体験や体が浮き上がる浮遊体験も，うとうと状態に特有の体験である。誰にでも起こる日常的な体験であるが，超現実主義者は好んで芸術資源として活用し，修行僧には修行の妨げと忌み嫌われてきた。

段階2以降でも夢体験はあるが，断片的で鮮明度はレム睡眠の夢に比べると低い。寝言はノンレム睡眠のどの睡眠段階でも起こるが，起こして聞いても寝言を裏づけるような夢の体験はほとんどない。睡眠中に歩き回る睡眠遊行は段階3，4の徐波睡眠中に起こるが，夢の体験はまったくない。寝ぼけた状態で歩き回っているので睡眠遊行が呼び名として正しく，夢中遊行という呼び名は今日用いられていない。

レム睡眠に入ると夢の報告率は80％程度に高くなる。物語性もあり映像も色彩豊かで鮮やかである。私たちが夢と呼んでいるものはレム睡眠の夢と考えてよいだろう。レム睡眠中の寝言は顎の筋肉が脱力しているので，うまく発音できず不明瞭であるが，発語筋の筋電位を指標にして起こして聞いてみると，夢の中で人に話しかけており，会話の内容も寝言とよく一致している。青年期に多い金縛り体験は，レム睡眠の夢見状態と骨格筋の脱力状態に関連したもので，夢を現実のことと思い込み，脱力を麻痺と受けとめることによって起こる。

3. 動物の夢と夢幻様行動

レム睡眠は鳥類以上の動物に広く認められる眠りである。イヌやネコがスフィンクスのような格好をして眠っているときはノンレム睡眠である。レム睡眠になると首の筋肉の力が抜けるので，横倒しになって眠る（図11.7）。このレ

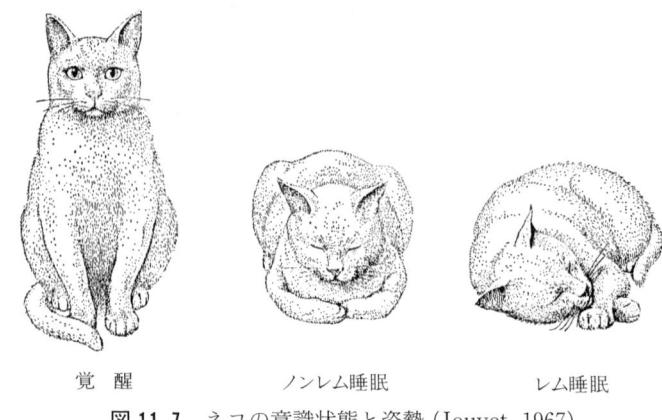

覚　醒　　　　　ノンレム睡眠　　　　レム睡眠
図 11.7　ネコの意識状態と姿勢 (Jouvet, 1967)

ム睡眠中に起こる抗重力筋の脱力は，脳幹の橋にある青斑核アルファという部位からの命令で起こる。この部位を破壊すると脱力が起こらなくなる。このような手術を受けたネコは，レム睡眠になるとムックリと起き上がって，まるで獲物を取ろうとするかのように飛びかかったり，何かに怯えて後ずさりしたりする。好物のマウスをそばに置いても目もくれず，攻撃や防御の行動を続けるが，レム睡眠が終わると再び静かに眠りだす。ジュベ（Jouvet, M., 北浜訳, 1997）はこの行動を**夢幻様行動**（oneiric behavior）と呼んでいる。この実験結果から動物のレム睡眠も夢の体験と深くかかわっていること，そしてレム睡眠中の脱力は睡眠状態の維持と，動き回って天敵に発見される危険を防ぐのに役立っているとしている。ジュベらは，夢幻様行動の大部分が捕食行動や逃避行動など個体の維持に関連するところから，夢は脳内の危機管理システムにシミュレーションデータを入力して，システムのテストをしたり新しいネットワークを構築する過程の産物ではないかと考えている。

（堀　忠雄）

──☞さらにもう一歩先へ──

1. 脳と快感について調べてみよう。オールズ（Olds, J.）は自己刺激実験から大脳辺縁系に快反応に関与する部位（脳内報酬系）があることを明らかにした。この研究から快感に関係する神経の分布や関与する神経伝達物質などが明らかになった。最近ではエンケファリンなどの脳内麻薬の関与などが注目

2. 時差症状と生体リズムについて調べてみよう。時差が4～5時間もあるような地域をジェット機で移動すると，脳内の生物時計の時刻と現地の時刻にズレが起こり，時差症状が現れる。症状の現れ方から，私たちの生活行動のうち時刻依存性の強いものはどれか知ることができる。また，東行きフライトに比べ西行フライトの方が時差症状が軽い，その理由を調べてみよう。

引用・参考文献

ガザニガ, M. S. 春木 豊（訳） 1972 脳の中の分業 本明 寛（監訳） 別冊サイエンス 特集：不安の分析 日本経済新聞社 pp. 23-30.

ガザニガ. M. S. 杉下守弘・関 啓子（訳） 1987 社会的脳 青土社

ゲシュヴィント, N. 山河 宏（訳）1979 脳と精神活動 サイエンス, **9**, 126-137.

堀 忠雄 1995 脳の非対称性――右脳と左脳 根平邦人（編著）「左と右」で自然界をきる 三共出版

堀 忠雄 2000 快適睡眠のすすめ 岩波新書

堀 忠雄・齊藤 勇（編） 1992 脳生理心理学重要研究集1：意識と行動 誠信書房

堀 忠雄・齊藤 勇（編） 1995 脳生理心理学重要研究集2：情報処理と行動 誠信書房

Jouvet, M. 1967 The states of sleep. *Scientific America*, **216**, 62-72.

ジュベ, M. 北浜邦夫（訳） 1997 睡眠と夢 紀伊國屋書店

三上章允 1991 脳はどこまでわかったか 講談社現代新書

宮田 洋（監修） 1998 新生理心理学1：生理心理学の基礎 北大路書房

宮田 洋（監修） 1997 新生理心理学2：生理心理学の応用分野 北大路書房

宮田 洋（監修） 1998 新生理心理学3：新しい生理心理学の展望 北大路書房

Penfield, W. & Boldrey, E. 1937 Somatic motor and sensory representation in the cerebral cortex of man as studied by electrical stimulation. *Brain*, **60**, 389-443.

Penfield, W. & Rasmussen, T. 1957 *The cerebral cortex of man : A clinical study of localization of function.* Macmillan.

Penfield, W. & Roberts, L. 1959 *Speech and brain mechanism.* Princeton University Press.

Rechtschaffen, A. & Kales, A. 1968 清野茂博（訳） 1971 睡眠脳波アトラス――標準用語, 手技, 判定法 医歯薬出版

テンプル, C. 朝倉哲彦（訳） 1997 脳のしくみとはたらき――神経心理学からさぐる脳と心 講談社ブルーバックス

鳥居鎮夫（編） 1999 睡眠環境学 朝倉書店

12章 生理

　種々の条件下に人間の生理反応を測定する方法は，ここ30年間に飛躍的な進歩をとげてきた。その大きな理由は，測定機器が高性能となり，かつ価格も手ごろになってきたこと，さらには各種心理検査がカバーしきれない心の動きを，生理指標はフォローできるようになってきたことである。生理指標は心の客観的な評価・診断ツールとして利用されている。この章では，一般的に使用される生理指標と心理変数との対応関係を概説する。また，心の健康に着目し，健康とストレス，およびスポーツの心理効果をとりあげて，生理心理学の視点から解説する。

1節　心を測る生理指標

1. 脳　波

　脳の電気活動を頭皮上から測定したものが**脳波**である。最近では，注意，期待，意欲，動機づけなどが脳波で観察できるようになってきた。

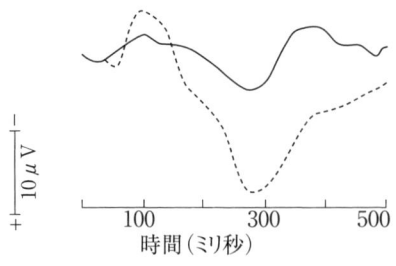

図 12.1　低頻度の標的音刺激で出現するP300 (Squires et al., 1977)

　脳波の測定中に短発の光や音を刺激として与えても，微弱な脳波の変化は観察できない。ところが刺激を頻回与え，刺激時点に合わせて脳波を加算平均すると，刺激に応じた変化成分が背景から浮かび上がってくる。脳波の測定中に提示頻度の異なる2種類の音刺激を無作為に提示し，高頻度の音刺激は無視して，低頻度の標的音刺激のみを検索させる課題では，低頻度の標的音刺激に対する潜時300msの電位成

分（振れがプラス方向なので，P300と呼ばれる）は増大している（図12.1）。P300には注意の有無が反映している。

最初に警告刺激（S1）を提示し，一定時間後（数秒間）に命令刺激（S2）を提示する。この命令刺激に対してただちにボタン押しをさせる。この試行を十数回繰り返し，S1時点に合わせて脳波を加算平均すると，S1とS2の間に陰性変動が生じる。この陰性変動を**随伴陰性変動**（CNV）と呼ぶ。図12.2のように，注意集中，注意妨害，注意散漫などが，CNVの振幅や形態上に反映している。

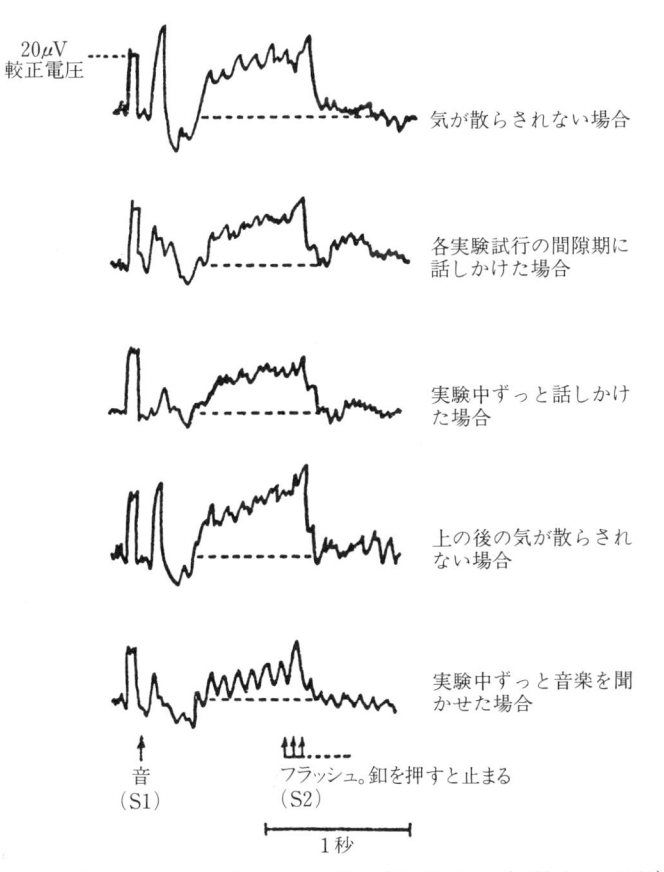

図12.2 種々の状況下に出現するCNV（McCallum & Walter, 1968）

トピック31

脳のイメージング法

　ヒトの脳活動を非侵襲的に計測し，解析結果を可視的に表示する，いわゆる**脳のイメージング（非侵襲脳機能計測）**は，近年飛躍的な発展をとげた。そのきっかけとなったのがfMRI（機能的核磁気共鳴画像）であり，現在，神経科学・臨床医学・生理心理学などの広汎な分野で用いられている。図は，各種の脳活動計測法の時間分解能，空間分解能，侵襲性と，各計測法が一般的に使用可能となった年代を示している。

　ヒトの脳活動イメージングの最大の課題は，非侵襲的に空間分解能（脳のどの部位が活動したか）と時間分解能（その部位がいつ活動したか）をどこまで向上させられるかに尽きる。fMRIの登場により，現在ではヒトの第一次視覚野の眼優位性コラム（Ocular dominance column）の活動を計測できるところまで空間分解能が向上してきている。

　脳のイメージング法は，計測対象から大きく2種類に分けられる。一つは脳内の局所血流量を計測する方法（PET，fMRI，NIRS）であり，空間分解能は高いが，血流の変化は実際の脳の神経細胞の活動と比べて遅い変化しか示さないため時間分解能は低い。また，神経細胞の活動と局所血流量の変化が完全に相関しているかに関しても未だ論議がある。一方，神経細胞の電気的活動に伴う電位・磁場の変化（EEG，MEG）を計測する方法は，時間分解能は高いが，活動部位に関しては種々の計測誤差や推定誤差が含まれるため，空間分解能は低い。今後は，空間分解能の高い計測法（fMRI，PET）と時間分解能の高い計測法（MEG，EEG）を組み合わせる（図）マルチモーダル計測が主流になっていくと思われる。

　　　　　　　　　　　　　（宮内　哲）

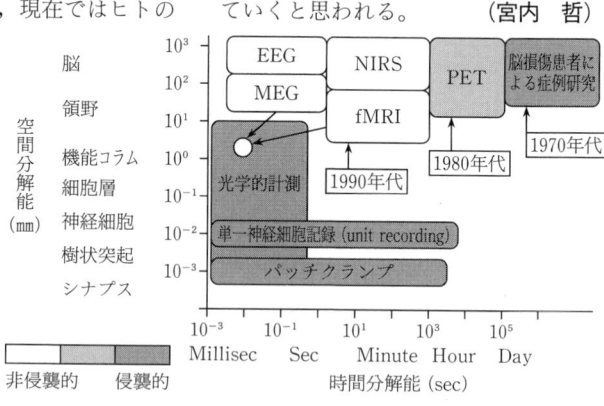

MEG : Magnetoencephalograhy, EEG : Electroencephalography, NIRS : Near Infrared Spectroscopy, fMRI : functional Magnetic Resonance Imaging, PET : Positron Emission Tomography

図　脳機能計測法の侵襲性と時間および空間分解能

2. 瞳孔変化

瞳孔は自律神経系の支配を受け，**交感神経**の興奮で散大し，**副交感神経**の興奮で縮小する（表12.1）。サメ，半裸の男性，洋服着用の男性，半裸の女性の各スライドを男女の被験者に提示して瞳孔の変化を調べた結果，サメのスライドに対して，男性では瞳孔が散大するが，女性では瞳孔が縮小する。半裸の男性スライドに対して，男性はほとんど瞳孔変化を示さないが，女性では瞳孔が散大する。洋服を着た男性スライドに対して，男性は瞳孔が縮小し，女性は瞳孔が散大する。半裸の女性スライドに対して，男性は大きく瞳孔を散大するが，女性の瞳孔は縮小している（図12.3）。この結果は興味や関心に性差があることを物語っている。瞳孔が散大することは，興味や関心が強いことであり，心が大きく動いた（交感神経が興奮した）と解釈できる。

表12.1　自律神経の機能

臓器	交感神経活動	副交感神経活動
心臓	心拍数増加 筋力増大	心拍数減少 筋力減弱
血管	一般に収縮 （骨格筋はコリン性）	
瞳孔	散大	縮小
毛様体筋		収縮（遠近調節）
涙腺		分泌促進
唾液腺	分泌（軽度に促進）	分泌促進
汗腺	分泌（コリン性）	——
消化管	運動抑制（括約筋促進） 分泌抑制	運動促進（括約筋抑制） 分泌促進
胆嚢	弛緩	収縮
膀胱	弛緩	収縮

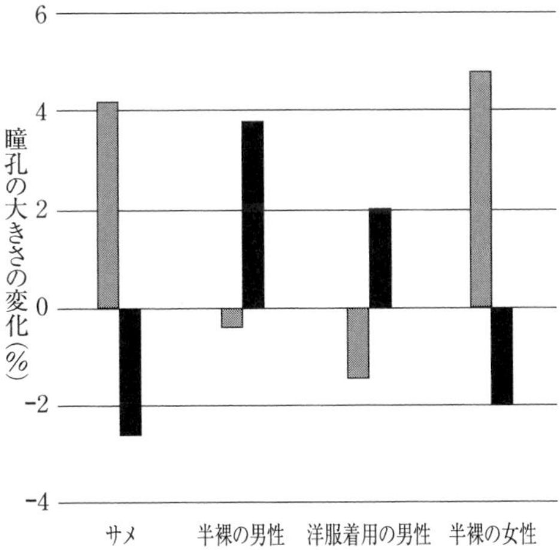

灰色のバーは男性，黒色は女性，変化量プラスは瞳孔散大，マイナスは縮小を示す。

図 12.3　4種類の異なるスライドに対する男性と女性の瞳孔変化（Hess, 1965）

3. 皮膚電気反応

環境温や体温上昇による発汗は温熱性発汗と呼ばれ，体温調節の重要な役目

を果たす。手掌や足底の発汗は温熱性発汗とは異なり、心理的な要因によって出現する。それゆえに、手掌や足底の発汗は精神性発汗と呼ばれている。この精神性発汗を電気抵抗変化や電位変化として測定したものが**皮膚電気反応**である。嘘発見器に応用されるのは、嘘をついたときの心の乱れが、皮膚電気反応として発現するからである。皮膚電気反応は不安が強いと多発する。精神性発汗は交感神経に支配されている。

4. 心　拍　数

　心臓の興奮と収縮に伴う電気現象を身体表面から導出し、時間経過を記録したものが**心電図**である。心電図の基本的な形態はＰ・Ｑ・Ｒ・Ｓ・Ｔ・Ｕの各波からなるが、心室興奮から収縮の初期に出現し、他の波よりもとりわけ振幅の大きな棘波を**Ｒ波**と呼ぶ。心電図の連続記録中に出現するＲ波とＲ波の時間間隔を順次計数し、分時値に変換したものが**心拍数**である。激すれば心拍数が増加し、穏やかな心は心拍数を減少させる。成人の１分間あたりの心拍数は、安静時が60〜70拍であるが、不安にかられると120〜150拍もの値を示す。

5. 脈　　波

　脈波は皮膚の毛細血管運動反応を測定したものであり、毛細血管の容積変化として光電的にとらえることが多い。毛細血管は交感神経支配を受け、交感神経の興奮で毛細血管は収縮する。交感神経の緊張が低下すると、毛細血管は元の状態に戻る。通常は、毛細血管に富む指尖から測定する。怒りや不安にかられると顔が青ざめる。これらは毛細血管の働きによるものである。脈波は情動を調べる生理指標に適している。

6. 呼　　吸

　呼吸は誰もが自覚できる生理現象である。随意的にも統制できるが、不随意的な側面も同時にもっている。睡眠中に意識することなく呼吸ができるのは、この不随意的な側面による。思わず出るため息や、恐怖におそわれ息を飲み込む所作、不安で息がつまるなど、呼吸は心理的な状態をよく反映する。測定法は容易なので、他の指標と同時併用されることが多い。

7. バイオフィードバック

バイオフィードバックは被験者自身が感知できない生理変化を，何らかの方法で被験者に知らせる手法である。**リラクセーション**の客観的な手法として利用されている。リラックスを求めている被験者の脳波を測定し，**α波**（リラックス時の脳波）が出現したときには，心地よい音に，**β波**（緊張時の脳波）が出現したときには，少し不快な音に脳波を変換して被験者に聞かせる（フィードバックする）。心地よい音が連続して聞けるよう何とか努力するようにと教示しながら，繰り返し練習させると，徐々に心地よい音が連続して聞けるようになる。努力の方略は被験者間で異なるが，結果的にはα波の出現量をセルフコントロールしたことになる。この例は脳波のバイオフィードバックであるが，他の生理指標でも同様に使用できる。セルフコントロールをマスターするには，かなりの時間を要するし，マスター後にも継続的な訓練・練習が必要である。

2節　健康とストレス

ストレスには物理的ストレス（寒さ暑さ，湿度，騒音），生理的ストレス（疲れ，病気），精神的ストレス（不安，心配，恐怖）などがある。一般的にはストレスという用語で，ストレスの全過程を語ることが多い。しかし，ストレス病を例にしてみると，病気の原因があり，その結果として病気が生じたわけである。したがって，詳しくいえば，この病因にあたるものがストレス因子（**ストレッサー**）であり，結果はストレス状態もしくはストレス反応ということになる。

ストレスは健康にとって厄介な代物である。消化器潰瘍はしばしば不安，怒り，恐れ，苦悩，葛藤などの負の情動因子によって生じる。心臓発作，卒中，喘息，月経障害，頭痛などは，ストレスなしにも生じるが，ストレスが加わるといっそう悪化する。負の情動に伴う生理的な反応は，ライバルを威嚇したり，ライバルと闘争したり，時には危険な状況から逃げ去るといった緊急対策準備用として生じるものである。この生理反応は「闘争か逃走反応（fight or flight response）」とも呼ばれている。

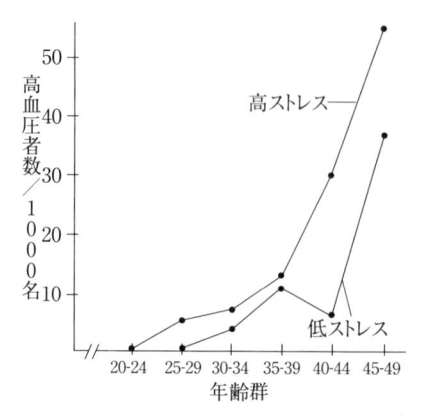

図12.4 高ストレス・低ストレス空港に勤務する航空管制官の高血圧発症率 (Cobb & Rose, 1973)

敵を脅したり，敵と闘争したり，または危険な状況から逃げ去れば，脅威は消失し，情動に伴った生理反応は正常にもどる。したがって，情動反応の持続が短いかぎり，健康が害されることはない。しかし，時には脅威状況が持続することもある。当然，情動反応も連動して持続する。ローカル空港（低ストレス）の航空管制官よりも，国際空港（高ストレス）の航空管制官には高血圧者が多い。年齢を重ねるにつれて高血圧はさらに悪化し（図12.4），潰瘍や糖尿病にも罹りやすくなる。発着便数が非常に多く，瞬時の判断ミスでいつでも航空機事故が起こりうる，という強力なストレスに常に彼らはさらされているからである。

1．ストレス反応の生理

情動は行動系，自律神経系，内分泌系の3つの反応から構成される。脅威状況では力強い活動が要求される。そのためには身体のエネルギーを総動員しなければならない。この時点で，自律神経系と内分泌系が反応を開始する。自律神経系の交感神経は活発に働き出し，同時に副腎髄質は**エピネフリン，ノルエピネフリン**を，副腎皮質は**ステロイドホルモン**を分泌する。エピネフリンは筋のグリコーゲンをグルコースに変えて，激しい活動を支えるエネルギー源にする。ノルエピネフリンは心拍出量を上昇させ，筋の血流量を増加させる。ステロイドホルモンの一種である**グルココルチコイド（コルチゾル）**は，タンパクをグルコースへ変換して，激しい活動を支えるエネルギー源にする。

グルココルチコイドはストレスに対する適応ホルモンであり，短期ストレスに対するこのホルモンの有効性は非常に大きい。しかし，このホルモンが長期に分泌する（ストレスが持続する）と，血圧上昇，筋組織の損傷，糖尿病，不妊症，身長が伸びない，傷が治りにくい，免疫系が低下する，などの甚大な悪

トピック32

リラクセーション技法

　リラクセーションは，緊張，不安，ストレスなどと対比されるが，休息や眠りの状態ではない。それは，場面や状況の必要性に応じて，心身の緊張と弛緩の間の最適なところに自分をおくように自己調節することである（春木豊ほか，1993）。心身のリラクセーションを得るための方法には，ジェイコブソン（Jacobson, E.）の漸進的弛緩法，シュルツ（Schultz, J. H.）の自律訓練法，ベンソン（Benson, H.）の弛緩技法，バイオフィードバック法，認知行動療法，瞑想法，呼吸法，音楽療法，アロマテラピー，スポーツ・運動，芸術，趣味などさまざまなものがある。以下に，代表的な技法をいくつか示す。

　(1) **漸進的弛緩法**：筋肉の緊張を緩めることで，心身の弛緩をはかる方法である。原法は，訓練手続きが綿密だが，習得に多くの時間を要するので，ウォルピ（Wolpe, J.）によって簡易弛緩訓練法が考案されている。日本でも，松原秀樹（1983）が簡易な筋弛緩法として体系化している。松原の方法は，腕，顔，首，肩（第1段階），胸，腹，背中，腰，脚（第2段階），全身（第3段階）の順に，弛緩の練習を進めるものである。練習では，身体の各部位または全身に70～80％の力を入れて緊張してから，それを一挙に抜き，しばらくじっとしたまま緊張が弛んでいく感じを味わうようにする。

　(2) **自律訓練法**：一定の公式すなわち自己暗示の言葉を自ら唱えることによって，自律神経系の興奮を鎮め，心身の弛緩をはかる方法である。この治療体系の中で最も基本的な標準練習では，安静感，四肢の重感，四肢の温感，心臓の調整，呼吸の調整，腹部の温感，額部の涼感をめざす。

　(3) **認知行動療法**：緊張やストレスに対処するために使用できる認知行動療法の技法として，認知再構成法や自己教示訓練がある。前者は，非機能的な考え方を，論駁や対話（自分で行うことも可能）によって変えることを通して，後者は，自分自身に適切な言葉を言い聞かせ，自分に語っている非機能的な言葉を機能的なものに置き換えることを通して，問題を改善しようとするものである。　　　　（根建金男）

引用文献
春木　豊・児玉昌久・坪井康次・平井　久　1993　リラクセイションとは何か（座談会）　平井　久・廣田昭久（編）リラクセイション――こころとからだのリラックス（現代のエスプリ311）　至文堂　pp. 9-31.
松原秀樹　1983　リラクセーションの基礎と実際　適性科学研究センター

影響が現れる。高血圧は心臓発作や脳卒中の原因になる。

2. 対処反応

長時間の奮闘努力や極端な寒さは、当然ストレス反応をもたらし、直接的なダメージを私たちに与える。しかし、厳しさの状況は個人の体力に依存する。一方、恐怖や不安をもたらすストレスの影響は、私たちの状況認知と情動反応に依存する。すなわち、気質や経験といった個人差により、同じストレス状況でもストレスと感じる者と、感じない者が存在する。

嫌悪刺激がストレス反応に直結するかどうかを決定する最重要な変数は、ストレス状況のコントロール性にある。嫌悪刺激の回避学習ができたラットでは、情動反応が消失する。このように、嫌悪状況をコントロールできるということが、動物のストレス反応を減少させる。人間でも同じである。

3. 精神免疫学

ここでは心理と免疫について述べるが、まず**免疫系**の働きを概説する。免疫は外部から侵入するバクテリア、真菌類、ウィルスを攻撃し、生命維持に貢献する生体防御システムである。白血球（リンパ球）は血流、リンパ管流に乗って、くまなく全身をパトロールしている。免疫反応には非特異的なものと特異的なものがある。

a 非特異的な免疫反応

炎症反応を起こしている組織があれば、局所血流循環を増加させる物質を分泌し、毛細血管から体液を漏出する。この体液の漏出が白血球の食細胞（マクロファージ）を引き寄せ、外部から侵入したバクテリア、真菌類、ウィルスを攻撃・破壊させる。ウィルスに細胞が感染すると、感染細胞はインターフェロンを放出し、ウィルスの増殖を抑える。NK（ナチュラルキラー）細胞は組織をパトロールし、ウィルスに感染した細胞や癌化した細胞に出会うと、その細胞を飲み込み破壊する。NK細胞は悪性腫瘍に対抗する第一の防御にあたる。

b 特異的な免疫反応

(1) 化学的な媒介：骨髄由来のBリンパ球が放出する抗体（免疫グロブリン）。感染性の微生物は膜表面に抗原と呼ばれる特殊なタンパクをもつ。これが体内

12章 生 理

侵入すると免疫系は抗原を認識し，特殊な抗体を生成放出する。この抗体が抗原を認識して微生物を殺す。抗体には特殊なリセプターがあり，侵入者の特定の抗原と結合して侵入者を直接殺す。また他の白血球を呼び寄せて，侵入者を破壊させる。

(2) 細胞媒介：胸腺由来のTリンパ球の抗体。Tリンパ球は真菌類，ウィルス，多細胞の寄生虫を直接やっつける。また他の白血球を呼び寄せる信号を出し，侵入者を破壊させる。

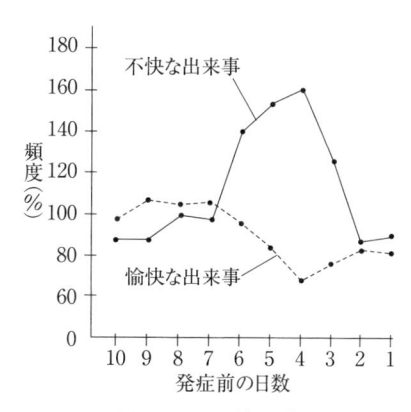

図12.5 風邪をひく前に遭遇していた出来事（Stone *et al*., 1987)

C ストレスによる免疫機能の低下

アルツハイマー病の患者を家族で介護しているケースでは，家族者の免疫系が低下している。夫の免疫系は妻の死で低下する。不快な情動経験をイメージしただけで，免疫反応は減少する。このように，ストレスは全般的に免疫系の機能を低下させる。免疫系の機能が低下すると，感染症に罹患しやすくなる。最終試験期間中の医学部学生を調べたところ，急性の感染症に罹患しやすくなっていたという報告もある。また，上気道感染症（風邪）の患者に，発症前の10日間にわたる出来事を記述させたところ，発症前の6日から2日にかけて，不快な出来事が非常に多かったというデータもある（図12.5）。

3節 スポーツの心理効果

スポーツが健康や社会生活へ及ぼす心理効果については，これまでに多くの研究が重ねられてきた。これらの研究成果を要約すると以下のようになる。スポーツをすることで，①不安が軽減する，②抑うつが改善する，③気分がよくなる，④パーソナリティが変化する，⑤健康的な日常習慣が身につく，⑥心臓循環系に問題がなくなる，⑦ルール化されたスポーツ活動は攻撃性の処理に適している，⑧その結果コントロールのきかない攻撃性が防止できる，⑨加えて望ましくない反社会的行動が防止できる。

ここでは，スポーツの生理心理学的な研究を概括し，次にスポーツによる不安や抑うつの軽減と快感情をもたらす生化学的なメカニズムを述べる。

1. 生理心理学的な研究

情動喚起刺激は前頭部脳波の左右差に反映されるという仮説（Davidson, R. J., 1993）が提唱され，スポーツの心理効果を説明する動きがある。この仮説を検証するために，ペトラゼロとテイト（Petruzzello, S. J. & Tate, A. K., 1997）は20名の大学生を対象に，脳波・感情・運動の相互関係を調べた。各被験者には，30分からなる以下の3条件，①非運動条件（コントロール），②55％ $\dot{V}O_2$ max での自転車エルゴ，③70％ $\dot{V}O_2$ max での自転車エルゴ，をそれぞれ課した。脳波と感情状態は各条件前と，条件後0，5，10，20，30分の時点で評価した。その結果，コントロールと55％の運動条件間に有意差はなかったが，70％の運動条件では，運動前に左前頭部の脳波が相対的に賦活していた被験者は，運動後には快感情が増加し，状態不安は軽減していた。また，運動後に極端な左前頭部の脳波賦活を示した7名の被験者も不安の軽減を報告した。一方，運動後に極端な右前頭部の脳波賦活を示した7名の被験者は，不安の増加を報告した。最近の研究によれば，快感情には左脳が，不快感情には右脳がそれぞれ関与するといわれている。

2. 生化学的な研究
a　カテコルアミン仮説

運動と内分泌や情動反応の研究から，内分泌機能と快感情には密接な関係があり，運動のストレス軽減効果が理論づけられいる。とりわけ，内分泌腺にかかわる視床下部の統合機能がこれらの効果に深く関連している。具体的なホルモン名は副腎髄質から分泌される**カテコルアミン**（エピネフリン，ノルエピネフリン）と副腎皮質から分泌されるコルチゾルである。

抑うつの調節に関係するこれらホルモンの役割を調べた初期の研究と，運動がカテコルアミンの分泌を高めるというその後の研究結果から，カテコルアミンは運動中の情動変化に関係していると考えられている。同様に，ランニング後に生じる血漿コルチゾルの増加は，抑うつの軽減に関係するといわれている。

トピック33

脳内麻薬

　危険なイメージのある麻薬が，脳の中でつくられるというと不思議な気がする。しかし，モルヒネやヘロイン（モルヒネの誘導体）などの「脳外」麻薬が発見されるずっと昔から，「脳内」麻薬は存在していた。逆にいえば，人類はこの**脳内麻薬**に似た作用をする化学物質を麻薬として利用してきたのである。

　モルヒネは，ケシの実から抽出した汁を乾燥させた褐色のかたまり（アヘン，オピウム）を精製して作る薬物である。苦痛を和らげる鎮痛剤として医療用に使われる（モルヒネという語は，ギリシア神話の眠りの神ヒプノスの息子で夢の神モルヒウスに由来する）。そのモルヒネに対する受容体（オピオイド受容体）が脳の中に存在することが1973年にアメリカの研究グループによって発見された。さらに，このオピオイド受容体に作用する物質が脳内でも合成されていることが相次いで発見され，脳内麻薬（ブレインオピエイト）と呼ばれるようになった。これらはアミノ酸がつながってできた神経ペプチド（小型のタンパク質）であり，代表的なものに，エンケファリンとβ（ベータ）-エンドルフィンがある。エンケファリンは最初に発見された脳内麻薬で，5つのアミノ酸からなる。また，β-エンドルフィンはエンケファリンの5つのアミノ酸を含む31のアミノ酸から構成されており，これまでに発見されたなかで最強の鎮痛作用をもつ化学物質である。これらの脳内麻薬は，モルヒネと同じように鎮痛作用や爽快感をもたらすが，通常の麻薬と異なり，不要になれば酸素によって分解されて無害なアミノ酸に戻る。

　脳内麻薬が広く一般に知られるようになったきっかけとして，**ランナーズハイ**（走行中の気分高揚体験）があげられる。これはランニングを続けていると，その苦痛に対抗して脳内麻薬が分泌され，むしろ快感を覚えるようになる現象である。修行僧やヨガの行者が苦行によって宗教的体験を得ることにも，脳内麻薬が関係しているといわれる。また，最近の研究で，ギャンブルに熱中している人はβ-エンドルフィンの分泌量が多くなっているという報告もある。

　マリファナ（乾燥大麻）は，モルヒネとは別系統の幻覚剤であり，カンナビノイドがその主成分である。これが作用する脳の中の受容体（カンナビノイド受容体）も最近になって発見された（1990年）。現在，カンナビノイド受容体に作用する脳内物質の正体とその機能についての研究が急ピッチで進められている。

（入戸野　宏）

b　エンドルフィン仮説

エンドルフィンは運動によって増加し，気分の高揚をもたらすことが知られている。とりわけ，「エンドルフィンハイ」「ランナーズハイ」という用語は，一般的にも使用頻度が高い。エンドルフィンは内因性のモルヒネとして知られているが，アヘンから抽出される薬物モルヒネと同じ作用効果をもつ。エンドルフィンの生理学的機能は詳細に解明されてはいないが，痛みの情報を伝達する中枢神経系の受容体や，気分や情動に関与する脳領域の特異的受容体に関連すると考えられている。運動によって脳下垂体から血中に放出されるエンドルフィンは，有意な一過性の増加を示すことが知られている。

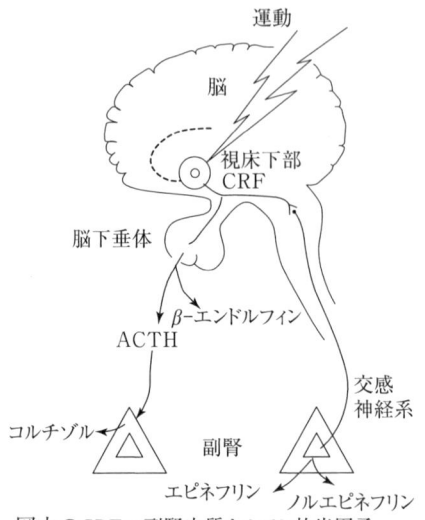

図中のCRF＝副腎皮質ホルモン放出因子，ACTH＝副腎皮質刺激ホルモン。

図12.6　運動時の脳下垂体・副腎系応答と β-エンドルフィンおよびカテコルアミンの誘出過程（浅野，1989の一部改変）

図12.6には運動時に生じる脳下垂体・副腎系の応答と，エンドルフィンの仲間である β-エンドルフィンおよびカテコルアミンの誘出過程を示した。

最高3時間～3時間半のマラソンをさせて，走行前・中・回復時の β-エンドルフィン濃度を調べた研究がある。これによれば，ゴール時の β-エンドルフィンは，走行前に比較して約10倍以上の高値を示している。ゴール後の回復30分間でもほぼ最高値を持続しており，回復1時間でも走行前の約5倍の高値を維持していたという。

〔山崎勝男〕

☞さらにもう一歩先へ

1．fMRIやPET装置の使用で，解明されてきた心の働きは何かを考えてみよう。
2．嘘発見器の生理心理学的な原理は何かを考えてみよう。

引用・参考文献

浅野勝己　1989　運動と加齢　石河利寛・杉浦正輝（編著）　運動生理学　建帛社　pp. 435-480.

Carlson, N. R.　1995　*Foundations of physiological psychology*. Allyn & Bacon.

Cobb, S. & Rose, R. M.　1973　Hypertension, peptic ulcer, and diabetes in air traffic controllers. *Journal of American Medical Association*, **224**, 489-492.

Davidson, R. J.　1993　Cerebral asymmetry and emotion: Conceptual and methodological conundrums. *Cognition and Emotion*, **7**, 115-138.

Hess, E. H.　1965　Attitude and pupil size. *Scientific American*, **212**, 46-54.

McCallum, W. C. & Walter, W. G.　1968　The effect of attention and distraction on the contingent negative variation in normal and neurotic subjects. *Electroencephalography and Clinical Neurophysiology*, **25**, 319-329.

宮田　洋（監修）　藤沢　清・柿木昇治・山崎勝男（編）　1998　新生理心理学1：生理心理学の基礎　北大路書房

宮田　洋（監修）　柿木昇治・山崎勝男・藤沢　清（編）　1997　新生理心理学2：生理心理学の応用分野　北大路書房

宮田　洋（監修）　山崎勝男・藤沢　清・柿木昇治（編）　1998　新生理心理学3：新しい生理心理学の展望　北大路書房

Petruzzello, S. J. & Tate, A. K.　1997　Brain activation, affect, and aerobic exercise: An examination of both state-independent and state-dependent relationships. *Psychophysiology*, **34**, 527-533.

Squires, K. C., Donchin, E., Hering, R. I. & McCathy, G.　1977　On the influence of task relevance and stimulus probability on the event related potential components. *Electroencephalography and Clinical Neurophysiology*, **42**, 1-14.

Stone, A. A., Reed, B. R. & Neale, J. M.　1987　Changes in daily event frequency episodes of physical symptoms. *Journal of Human Stress*, **13**, 70-74.

上田雅夫（監修）　児玉昌久・山崎勝男・竹中晃二・吉川政夫・谷口幸一（編）　2000　スポーツ心理学ハンドブック　実務教育出版

II 部
心理学の応用

13章　臨床心理学

　何らかの理由で自分の時間を生きるのが難しくなったクライエントに対して，少しでも彼が主体的に自分の人生の物語を生きられるように援助する援助専門職が心理臨床家の仕事である。医学がえがきだす疾患とクライエントが実際に悩んでいる病の体験との間には，大きな落差があって，客観的なデータをどれだけ積み上げても，それは病の体験そのものをえがきだすことにはならない。そこで，実証に基づく臨床心理学を基本としながらも，質的研究としての物語による方法を重視するのが臨床心理学の特徴である。

1節　臨床心理学とは何か

1. 臨床心理学の目的

　臨床心理学とは，人間の心理的適応・健康や発達，自己実現を援助するための，心理学的人間理解と心理学的方法を，実践的かつ理論的に探求する心理学の一領域である（野島一彦，1995）。

　臨床心理学の目的は，病理の治療ではなく，心理的課題の解決を援助することにある。心理的援助を必要としている人は多数存在しており，症状を有する人はそのうちの一部である。心理的課題の中には精神医学的病理が含まれる場合もあるが，臨床心理学では，その病理を抱えてどのように生きていくのかという心理面での課題解決がその目的となる。病理に対して治療を行うのはあくまでも医学であり，その点で精神医学と臨床心理学との違いを明らかにしておかねばならない。

　精神医学は病理を特定して疾病の診断（diagnosis）を行うが，臨床心理学は病理だけではなく健康な部分を含む人格全体について心理学的アセスメント（assessment）を実施する。

さらに比較すると，精神医学は客観的な疾患（disease）としての病理を扱うのに対して，臨床心理学はクライエントの主観的病理体験としての病（illness）を扱う。臨床心理学は，クライエントの病理体験についての語り（illness narrative）を聞くことを通して，クライエントが病を受容し病を抱えながら自分の人生を生きていかれるような心理的な援助を行うのである（下山晴彦，2001）。

　以上の点から，臨床心理学の専門性の基本理念となるのは，医学的治療ではなく，心理学的援助である。もちろん相違があるからといって両者が相入れないということではなく，臨床心理学と精神医学の専門性の相違を互いに認識した上で，どのような協働（collaboration）関係をつくっていくかが大切である。

　下山（2001）は，臨床心理学に依って立つ心理臨床家を，医師の補助的な医療技術者ではなく，独自の理念と方法をもつ**援助専門職**（helping profession）として定義する。援助専門職の基本概念は，個人の主体性を重視する人間性心理学を基盤としているが，その援助的コミュニケーション技法は，人間性心理学の技法だけではなく，精神分析や認知行動療法も取り入れた統合的カウンセリング技法として理論化している。

2．臨床心理学の方法

　臨床心理学は，実践性を基本とするために，基礎心理学のように物理学を規範とするような数量化された自然科学の科学性のみを求めるわけにはいかない。臨床心理学は，実践的有効性が大切にされ，かりに客観的な方法的厳密性があったとしても，実践的に意味がなければ役立つものとはいえない。そのため，臨床心理学における科学性は，自然科学に準ずる厳密な科学性を離れて，データに基づく推論を行うという広い意味での実証的態度として理解される（下山，2001）。例えば，さまざまな仮説が並立するときには，ドグマ的な臨床理論を疑い，独断を排して，データに基づく推論を行うという広い意味での科学的思考を重視する姿勢である。

　また最近の動向としては，「**実証に基づく臨床心理学**（evidence-based clinical psychology）」の考え方がある。これは，これまでの心理臨床が心理臨床家の経験と勘に頼りすぎていたことを反省して，効果が客観的に証明された介

入技法を用いたり，データベースを実践に利用するなどの，実証された根拠に基づいて心理臨床を行っていこうとする運動である。

しかし一方では，臨床心理学は，クライエントの語りを聴き，クライエントが自分自身の物語を生きていくことを援助する活動であるという視点がある。例えば，医学がえがきだす疾患像とクライエントが実際に悩んでいる病の体験との間には，大きな落差があって，客観的なデータをどれだけ積み上げても，それは病の体験をえがきだすことにはならない。このような考え方は，主観的で個別的であるということで，従来はともすれば「非科学的」とみなされがちであった。しかし実際の心理臨床においては，このような思考こそが心理臨床的思考法の根本といえるのである。

この視点の基盤には，社会や人間が生きる現実は，人々の相互交流を通して社会的に構成されるという**社会構成主義**のパラダイムがある。すなわち現実とは，私たちのあり方と別のところに実体としてあるものではなくて，私たちの思いや行いが交流する共同作業を通して立ち現れてくるという視点である。そしてその社会的現実を理解するときに「**物語**（narrative）」という形式が決定的な役割を果たしている（Gergen, K. J., 1994）。このような社会構成主義の方法論は，人と人との相互作用を通してクライエントの現実を変えていく臨床心理学の方法論的根拠になるのである（下山，2001）。

3．臨床心理学と物語

クライエントが生きている日常的現実は，時間の経過の中で刻々と変化している。またクライエントが語る話は，そのクライエントにとっては本当のことであっても，客観的には本当のことかどうかわからないこともある。臨床心理学が介入する現実は，このような虚実ないまぜで虚構性を含みながらさまざまな関係性が重なり合うなかで織りなされ，しかも時間とともに次々と変化していく。

自然科学的な方法では，このような現実にはアプローチできにくい。自然科学的な方法は，時間の制約を超え客観性を備えた普遍的真実を求めるために，現実に伴う時間性や虚構性を排除する。つまり虚実ないまぜで時間とともに変化していく現実それ自体を扱うことはしないで，数量化のごとく客観的処理が

トピック34

ナラティブ・アプローチ

　ナラティブ・セラピーは，ホワイトとエプストン（White, M. & Epston, D., 1990）によって提唱されたナラティブ・モデルを狭義には意味するが，広義にはアンダーソン（Anderson, H., 1997）のコラボレーティブ・ランゲージ・システム・アプローチやアンデルセン（Andersen, T., 1987）のリフレクティングプロセス，また，ホフマン（Hoffman, L.）やペン（Penn, P.）らのアプローチを総称することもある。ここでは広義の意味でのナラティブ・アプローチを紹介したい。

　まず，ナラティブ・アプローチを理解するためには，**社会構成主義**（social constructionism）に通じる必要がある。これは，現実というものが人と人との言語を媒介とした相互作用によって構成されたものである，という視点である。すると，私たちにとって問題とされているものは，実は他者との相互作用，そして社会的文脈に色づけされ構成されたストーリーとみることができる。ストーリーというのは自分の経験を枠づける意味のまとまりである。したがって，このストーリーを別のストーリーへと舵取りしていくことがナラティブ・セラピストに共通のアプローチということになる。ホワイトらの言葉を借りると，人生を支配してきたドミナント・ストーリーに対して，治療者と協力してそれに代わるオルタナティブ・ストーリーを創造していく，という説明になる。その創造にはすでに存在するユニークな結果（例外的出来事）が寄与する。ホワイトらはその手段として問題の〈外在化〉を強調する。外在化は問題を個人の内側ではなく外側に見る方法であり，例えば次のような質問の仕方で外在化を促す。「その問題があなたを振り回すようになったのはいつからなのですか？」他にも問題に名前を付けるという方法も用いられる。

　以上，これらのアプローチはポストモダンのアプローチということができるであろう。モダンにおける世界観をユニバース（唯一の世界）とするならば，ポストモダンにおける世界観はマルチバース（多元的世界）なのである。

（若島孔文）

引用文献
Andersen, T. 1987 The Reflecting team. *Family Process*, **26**, 415-428.
Anderson, H. 1997 *Conversation, language, and possibilities*. Basic Books.
White, M. & Epston, D. 1990 *Narrative means to therapeutic ends*. W. W. Norton. 小森康永（訳）1992 物語としての家族　金剛出版

可能なように現実を抽象化して記述し分析していく。したがって，虚実ないまぜで時間とともに変化していく現実それ自体を記述し，分析するためには他の方法論が必要となり，前述の物語が要請されるのである（下山，2000）。

さて時間性と虚構性を含め，さまざまな関係性が重なり合うなかで織りなされた多元的構成体としての現実を記述するためのモードが，物語モードである。物語は，ストーリーとプロットから構成されている。ストーリーは，時間の経過に伴って生じた出来事の配列であり時間性に関係し，プロットは，物語として構想された筋であり虚構性に関係する。

下山（2000）は，心理臨床を何らかの理由で自分の時間を生きるのが困難になった人に対して，少しでも彼が主体的に自分の人生の物語を生きられるように援助する発達援助の活動ととらえる。また心理臨床過程とは，事例の当事者が自分の人生の物語を生きられるように援助することを目的として，心理臨床

表 13.1 論理科学的思考モードと物語的思考モードの比較（下山，2000）

	論理科学的思考モード	物語的思考モード
経　験	具体化された構成物，出来事のクラス，分類・診断体系によって，個人的経験特殊性は排除される	個人的経験の特殊性に特権が与えられ，その生きられた経験の側面をつなぐことにより意味が生まれるとする
時　間	自然界の一般法則や場所，時間を超えて真実とされる普遍的な事実の構成が目指されるため，時間の次元は排除される	ストーリーの成立には時間的経過に従って出来事が明らかになる過程が前提とされるので，時間性は決定的な次元となる
言　語	不確定性と複雑さを減らすべく直接法に準拠する言語実践を行い，現実の物質化が試みられる。矛盾のない整合性がもととなり，多義的な意味は除外され，量的な記述と専門用語が好まれる	含蓄的世界を構成し，現実の可能性を広げ，多様な見方を準備し，読者がユニークな意味を生きられるように，仮定法に準拠する言語実践となる。多義性が採用され，日常語と詩的，絵画的描写が奨励される
個人の力	個人性を，非個人的な力，動因，衝動エネルギーなどに反応するだけの受け身的なものとする	人をその人の世界の主人公または参加者とみなす。ストーリーの再語りは新しい語となり，人は他者とともに再著述に関与し，新しい関係を創る
観察者の位置	客観性の転化によって観察対象から観察者を排除する。観察者は被験者とは無縁で，観察による影響は免除されたものとなる	観察者と被験者はストーリーの共同制作者であり，そのなかで観察者は特権的な著作家の役割を引き受けている

家が事例の当事者や関係者とある一定の時間をともにし，そこでのかかわりを通して新たな出来事を生成し，事例のストーリーの展開をうながす過程ととらえている。また物語の虚構性は，非現実的ということではなく，むしろ事例が生きられる物語として現実を構成する大切な要因となる。例えば妄想をはじめとする病理的な虚構性も，症状という側面だけではなく，その人の生きている現実を構成する特性として理解されるのである。

心理臨床ではデータは物語として記述されることが多いが，それを分析するときの思考モードも物語が重要となる。ホワイトとエプストン（White, M. & Epston, D., 1990）の**論理科学的思考モード**（自然科学的思考モード）と**物語的思考モード**の比較の論議の要旨を，下山（2000）は表 13.1 のようにまとめている。

以上のように，臨床心理学の目的や方法における学問としての特徴を理解することが大切である。

2節　臨床心理学の理論

心をどのようにとらえるかによっていくつかの学派に分かれる結果となる。精神分析は，心を自我，イド，超自我からなる構造でとらえ意識と無意識のメカニズムで理解しようとした。行動主義心理学は，心を観察可能な客観的な行動としてとらえようとした。人間性心理学は，あくまでも個人の主観的世界を心として理解しようとする。コミュニティ心理学は，社会的環境を重視し心を社会的コンテクストの中に位置づけてとらえようとするのである。

1．精 神 分 析

精神分析（psychoanalysis）とは，フロイト（Freud, S.）によって創始された心理療法の技法および人格理論である。無意識の心理的葛藤を通して，人間の心理的な側面に対する理解を進める心理学的学問の体系である。

精神分析の多様な内容の中から，ここではその基礎的主要理論の一つとして，心の構造的理解について述べる。精神分析は，人間の心を，イド（エス）・自我・超自我の3つの構造と機能から理解する。**イド**（id）は，本能的・欲動的

な心的エネルギーの貯蔵庫であり，ひたすら快を求め不快を避けるという快感原則に従っている。**超自我**（super ego）は，親のしつけを通じて社会的道徳が内在化したもので，良心と理想我からなり，イドの本能的衝動を禁止する。**自我**（ego）は，現実原則にしたがって，現実を吟味し，合理的に反応し適応する。つまり自我は外界のさまざまな要請や，内界のエスや超自我の欲求との両方を調整する。

　精神分析の特徴をまとめるならば，第一は，人間の心には無意識的精神過程があるという仮説を認めることである。第二は，患者の葛藤を理解するときに，幼児期の体験と現在の葛藤を関連づけて考えようとすること。第三には，精神分析療法においては，転移と抵抗を扱うことであるとされる。ちなみに，4節の臨床心理学的援助の精神分析療法，交流分析の項目も参考にされたい。

2. 行動主義心理学

　1912年，ワトソン（Watson, J. B.）は，コロンビア大学での講演で，**行動主義**（behaviorism）を宣言した。彼は意識を内観して記述説明するヴント（Wundt, W.）の心理学を批判して，客観的に観察可能な行動を研究対象として，その法則性を発見し，人間の諸活動を予測しコントロールできるようにするのが行動主義心理学であると主張した。それは以下のようなものである。

　心理学は自然科学の一分野として徹底的に客観的でなければならず，主観的になりがちな内観法を捨て，他者を客観的に観察する方法のみを採用する。

　心理学の研究対象を客観的に観察できるものにかぎり，意識を排除して行動を対象とした。意識の存在を否定はしないが，客観的方法の対象にはなりえないとしたのである。

　現象を刺激－反応のパラダイムで理解し，それで生活体の行動を予測しうると考えた。また遺伝よりも，経験による学習を重視し，条件づけの原理を学習の中心とした。ワトソンのやや極端な主張はいくつかの点から批判されたが，その後トールマン（Tolman, E. C.）やハル（Hull, C. L.）らによって，新行動主義として発展していった。ちなみに，4節の臨床心理学的援助の行動療法の項目も参考にされたい。

3. 人間性心理学

人間性心理学（humanistic psychology）は，精神分析や行動主義心理学とは異なり，人間の可能性や全体性に目を向ける心理学学派である。

1962年，マズロー（Maslow, A. H.）を中心とするロジャーズ（Rogers, C. R.），ゴールドシュタイン（Goldstein, K.），オルポート（Allport, G. W.），ロロ・メイ（Rollo May）らの第三勢力の心理学と呼ばれる人々が発起人となってアメリカ・ヒューマニスティック心理学会が結成された。

人間性心理学は，研究課題や研究方法の選択においても有意味性を大切にし，客観性を獲得するために意味を犠牲にしてしまうことはしないといって行動主義心理学を批判した。また，人間は過去によって大きく規定され，無意識の欲求につき動かされるものであると考えた精神分析を批判して，目的・価値をもち自己決定能力をもつ主体的な存在として人間を統一的に理解しようとした。

人間性心理学の基本的視点をあげれば以下のごとくである。①人間を部分的にではなく，全体としても研究する全体論。②外からみた行動ではなく，内側からの直接的体験を重視する現象学的視点。③研究対象に距離をおくのではなく，研究者も関与するような研究方法が必要。④一般法則よりも，個人の独自性を重視する個性記述的視点。⑤生活史的または環境決定因よりも，現在そして未来での価値や目標を重視する。⑥人間を機械論的，還元主義的にみるのではなく，選択・創造性・価値・自己実現という人間独自の面から理解する。⑦従来の病んだ側面だけではなく，人間の健康で積極的側面を理解する。ちなみに，4節の臨床心理学的援助の来談者中心療法の項目も参考にされたい。

4. コミュニティ心理学

1965年，**コミュニティ心理学**の旗揚げともいわれるボストン会議が開催された。そこにおけるコミュニティ心理学の定義は，「複雑な相互作用の中で個人の行動と社会体系とを関係づける心理過程全般に関する研究に貢献するものである。この関係づけについての概念化と試みによる明確化は，個人，集団，そして社会体系を改善しようとする活動計画の基礎を提供するものである」であった。

コミュニティ心理学は，地域精神保健や伝統的臨床心理学との間でのアイデ

ンティティの確立を求めて，広く社会システムの問題に焦点を移してきている。また，人と環境との適合は，コミュニティ心理学の研究・実践上の中心的目標ということができよう。人と環境との適合とは，生活体としての人が，物理－社会的要素を含む生活環境との間で，調和した機能的かかわりをもてる状態にあることである。

　山本和郎（1986）は，コミュニティ心理学に基づく臨床的アプローチのポイントをいくつかあげているが，その一部を以下に述べる。
(1) コミュニティ心理学的アプローチは，個人と環境の適合性を増大させるために，個人と環境の両方に介入する戦略と理論である。
(2) 悩んでいる個人への援助は，地域・組織社会の人々との連携が大切であり，専門家はその連携システムの中に参加していく。
(3) 地域や組織に介入し援助する専門家の役割は次のようなものになる。①集団・組織介入，個人介入等における変革の担い手，②組織・集団・個人のダイナミックス等の診断や査定，調査などの評価者，③組織や地域のキー・パースンへのコンサルタント，④ソーシャル・サポートのためのネットワークを組織したりするオルガナイザー，⑤実践体験を理論化し，共有できる戦略にするための参加的理論構成者。

　ちなみに，4節の臨床心理学的援助の危機介入，コンサルテーションの項目も参考にされたい。

3節　臨床心理学的アセスメント

1. 心理アセスメント

　心理アセスメント（psychological assessment）とは，査定面接，心理検査法，行動観察法等を用いて，クライエント自身に属するパーソナリティ特性，発達水準，社会的能力等から，家族状況，学校・職場等の社会状況，援助資源等の社会的環境にいたるまでの情報を収集し，その分析を経て，クライエントを理解し処遇方針を立てていくための方法と過程のことである。

　したがって時に誤解されるように，心理アセスメントは心理検査のみをさすわけではない。また心理アセスメントは，その人のあり様の特徴を心理学的に

多面的に把握することであり，医学的な診断分類とは異なるものである。

2. 査定面接

査定面接とは，クライエントとの対話を通して心理アセスメントを行う面接である。その目的は以下のごとくである。

(1) 問題の所在の明確化と可能な援助の検討：クライエントが問題だと感じている内容を**主訴**という。主訴に関する情報やクライエントに関する情報を収集しながら，実際の問題の所在や適切な援助を専門的に判断する。

(2) その相談機関で受理できるかどうかの判断：クライエントが薬物治療を中心とする医学的治療を必要としているのか，カウンセリング等の心理的援助を必要としているのか，あるいはその両者を必要としているのかを判断し，その機関では対応できないときには，速やかに他の機関を紹介する。

(3) 面接関係をつくる：クライエントから情報を得るだけではなく，クライエントとの間に信頼関係（**ラポール**）をつくることが，その後の展開の基礎になる。

3. 心理検査法

心理検査法は，クライエントに心理検査を施行し，その結果からの情報を総合して，そのクライエントについての理解を深める方法である。

心理検査の**妥当性**とは，その検査が測定しようとしているものを実際に測定しているか否かの程度のことである。また心理検査の**信頼性**とは，測定法の正確さの度合いのことである。

心理検査を実施する際には，どのような目的で行うときにおいても，被験者やクライエントの人権を尊重し，結果として被験者やクライエントの利益につながるようにしなければならない。心理検査を実施する人は，そのテストに習熟していることはいうまでもないが，その検査結果を利用する心理臨床家以外の専門家もその検査の効用と限界について理解している必要がある。

a 知能検査

知能検査は，知能という精神機能を客観的に測定するための道具である。ただし，知能の構造についてはさまざまな仮説があり，単一の知能検査で得られ

た結果が知能のすべてではない。個人式と集団式に分けられるが、臨床現場で用いられる個人式としては、田中・ビネー式知能検査，WAIS-R 成人知能検査，WISC-R（児童用），WPPSI（幼児用）等がある。

b 性格検査

性格検査とは、クライエントの情緒や態度、欲求等の心理的特性を測定するものである。性格検査は、質問紙法と投影法と作業検査法に分けられる。

(1) **質問紙法**：質問紙法とは、質問項目に対する自己報告によって行われるテスト法である。矢田部・ギルフォード性格検査（YG 性格検査），MMPI 新日本版（MMPI），モーズレイ性格検査（MPI）等がある。

(2) **投影法**：投影法とは、クライエントにあいまいな刺激を与え、それに対する比較的自由な反応を求め、その内容・結果についての分析をするテスト法である。ロールシャッハ・テスト，絵画統覚検査（TAT），文章完成テスト（SCT），PF スタディ，バウムテスト，風景構成法等がある。

(3) **作業検査法**：作業検査法とは、クライエントに何らかの課題を課して、その課題遂行結果から、その人の性格特徴をとらえようとするテスト法である。内田クレペリン精神作業検査，ベンダー・ゲシュタルト・テスト等がある。

4. 行動観察法

行動観察法は、あらかじめ検討した観察要点に基づいて個人や集団を観察し、その個人や集団の性格や行動傾向等を推論、判定しようとする方法である。クライエントの態度、表情、言葉づかい、動作等を場面場面でありのままにとらえて、正確に観察することが大切である。

その際に、その人の偶然の行動をその人の性格とみなす等の「行動見本の誤り」や、先入権や偏見等の「観察者の誤り」に、十分な注意を払うことが必要である。

4節　臨床心理学的援助の方法

1. 精神分析療法

精神分析療法は、フロイトが始めた精神療法であり、彼の臨床経験から得た

理論や技法の体系である精神分析に基づいている。

　精神分析療法の治療目標は,「イドあるところに自我あらしめよ」といわれ,イドの快感原則を自我の現実原則によりコントロールしていくことである。また別な視点からすれば非合理的な無意識を意識化して,合理的な意識に従わせることであり,理性的・合理的で自己統制のきいた人間像がめざされている。

　この無意識の意識化のために患者に課される基本原則が,**自由連想**（free association）である。頭に浮かんだどのようなことでも取捨選択することなくありのままに話すことが要求される。このような判断や批判を停止した連想は,無意識を表出させやすくするのである。

　しかしやがて自由連想は停滞し,患者は沈黙を続けたり,面接を休んだりする現象が現れる。これを**抵抗**（resistance）というが,これは無意識の意識化を拒む現象であり,それには次のような理由がある。①面接による人格の変化を暗に恐れ反発している。②意識化される無意識内容が,超自我に不安,不快,恥などを与えるため,自我の防衛機制が働いている。これらの抵抗を面接者が解釈し,患者が洞察すると抵抗は解消する。

　面接が進むにつれて,患者は面接者に対して,非現実的で不合理な敵意・愛情・依存などの感情を抱くようになる。これは,患者が幼児期において両親等に抱いた感情を,面接者に向けて再現する現象であり,**転移**（transference）と呼んでいる。面接者は患者の幼児期の対人関係での防衛を,現実に面接者と患者との間に再現している感情体験（転移）を通して,指摘・解釈をし,洞察へと導くことになる。

2. 行動療法

　行動療法（behavior therapy）とは,学習理論に代表される行動主義心理学の視点から,さまざまな特異な行動・異常行動の原因とその成立過程を分析する行動病理学に基づいた心理療法の総称である。

　行動療法では,不適応行動を,適応行動と同じように,学習原理に従って特定の状況のもとで学習された反応であるととらえる。ゆえに学習訓練手続きを用いることによって,不適応行動を除去したり,代替となる望ましい行動を形成するような介入を行うことがその目的となる。

トピック35

プロセス指向心理学

　プロセス指向心理学（process-oriented psychology：POP）は，ユング派の分析家ミンデル（Mindell, A.）によって創始された。それは初め，夢（ドリーム）と身体（ボディ）の背景に，両者をより深い次元でつなぐ布置，「**ドリームボディ（dreambody；夢身体）**」を見抜いたところから，「ドリームボディ・ワーク」として始まる。

　しかし後にドリームボディは，さらに深層にある微細なプロセス「**ドリーミング（dreaming）**」によって解体されることになる。POPでは，ドリーミングという微細だが，その実，根源的な力やエネルギーを伴った夢の流れ（動き，うねり，働き，漂い）が先にあって，それが夜，イメージを通して現れたもの，あるいは，視覚チャンネルで映像として切り取られたものをドリーム（夢）ととらえている。ドリーミングとは，夜だけでなく，今ここで，または四六時中息づいている夢なのであり，それは「夢や身体（ドリームボディ）」ばかりでなく，対人関係，共時性等を通じて，私たちの背後からたえず立ち現れているのである。ドリーミングが「プロセス」に従って，夢や身体だけでなく，さまざまな回路（チャンネル）を通して発現するところから，「プロセス指向心理学」と呼ばれるようになった。

　POPはユング心理学にならって，事象や問題を「いいか悪いか」ではなく，「意味」や「目的」という観点からとらえ返してきた。しかし，ドリーミングの領域が想定されて以来，「無意味（前意味，無分別）」といった，東洋思想的な立場が採用されるようになる。例えば，ある種の頭痛を感じていると，血管が圧迫され，今にも爆発しそうだ，と感じたとする。そして前夜に爆発の夢を見たことを思い出す。POPは，ここに，「爆発」というドリームボディが夢と身体の背景に布置されている，と仮定する。

　これに対し，圧迫感や爆発になる以前の前意味，無分別の領域に注意を向けさらにプロセスを深めると，そこには何ともいいがたい「力」の感覚があったとする。頭痛にとっての前（無）意味的，ドリーミング・プロセスは，「力」であり，それとつながるところで，ある種の頭痛が解消されることがあるのだ。

　逆にいうと，ドリーミング・レベルで「力」であったものが，ドリームボディ・レベルでは「爆発」となり，それが身体化したものが，「現実」レベルでは，「頭痛」と呼ばれるとPOPでは考えられるのである。**（藤見幸雄）**

実際の技法は，次のようなものがある。
(1) 条件づけの不足または欠如による問題行動に対しては，レスポンデント的手法あるいはオペラント的手法として，主張訓練法，シェイピング法，トークンエコノミー法，バイオフィードバック法等がある。
(2) 条件づけの過剰による問題行動に対しては，レスポンデント的手法として，系統的脱感作法，フラッディング法，嫌悪療法等がある。
(3) 問題行動を社会的スキルの学習不足としてとらえ社会的スキルを獲得させる手法として，社会的スキル訓練がある。

また行動療法の新しい展開としては，行動の変容に認知的要因を積極的に活用しようとする**認知行動療法**（cognitive behavior therapy）があげられる。

3．来談者中心療法

来談者中心療法（client-centered therapy）とは，ロジャーズが提唱し発展させてきたカウンセリングの理論と実践の体系である。

カウンセリングのプロセスは，カウンセラーが**自己一致**（congruence）して，クライエントに対する**無条件の肯定的関心**（unconditional positive regard）をもち，しかも，クライエントの内的な枠組みに沿って**共感的理解**（empathic understanding）をしていること，かつそれがクライエントによって知覚されていればいるほど，クライエントに建設的な人格変化が起きる。このような自己一致，無条件の肯定的関心，共感的理解のカウンセラーの3つの態度条件が，クライエントの建設的な人格変化を生じさせるのである。

ロジャーズのカウンセリング理論は，主に大学生の不適応問題を中心に発展してきており，その意味でも，来談者中心療法の対象は神経症水準にとどまるといえよう。

またロジャーズの理論は，体験過程尺度等を通じてジェンドリン（Gendlin, E. T.）の**体験過程理論**（theory of experiencing）に引き継がれた。なおジェンドリンは，その後**フォーカシング**（focusing）やフォーカシング指向心理療法等の独自の展開をみせている。

4. 交流分析

交流分析 (transactional analysis；略して TA) は，アメリカの精神科医であるバーン (Berne, E.) が，精神分析を基礎にしてつくりあげた精神療法である。専門的精神分析を簡単な用語を用いるなどをして一般にも親しみやすい形にしたため，教育・産業・医学界などに広く流布している。

交流分析では，精神分析の超自我・自我・イドの代わりに，ペアレント (parent)，アダルト (adult)，チャイルド (child) の3つの自我状態を想定し，各々を略してP・A・Cと表している。Pは子どものころ親から取り入れた親的な心の状態で，批判的・道徳的な「父性的な親 (CP)」と，養育的・保護的な「母性的な親 (NP)」からなる。Aは客観的・現実的に事実を分析・判断する理性的な大人の心である。Cは子どもの心の状態であり，自由奔放で好奇心に富み創造的な「自由な子ども (FC)」と，親や周囲の制約に従順な「順応した子ども (AC)」との2つからなる。

対人関係においては，人はお互いにこの3つの自我状態を使い分けながらコミュニケートしているが，その交流のパターンは次の3つに分類される。平行型交流は，お互いが相手の期待する自我状態でコミュニケートする場合である。交叉型交流は，相手の期待に応じずに交流が交差する場合である。裏面交流は，表面的交流の裏に，別の心理的交流がやりとりされている場合である。交流分析は，実際には，個人療法ばかりではなく，集団療法でも積極的に活用されている。

5. 危機介入

キャプラン (Caplan, G., 1961) は危機状態を「人がそれまでの習慣的問題解決の方法を用いて克服できず，混乱や落ち着かない時期が続き，解決のための多くの方法が試みられるが成功せずに終わる」ときに生ずるとしている。

はじめにその人の心のバランスを脅かすような事態，つまり難問発生状況 (hazardous enviroment) が生じる。難問発生状況は，脅威 (threat)，喪失 (loss)，挑戦 (challenge) の形でその人に表れてくる。それは，就職，結婚，第一子の誕生，定年等の発達課題に関係するものと，病気，事故，天災等の偶発的なものがある。

トピック36

児童虐待

　身体的にも社会的にも弱い存在である子どもたちは，大人たちに守られ，育まれる存在である。断じてその存在を脅かし傷つけてはならない。しかし残念なことに，**児童虐待**は増加の一途をたどり，それも残虐なものが増えている。

　一つの例をあげる。

　〈母親が教育熱心で，ひとりっ子である男児に最高の教育を受けさせたいと願っている。幼稚園は希望のものがないので，ほとんどを母親がつきっきりで世話をしていた。地域の小学校へ入れたものの，いじめられたことがあってから，母親は学校へ子どもを行かせないようになった。近所の子どもとも遊ばせないで，母親が外出の時に一緒に出かける毎日。週末の父親の休日には家族で外出する。時々父親と公園へ出かけることはあったと言う。父親が学校へ行かせるように言っても，母親はかたくなに行かせることの害を言いはって行かせない。家で母親が勉強を教えているから心配ないと言う。学校や教育委員会，児童相談所からの指導にも母親は一切応じない。そうしているうちに２年生も終わるころになってしまった。父親は母親との摩擦を嫌って何もできないでいる。〉

　これも虐待である。母親の偏った考え方は精神病の可能性がある。こうした環境に閉じ込めておくことは，子どもへの取り返しのつかない影響を与えることになる。健康である父親への働きかけを強くして，早急に母親の診断と子どもの保護を行う必要がある。子どもに対しては，精神医学的な判断とともに治療ができ，教育も保障されるような環境を与えることが必要である。この場合母親への強力な治療が必要になるかもしれない。父親への精神的なサポートも大切である。

　他人には迷惑をかけず，静かに親子で過ごしていた家庭に大きな波風を起こすことになる。命に別状ないし……専門家でも，楽観的に経過を追ってしまい，手を出しそびれてしまうことがある。長い間ひどい心身の暴力にさらされてきた子どもは，その脳に変化をきたして回復しないことがある。同時に対人関係も損ない，回復に時間がかかる。上記のような特殊で狭い人間関係におかれた子どもが，精神障害をきたすことはしばしば見られることである。DNAの結果ばかりでないことは，治療の効果を見ればわかる。

　虐待へのかかわりは，速やかに多面的に行われる必要がある。「さめた目と温かい心」，さらに「決断力」が求められるのである。

（野間和子）

難問発生状況は，誰にとっても同様な苦痛になるのではなく，その受けとめ方により違いが生じる。その受けとめ方は，その人のパーソナリティ特性，状況の認知の仕方，経験に基づく対処の見通し等によって違ってくる。

危機状況は，うまくいかない状況が続くところに，追い討ち的な出来事が加わることで現実化することが多い。この場合，この追い討ち的な出来事を追い込み要因または**結実要因**（precipitating factor）と呼んでいる。

危機介入（crisis intervention）は，危機理論に基づく心理的援助法の一つということができる。心理的バランスを崩したクライエントを，ともかくも急いでまずはそのバランスを回復することに専念する。そのための面接はごく短期間である。その人の性格上の問題は，バランスを回復した後に，必要に応じて次の段階で取り扱うことになる。

まずその人にとっての危機の理解からはじまる。難問発生状況をもたらした生活上の変化，さらにその後の混乱状態に対してどのような結実要因が働いて危機状況が発生したのか。また，これらに対するその人の認知の仕方，意味づけの仕方にその人独自の歪みがあって，状況をさらにストレスフルにしていないか。もしそうであるならば，それらに対する別の意味づけを示唆するような認知修正的なかかわりをしてみることができる。

次に難問発生状況に対してその人がとった対処パターンを調べてみる。それ以外の対処パターンを話し合いながら，彼に対応可能なパターンをさがしだしていく。さらには，新しい方法を示唆してみることもできるかもしれない。

次には，難問発生状況や危機状況のときに，その人が活用した周囲の人的・物的資源は何であったのだろうか。まわりに相談にのってくれたり支えてくれるどのような人がいるのか，あるいは利用が可能な専門機関などが身近にあるのかどうかを検討し，必要ならばていねいにリファーすることである。

以上のような具体策を実行にうつし，次回の面接ではその結果をフィードバックしてもらう。好転すれば，危機介入のワンラウンド終了とし，好転しなければ，再度の介入が検討されることになる。

6. コンサルテーション

キャプラン（Caplan, 1970）は，**コンサルテーション**を次のように定義して

トピック37

パニック障害

パニック障害は，DSM-IVによれば，パニック発作を1カ月に4回以上繰り返し経験するか，1度以上経験した後予期不安が強い状態が1カ月以上続く場合に診断される。そのパニック発作とは，①呼吸困難や息苦しさ，②めまい感やふらつき，③心拍数の増加，④震え，⑤発汗，⑥窒息感，⑦吐き気か腹部の不調，⑧離人感か非現実感，⑨しびれ感かうずき感，⑩熱感か冷感，⑪胸部痛か胸部不快感，⑫死への恐怖，⑬気が狂うとか，コントロールできない恐怖といった13の症状のうち，4つ以上を満たす発作のことで，対人場面やその他の不安状況と無関係に起こる。また，こうした発作は，その最初のものから10分以内に急激に高まり最高レベルまで達する（American Psychiatric Association, 1994）。

こうした発作自体は30分～1時間程度で収まるが，強烈な恐怖感を伴うため，重篤な身体疾患を疑って内科等を受診し，結局異常なしと診断される。原因がわからないため，不安がつのり，また発作が起こるという予期不安から外出が困難になるなど社会生活全般に支障が出て，広場恐怖やうつ病，アルコール依存症などへと発展することもある。パニック障害の生涯罹患率は欧米諸国では人口の7～9％とされている。病因については，生物学的な要因と心理的な要因の両方が指摘され，心理学的な要因では，誤った警報（身体的徴候）への感受性の高まりなどが提唱されている。

治療に関しては，発病早期（1～2カ月）には，ベンゾジアゼピン系の抗不安薬を3～4カ月飲みつづけることで発作を抑えることができ，予期不安にも著効がある。三環系抗うつ薬，SSRI（セロトニン再取り込み阻害剤）は，発作にも，広場恐怖やうつ病にも効く。再発率が高いので，時期尚早に断薬しないことが重要。広場恐怖やうつ病など，パニック障害が発展して行動面の障害が顕著になった状態では，**認知行動療法**が有効。心理教育（発作はいずれ収まり，死ぬことも狂うこともない。回避により安心すれば，不安を下げずに，回避行動の頻度を高める），リラクセーション，認知のモニタリングと変容（破局的な結果の予測を止める），エクスポージャー（実際に恐怖場面に直面して乗り越える）の組み合わせで改善できる。**（市井雅哉）**

引用文献

American Psychiatric Association 1994 *Diagnostic and statistical manual of mental disorders*, 4th ed. American Psychiatric Association.

トピック38

PTSD

　死ぬほどの恐怖体験（池田小学校児童殺傷事件，ニューヨーク多発テロ事件をはじめ，性被害，極度のいじめ，虐待，地震，土石流など）は，予告なく突然に，逃げまどう人間を，青天の霹靂で打ちのめす。このような「異常な状況」は，**心の傷（トラウマ）** を生み，あげくに，「正常な反応」として，誰もが「**PTSD** (post traumatic stress disorder：〔心的〕外傷後ストレス障害)」を被ることになる。

　PTSDは，1980年にDSM‐Ⅲ（APA：アメリカ精神医学会）が掲載したものの，わが国で文献紹介（森山成彬），英国・遊覧船ジュピター号沈没事故（久留一郎）での臨床例が報告されたのは，その10年後であった。しかし，衆知されるにいたらず，1995年の阪神・淡路大震災を機に日の目を見ることになった。

　PTSDには，被害後1カ月を経過したころ，以下の3つの症状が現れる。

　再体験：忌まわしい出来事に関連した"何か"が「フラッシュバック（よみがえり現象)」を引き起こす。悪夢を見たり，子どもの場合，「ごっこ遊び」を通して「再体験（再現）」される。

　回避と感情の麻痺：忌まわしい出来事を避け，触れないようにする心理的防衛機制が働く。これ以上の苦痛を感じたくないがために，快的な感情も麻痺することがある。孤立しがちで，意欲も低下し，将来への希望も消える。

　覚醒亢進（神経過敏）：戦々恐々とした不安から，睡眠障害，焦燥感，集中困難，警戒心，攻撃性が強く現れる。

　これらの症状がみられれば，「異常な状況」に遭遇したことが推測される。

　PTSDの出現率は，その時の状況により異なるが，「出来事に対する当人の主観的意味づけ（予測できず，統制不可能な脅威）」は発症動因になりやすい。しかし，被害にあって2週間以内のころであれば，ある程度の予防が可能である。ディブリーフィングといい，信頼できる人へ，出来事について話しておくと，心の重荷が軽減する。

　治療（かかわり）に際しては，忌まわしい出来事にふれたり，過剰な励まし（"がんばれ""忘れなさい"など）は，ひかえた方がよい。悲痛な出来事を自ら吐露できるよう，受容的で共感的な（さりげなく，寄り添うような）姿勢が大切である。そして，「生きる意味」の確立を促すことは，未来への希望を育む。信頼のきずなが回復し，絶対的な安心感が得られたとき，傷ついた心は安らぎを得，一人の人間として自己実現的成長をとげていく。

（餅原尚子）

いる。「2人の専門家，一方をコンサルタント (consultant)，他方をコンサルティ (consultee) と呼ぶが，この両者の間の相互作用のひとつの過程である。そして，そこでは，コンサルタントがコンサルティに対して，コンサルティが抱えているクライエントの精神衛生に関係した特定の問題を自分の仕事の中でより効果的に解決するよう援助するものである」。

コンサルタントは，臨床心理学，精神医学等の専門家をさしているが，一方コンサルティは，地域のキー・パースンであり，教師，保健師，職場の上司，会社の人事・総務課員，保育士，民生委員，保護司等の専門家である。

コンサルタントは，コンサルティの抱えている役割，仕事上の問題にのみ焦点をあてる。たしかにそれを解決するプロセスで本人が心理的な課題を解決したり，心理的に成長するようなこともあるが，意図的にそれを目的としてその人の性格などにかかわることはしない。コンサルテーションは，時間的な限定がある。ふつう依頼を受けるごとに行う形が多く，継続の場合も回数が明確であり，短期間の場合が多い。

またコンサルタントは，コンサルティの属する組織や彼のクライエントからは利害関係のない局外者である。コンサルタントとコンサルティの関係は対等であり，コンサルティはコンサルタントの助言を自由に採択することができる関係である。

(新田泰生)

☞ さらにもう一歩先へ
1．臨床心理学と精神医学との違いについてさらに調べてみよう。
2．臨床心理学と基礎心理学との方法論の違いについてさらに調べてみよう。

引用・参考文献

Caplan, G. 1961 *An approach to community mental health.* Grune & Stratton. 山本和郎（訳）加藤正明（監修）1968 地域精神衛生の理論と実際 医学書院

Caplan, G. 1970 *Theory and practice of mental health consultation.* Basic Books.

Gergen, K. J. 1994 *Realities and relationships : Soundings in social construction.* Harvard University Press.

野島一彦 1995 臨床心理学への招待 ミネルヴァ書房

下山晴彦ほか（編）　2000　心理臨床の基礎1：心理臨床の発想と実践　東京大学出版会
下山晴彦ほか（編）　2001　講座臨床心理学1：臨床心理学とは何か　東京大学出版会
White, M. & Epston, D.　1990　*Narrative means to therapeutic ends*. W. W. Norton.　小森康永（訳）　1992　物語としての家族　金剛出版
山本和郎　1986　コミュニティ心理学　東京大学出版会

14章 健康心理学

　健康は，かつては，医学，保健学，看護学などで扱われてきた。自発的な行動変容が重視され，また，全人的な把握と対応が必要になるにつれて，健康心理学は心理学を基盤にして健康を考える一つの分野として発展した。本章では，健康心理学はなぜ必要なのか，その意義と特徴にふれ，心と身体のかけ橋となるストレスの研究，健康を左右するパーソナリティ，生活習慣がつくりだす疾病とその予防のための健康行動について述べる。そして，健康心理カウンセリングと，そのプロセスに含まれる健康心理学のこれからの重要概念を解説する。

1節　健康心理学の課題と役割

1. 健康心理学の台頭

　健康心理学は，1970年代に，先進国の疾病や死因の形態の変化に対応して台頭してきた，心理学を基盤として健康を考える学問分野である。心理学の知識や手法を用い，慢性疾患に対処し，疾病の行動因を決定し，予防やリハビリテーション，健康行動の維持・増進をはかることに研究や実践の焦点をあてる。日本では，1988年に日本健康心理学会が設立され，以後，健康心理学は，短期間で，学問領域として大きな発展をとげてきた。

　その背景としては，急速に変化する社会におけるストレスのネガティブな影響と生活習慣から生じる疾患への効果的な対応の必要性，医療費の高騰が原因としてあげられる。対費用効果の高い行動介入の方法が求められるが，人間の認知，情動，行動などは高度に複雑であり，その場しのぎの解決法によるアプローチで危険行動を瞬間的に変えることはできない。健康の達成のためには努力が必要である。従来の医学モデルは，心身二元論であるが，社会科学の中でバイオメディカルモデルから生理心理社会モデルへパラダイムのシフトが生じ

ている。健康心理学モデルは，健康と疾病を生理的・社会的・心理的な相互作用の結果として考える。

a 健康とは

WHO（World Health Organization）は，「健康とは，病気，あるいは虚弱でないというだけでなく，心理的にも身体的にも社会的にも完全に良好状態（**ウェルビーイング**〔well-being〕）である」と定義している。健康の達成は（図14.1）の矢印の中の要素をそれぞれ最大化に向けて進めていくことである。

b 健康心理学とは

アメリカ心理学会の健康心理学部会は，健康心理学を，「健康の維持と増進，疾病の予防と治療，健康・疾病・機能障害に関する診断・原因の究明，およびヘルスケアシステムや健康政策策定の分析と改善等に対する心理学領域の特定の教育的・科学的・専門的貢献のすべて」と定義している。

健康心理学モデルでは，病気の原因や治療に関して，自分の責任や役割を認

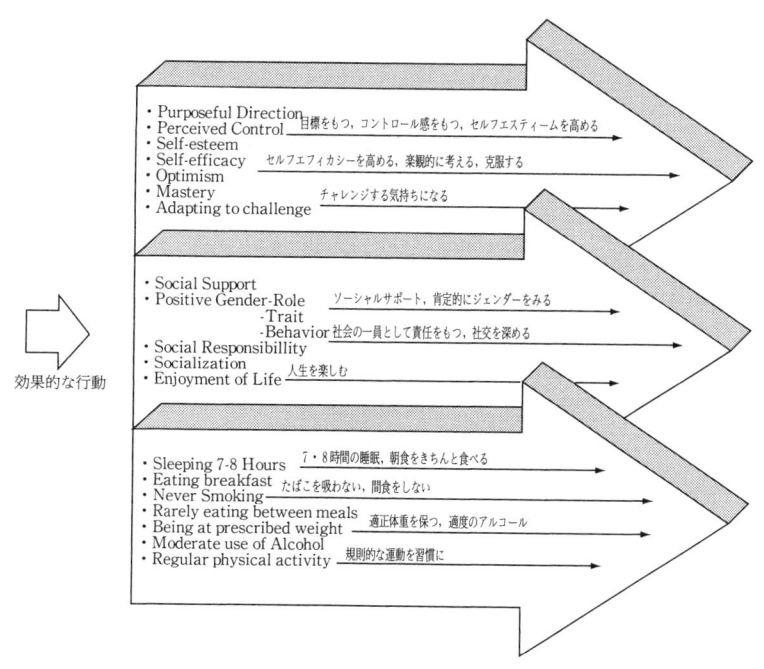

効果的な行動

- Purposeful Direction
- Perceived Control　目標をもつ，コントロール感をもつ，セルフエスティームを高める
- Self-esteem
- Self-efficacy　セルフエフィカシーを高める，楽観的に考える，克服する
- Optimism
- Mastery
- Adapting to challenge　チャレンジする気持ちになる

- Social Support
- Positive Gender-Role
 　-Trait　ソーシャルサポート，肯定的にジェンダーをみる
 　-Behavior　社会の一員として責任をもつ，社交を深める
- Social Responsibillity
- Socialization
- Enjoyment of Life　人生を楽しむ

- Sleeping 7-8 Hours　7・8時間の睡眠，朝食をきちんと食べる
- Eating breakfast　たばこを吸わない，間食をしない
- Never Smoking
- Rarely eating between meals
- Being at prescribed weight　適正体重を保つ，適度のアルコール
- Moderate use of Alcohol
- Regular physical activity　規則的な運動を習慣に

図14.1　健康とウェルビーイング（野口，1998）

トピック39

世界の健康問題

健康被害への対応にみる健康観

狂牛病（牛海綿状脳症）は1986年にイギリスで初めて報告されて以来，日本でも2001年には現実問題となった。日本でヒトに感染して変異型クロイツフェルト・ヤコブ病を発症する可能性は少ないという説もあるが，この問題に対する対応は各国政府によって異なるものであった。健康に関連してこれまで行政の対応が問われたものには，日本では公害（水俣病，四日市喘息等），薬害（サリドマイド，薬害エイズ等），食品公害（ヒ素ミルク中毒等）の問題がある。これらには企業の利害も関係し解決に時間がかかる傾向にあるが，行政の対応に，国民一人ひとりの健康や安全をどのようにとらえているか（すなわち行政の健康観）がうかがわれる。

環境と健康

地球規模の環境汚染が深刻な問題になってきている。1986年には旧ソ連チェルノブイリ原発での事故による放射能汚染があり，1990年代後半には内分泌攪乱化学物質（いわゆる環境ホルモン）による生態系の影響が世界の各地で報告されている。他にもダイオキシン，化学物質過敏症にみられる問題など，人間の健康に影響する環境問題は数多い。また環境問題への関心の高まりにつれて，「地球にやさしい」「環境にやさしい」という表現が使われるようになってきているが，環境への配慮とは，そこに住む人間への配慮でもある。「健康的な環境」という表現が使われることがあるが，この言葉の中にはそこに暮らす人間の健康を重視するという意図が含まれている。

「こころの健康」と健康心理学

1995年の阪神・淡路大震災や地下鉄サリン事件以降，日本でもPTSD（posttraumatic stress disorder；心的外傷後ストレス障害）が広く知られるようになり，また特に子どもが被害を受ける事件・事故が相次いでいることから，「こころの健康」の重要性が一般にも認知されるようになってきている。PTSDはどんな小さな事件・事故でも起こりうるものであり，また社会における不安感の拡大に伴って，病的な症状に限らない「こころの健康」という視点の必要性も全年齢層に広がってきている。世界ではニューヨークの同時多発テロや他にも局地的なテロや内戦，紛争，災害などで，多くの心理的な健康問題が生じている。今，「健康や安全という視点」から「こころの健康」への理解を広めることも心理学，特に健康心理学の役割の一つである。

（杉田秀二郎）

識すること，生じた身体的変化だけにかかわるのでなく全人的な介入をしていくこと，行動やビリーフの変容，対処方法の学習などを重要視する。健康心理学は，各心理学領域の理論と知見を基盤にして健康を達成していく。例えば，精神分析の心理学から「無意識に存在する，行動を起こさせる源泉」に気づき，行動主義の心理学から「客観的な活動の予測とコントロール」を習得し，認知主義の心理学から，「心的過程の能動的なとらえ方」を学び，人間主義の心理学から，「人間の可能性」を知る。

C 他学問領域との関連

健康心理学の発展にとって，関連する他領域との連携も重要である。健康心理学は心理学の理論に強力に裏づけされ，深く根ざしているものであるが，行動科学，医学，教育学，公衆衛生学，栄養学，看護学などさまざまな分野の学問領域の活動を統合して健康心理学の課題を達成していくことが必要である。学際的な特徴をもつ健康心理学が貢献しうる点はこれからさらに認識されていくと思われる。

2. 健康心理学の役割・特徴

健康心理学の研究により得られた理論や知見は，①健康な行動を実践し，②病気を予防するために用いられる。

健康心理学の主要な特徴をオグデン（Ogden, J.）は以下のように述べている。

(1) 病気の原因：単一の原因で起こるものではなく，生物的（例えばウィルス），社会的（例えば雇用），心理的（例えばビリーフ）などの多面的な要因が関与している。

(2) 病気の責任：個人を単に受け身の犠牲者とみてはならず，自分の健康や病気に対して責任をもち病気の原因になる行動の役割を認識する。

(3) 治療の責任：身体的変化だけでなくその人全体に介入するのであるから，自分自身にも責任がある。

(4) 心と体の関係：心身二元論ではなく，心と体の相互作用に焦点をあて健康に対する全人的アプローチの発展を反映している。

(5) 健康と病気に関する心理学の役割：心理的要因は，病気の結果だけでなく病因にも寄与している。

2節　ストレスとパーソナリティ

1. 健康とパーソナリティ

健康や病気に関して，**パーソナリティ**はどのような役割を果たすだろうか。人間の健康は，外的要因（病原，環境）に起因する病気を克服していくことだけでなく，内的要因（心理的），行動習慣や生活様式の改善，さらに，他者とのかかわり方によって影響を受けるものである。健康心理学の発展に伴い，人間の心理学的な病的側面だけでなく心理学的な健康性に注目することによって，そこに人間のもつ可能性や自己実現への道を見出すことに，焦点をあてるようになってきた。

a　健康なパーソナリティ

パーソナリティの特徴を健康に向けて発揮することが大切である。健康なパーソナリティとはどのようなものだろうか。いろいろな理論家がそれぞれの視点から，精神的健康を達成するパーソナリティについて述べている。

①個性化——意識と無意識の統合，②自己受容，③自己実現，④「いま，ここに」生きる，⑤自分の人生に責任をもつ，⑥願望や感情を表出できる，⑦理性的である，⑧欲求不満耐性が高い，⑨不確かさの受容，⑩現実的な努力，⑪楽観主義，⑫ユーモア，⑬共感性などが，ユング（Jung, C. G.），マズロー（Maslow, A. H.），パールズ（Perls, F. S.），エリス（Ellis, A.）らの理論に共通する特徴である。

b　疾病とパーソナリティ資源

生活習慣病の発症や進行の過程で，生活習慣に影響を及ぼすパーソナリティの研究が進んだ。

(1)　冠状動脈性心疾患とタイプA行動

狭心症や心筋梗塞などの**冠状動脈性心疾患**は，高血圧，喫煙，肥満などの危険因子がその原因として考えられていたが，1950年代にはいって，アメリカの心臓専門医のフリードマンとローゼンマン（Friedman, M. & Rosenman, R. H.）によって心理・行動上の危険因子が**タイプA行動**として報告された。タイプA行動を引き起こすパーソナリティの特徴として，フリードマンらは以下の6項

目をあげている。
① 仕事を遂行しようとする意欲を強く，かつ継続的にもっている。
② 競争心がきわめて旺盛である。
③ 他人から認められたいという気持ちが頭から離れない。
④ いつも期限つきの仕事をたくさん抱えている。
⑤ 心身両面にわたり仕事を早くかたづけようとする習慣や傾向がある。
⑥ 物心両面で極度の気配りを忘れない。

この行動パターンは，心理的異常性を示すものではなく，従来の精神医学的な意味での病的類型とは無関係である。タイプA行動は変えることができる。自分の行動傾向を認識し，その行動傾向のポジティブな面を効果的に用いながら，認知的技法や行動訓練，リラクセーションの練習などによって自分を変え，心疾患を引き起こさないように，予防していくことができる。

(2) がんとタイプC性格

遺伝，環境，生活習慣などの生理化学的要因との相乗作用を通してがんの発症や進行と深くかかわっているといわれるパーソナリティを**タイプC**と呼ぶ。その特徴を以下に示す。

① 怒り，不安，恐怖などの不快感情を表出しないで抑制する傾向が持続する。
② 物静かで穏やかな態度を示し自己主張をしない。
③ 心の葛藤や緊張状態に上手に対処できない。
④ 絶望感，無力感，敗北感，喪失感，抑うつ感に陥りやすい。

その他の疾病誘発パーソナリティとして，アイゼンク（Eysenck, H. J.）はパーソナリティに関して対人反応検査から6つのタイプを分類した。また，心身症とパーソナリティの関連も研究されている。

2. 健康とストレス

a ストレスとは何か

ストレスは，一連の心理生理的なプロセスであって，外部環境での出来事や生体内部での反応や状態の変化につれて，さまざまな要因が関与して起こる，一連の複合的な現象である（図14.2）。

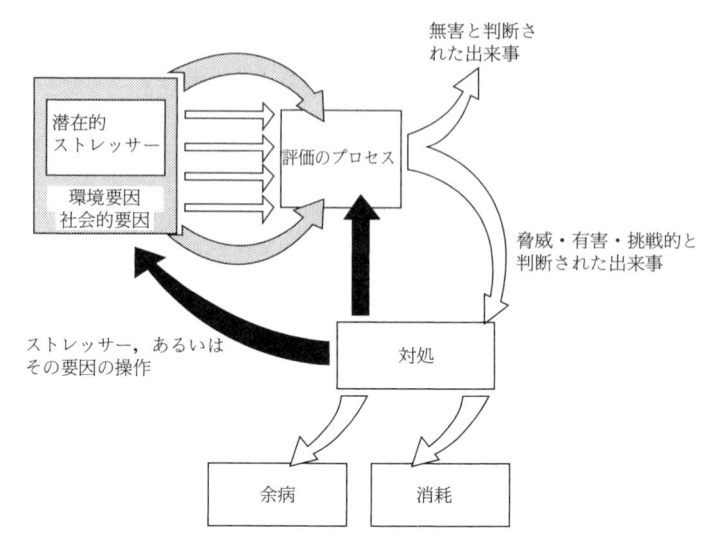

図 14.2 心理生理的なプロセスとしてのストレス
(Gathel *et al.*, 1989, 本明ほか訳, 1992)

持続的なストレスは，しだいに，急性，慢性の病気や障害を引き起こし，免疫システムを損傷し，感染症や新生腫瘍に対して身体を脆くさせる。ストレス研究においては，環境的，心理・社会的**ストレッサー**（例えば，職場のストレッサー）は一つの側面であり，もう一方で，ストレス対処の個人差（ストレスフルな状況にどのように対応するか）も考えねばならない。健康心理学は，ストレスと疾病の関係を取り扱うとともに，ストレスを緩和するもの，例えば，コンピテンス，ビリーフ，ソーシャル・サポートなどの資源も探求する。慢性疾患への対処も大きな課題である。

ストレス理論の歴史をみると，キャノン（Cannon, W. B.）の闘争－逃避モデル，セリエ（Selye, H.）の生理的ストレスの理論と汎適応症候群の概念，ホームズとレーエ（Holmes, T. H. & Rahe, R. H.）の社会的再適応評価尺度の開発などを経て，ラザルス（Lazarus, R. S.）の心理社会的ストレス理論へと発展してきている。

b ストレスコーピング

コーピングとは困難や問題を克服しようと努力することである。ストレスコーピングとしてラザルスは8つのコーピングの型をあげている。

(1) 計画型：問題解決に向けて計画的にさまざまな方法を検討してあたる。
(2) 対決型：困難な状況を変えようとする積極的努力であり，ストレスの原因となった問題に危険や失敗の可能性を承知のうえでぶつかっていく。
(3) 社会支援模索型：問題解決のために他人や専門家の援助を求める。
(4) 責任受容型：その問題の責任が自分にあることを自覚し，反省し，謝罪する。
(5) 自己コントロール型：自分の感情や行動の表出を調節する。
(6) 逃避型：困難な問題から逃げ出すことを考えたり，その問題を忘れるためにアルコールや薬物を利用したり感情を人にぶつけてまぎらわす。
(7) 離隔型：困難や問題は自分と関係ないと思い問題や苦しみを遠ざける。
(8) 肯定的再評価型：困難のあとには成長や発展があると考える。

そのときどきの問題状況にあった対処法を，適切に柔軟に使用できることが大切である。

C　ソーシャル・サポート

ソーシャル・サポートとは，人間が生きていくうえでさまざまな場面で他者から受ける有形無形の社会的支援である。個人のウェルビーイングを増進させる目的で受ける心理的，物質的資源から，広義には，他者との社会的関係や社会的ネットワークまで含まれる。機能面からみた場合には，サポートの内容や，提供物に焦点をあて，構造面からみた場合には，サポートの出所や対人関係の存在に焦点をあてている。

ソーシャル・サポートと健康に関して，ストレスバッファリングモデルでは，「高いストレスと低いソーシャル・サポート」の場合は病気を引き起こし，「高いストレスと高いソーシャル・サポート」の場合はストレスは吸収されたり緩和されることを示している。

3節　健康行動と生活習慣

健康行動や危険行動，生活習慣をそれぞれ別個の現象としてみるべきではない。生活に対処していく機能をもつ**ライフスタイル**の一部であるとみなす必要がある。改善のためにただ悪い部分だけを取り除こうと試みるだけではうまく

いかない。習慣は個人のライフスタイルに埋め込まれているからである。さらに，介入モデルは，長続きし，包括的で，費用効果のあるべきものである。

健康行動が習慣になっていくには，健康のために，①知識（何をすればよいのか），②技法（どのようにすればよいのか），③願望（そうなりたい）の3要素が必要である。

行動変容のためには，認知的，情動的な必要条件と障壁の除去を考え，人々が健康の目標を掲げ，現実的な行動計画を立て，実行を維持するサポート体制をはかり，逆行からの回復を援助するプログラムをつくっていくことになる。

1. 危険因子とその予防

危険因子とは健康を脅かし害を加える可能性をもつ要因をいう。喫煙，高血圧，高コレステロール，食習慣，肥満，運動不足，ストレス，アルコール乱用，薬物乱用，性行動などがあげられるが，危険因子は変容可能であり，予防することができる。**予防**には以下の3種類のレベルがある。

(1) 一次予防：疾病あるいは不健康な状態が生じないように予防する。一般的な健康増進として，家庭・地域，職場，学校など生活の場で適切な栄養，衣服，住居，休養など健康的な生活が与えられているかどうか，また，健康教育，性教育，母親教育，退職者のための教育などが，第一の視点である。第二に，特定の保護的な対策として，予防接種，環境浄化，職場の悪環境や事故の防止策などが含まれる。

(2) 二次予防：疾病や健康問題の早期発見と迅速な治療をいう。二次予防によって，疾病の治癒，進行の遅延，疾病の複雑化や合併症の予防，障害度の制限，感染症の伝染の防止をはかる。患者教育，公衆教育も二次予防の主要な部分である。

(3) 三次予防：すでに病気になってしまった場合，その障害の程度を最小限にとどめることや，リハビリテーションを行うことに重点をおく。心臓疾患の患者の手術後のライフスタイル改善のためのカウンセリングや，脳卒中のあとの適切な運動の指導などがこれにあたる。三次予防は，失った機能よりも残されている能力を重要視し，現在持ち合わせている能力を最大限に用いるために，医学的，心理社会的，職業訓練の視点から，多くの専門家のチームワークが必

トピック40

アメリカの高齢者エクササイズと健康

スポーツ科学の研究の進歩により，**エクササイズ**が人間の健康維持・促進の重要なキーワードであることが実証されている。成人病予防や抑うつ・不安感の低減効果など，エクササイズが直接的に私たちの身体的・精神的**ウェルビーイング**（well-being）に寄与していることは，WHOのガイドライン（1998年）からも見て取れる。また，急速に高齢化が進むわが国の社会において，人生をよりよく生きるための**QOL**（quality of life）と身体活動の深い関係も指摘されている。

カリフォルニア州サクラメント郊外にある自立施設と介護施設を併設する総合老人ホームでは，入居者専用の運動施設を設置。運動生理学を専門とした指導員が常駐し，ハイドロセラピー（水中エクササイズ），カントリーダンス，フィットネスの3種類のプログラムを提供していた。そのなかでも参加者の平均年齢が80歳を超えるハイドロセラピーでは，水中の浮力を利用し，通常の空間では運動に支障をきたす高齢者のリハビリや，自立歩行のための筋力強化を目的としたエクササイズを実施。カントリーダンスでは，エアロビクス（有酸素運動）の継続による健康増進，フィットネスでは，脆弱化している身体部位別に強化するなど，個人の目標を指導員と相談しながら実施している。

健康維持，疾病予防を目的としたエクササイズ・プログラムは広く実施されているが，そのアドヒレンス（継続）の困難さは今日の**健康心理学**の課題である。とりわけ高齢者においては，体力の低下や社会的孤立化によるプログラムへの参加度の低下という問題がある。上記のプログラムも「集団プログラム（グループセラピー）」，「個別プログラム（カウンセリングを含む）」で構成し，参加者のモチベーションを向上させる心理学的配慮を行っている。プログラム構成上の心理学的ポイントは，①ソーシャル・ネットワーク，②モチベーション，③セルフエスティーム，④フィードバック，⑤スポーツ・カウンセリング，である。

高齢者のQOLがソーシャル・サポートやセルフエスティームと深い関係にあることは，多くの研究者が指摘している。この点からもエクササイズ・プログラムがもたらすソーシャル・ネットワークやセルフエスティームの向上による心理的効果は大きい。エクササイズの臨床現場における継続のモデルや心理的効果を探究することが，今後の健康心理学の課題でもある。

（清水安夫）

要とされる。

2. 生活習慣病の予防

健康に悪い習慣を改めるには，習慣の現状分析，正しい知識や改善の技術の獲得，目標決定と計画の立案，実行，過程の評価など，自己管理による健康行動を通して健康に到達していくことが求められる。そのためには，①食習慣，②運動・休養習慣，③精神衛生に関する習慣，④嗜好習慣を見直し，改善することが大切である。

生活習慣病は悪い生活習慣に起因するといわれている。したがって生活習慣を改善することで予防できる。現代の死因の上位を占める三大疾患は，がん，脳卒中，心臓病であるが，その他，胃・十二指腸潰瘍，糖尿病などの慢性疾患にも共通する予防法を以下にあげる。

(1) バランスのとれた栄養をとり，毎日変化のある食生活をする。
(2) 食べすぎを避け，甘いもの，塩辛いもの，脂肪を控えめにする。
(3) 刺激性の強い食物や香辛料を控える。
(4) 適切な飲酒量にする。
(5) 禁煙する。
(6) 適度に運動をする。
(7) 睡眠を十分にとる。
(8) ストレス発散の方法を身につける。
(9) 定期的に健康診断を受ける。

3. 健康教育

健康教育とは，「健康な行動への自発的な適応を促進するあらゆる学習体験」である。その目標として以下の点があげられる。

(1) 自分の生活の中で健康の果たす役割を認識すること。
(2) 健康問題を解決するために，いろいろな情報を得て，それにより決定した目標を達成するために必要な技術を獲得すること。
(3) 日常のさまざまな変化に対して効果的に対応し，自分の健康への責任をもてるようになること。

a　発達段階における健康教育

人生移行の各段階で健康教育が必要である。幼児期・児童期には健康的なライフスタイルの基本的なパターンの形成をめざす。思春期には心身の不安定，自我同一性の拡散，劣等感などから引き起こされる問題の予防と解決をはかる。中年期には主に生活習慣病の予防や職場のストレス・マネジメント教育が重要である。高齢期では身体機能の低下に伴って生じる影響に対応しながら，過度の依存心をもたずに生き生きと過ごすための健康教育が望まれる。

b　生活の場における健康教育

各生活の場に応じた健康教育が展開されている。学校では，"learning by doing" のストラテジーを用いて，グループディスカッションやパネルディスカッションの形式で健康問題について自発的に学んでいく。職場では，ストレス対処能力，職務満足感，コミュニケーション能力の向上などに努める。医療の場では，生活習慣病，慢性疾患が増加していくなかで全人的医療の実現，よりよい医師－患者関係がめざされるが，さらに，インフォームド・コンセント，クオリティ・オブ・ライフ（QOL），セカンド・オピニオンなども今後の重要な医療の場の課題である。家庭では個人の生活の基地として要の役割をもち，子どもたちの健全育成に貢献するような健康教育を，そして地域の健康教育は環境の変化を導いていくことが重要である。

4節　健康心理カウンセリング

1. 健康心理カウンセリングとは

健康心理カウンセリングは，クライエントが健康についての種々の情報をよく知らされたうえで，自分自身の行動を決定し，よりよいライフスタイルを築いていくように，カウンセリングの技法を用いて援助していくことである。カウンセリングの技術を用いて，「健康」の定義の3側面である心理的，身体的，社会的なウェルビーイングの達成に，肯定的な影響を及ぼしていく。

健康が課題となる学校，職場，医療機関，家庭・地域の各場において，幼児から高齢者まで，さまざまな問題を抱えながら生活をしている人々がカウンセリングの対象となる。健康心理カウンセリングは以下の目標をもつ。

トピック41

理性感情行動療法

理性感情行動療法（rational emotive behavior therapy：REBT）は，1955年にエリス（Ellis, A.）によって提唱され発展した認知行動療法の一つであり，**健康心理カウンセリング**の基本的な理論となっている。エリスは，心理的健康と心理的混乱に関して評価的な考え方が果たしている役割と，認知，感情，行動がそれぞれ関連していることを明らかにした。REBTでは，A（activating events）：その人にかかわる出来事，B（belief）：その出来事についてのビリーフ，C（consequences）：結果の感情，の枠組みでクライエントの心理的問題を把握し，D（dispute）：論破により非理性的ビリーフを理性的ビリーフに導き変えていく技法である。**理性的ビリーフ**（rational belief）とは，その人の目標達成に貢献する適切な考え方であり，**非理性的ビリーフ**（irrational belief）とは，目標達成を妨げる独断的，絶対的な考え方や思い込みであり，「〜ねばならない」「〜すべきである」で表現される。REBTによると，AがCの直接的な原因として関与しているように思われがちであるが，それはまれで，BがCを引き起こしている。

エリスは，人は，曲解したり非理性的なビリーフをもつ傾向があるが，非理性的な考え方を理性的なものに変えてく力をもっていると考えた。そして，変える力を引き出すための努力をクライエントが自分自身で試みることができるように援助してきた。

同じような出来事でも，ストレスになる人もいればならない人もいる。それはビリーフが違っていたことである。REBTの適用範囲は広がり，職場でも多く用いられるようになってきた。取引先との交渉，上司と部下との関係などで生じるさまざまな問題で，怒りなどネガティブな感情とともにある「〜でなければならない」という考え方が「〜だったらよいのに」という考え方に変わると，感情は穏やかなものに緩和される。健康心理カウンセリングの立場に立てば，その後で，その願望を実現するには「どうすればよいか」という前向きで建設的な対策が立てられるようになる。

ニューヨークの同時多発テロの現場でも，被害者や緊急時支援者が直面する惨事ストレスからの立ち直りにREBTが用いられた。不安や悲しみがあっても，たとえこの世で最後の一人になっても，生きていこうという意思をもつことが大事なのだとエリスは述べている。

（野口京子）

(1) 健康の維持・増進と疾病予防に関する問題の解決，行動変容，新しいライフスタイルの獲得をめざす。
(2) クライエントに生起する体験の促進を援助する（自己評価の上昇，自己効力(感)の強化，自己実現の動機など）。
(3) 新しい健康的なライフスタイルをめざした健康増進プログラムの作成を援助する。

2．健康心理カウンセリングの理論的立場

健康心理カウンセリングのプロセスで必要なカウンセリングの理論を3つに大別できる。どの理論的立場に立っても，基本的に人間尊重の精神，成長可能性，信頼感，共感を基盤にして行われる。

(1) **来談者中心カウンセリング**：カウンセラーはクライエントの感情に焦点をあて，純粋，共感的，受容的態度をもってクライエントに自助の動機が高まるような場と雰囲気をつくる。クライエントは自己成長，健康，社交，自律へ向かうように動機づけられる。

(2) **意思決定のカウンセリング**：カウンセラーはクライエントの思考に焦点をあて，クライエントが問題や葛藤に関する自分の非理性的な考え方を，理性的なものに変えて問題解決をはかれるように援助する。

(3) **行動カウンセリング**：カウンセラーはクライエントの行動に焦点をあて，目標とする新しい行動を起こすことや行動変容を重視する。クライエントは行動をステップやユニットに分け，ポジティブなフィードバックを受けながら目標を達成し，その行動を日常化する。

3．健康心理カウンセリングのプロセス

健康心理カウンセリングでは，クライエントとカウンセラーは共同作業を行い，図14.3に示すようなプロセスを経て3側面の健康増進をはかる。

4．心理アセスメントの評価と結果の伝え方
a 心理アセスメントの目的
健康心理学に関するアセスメントは，①スクリーニングや診断により現在の

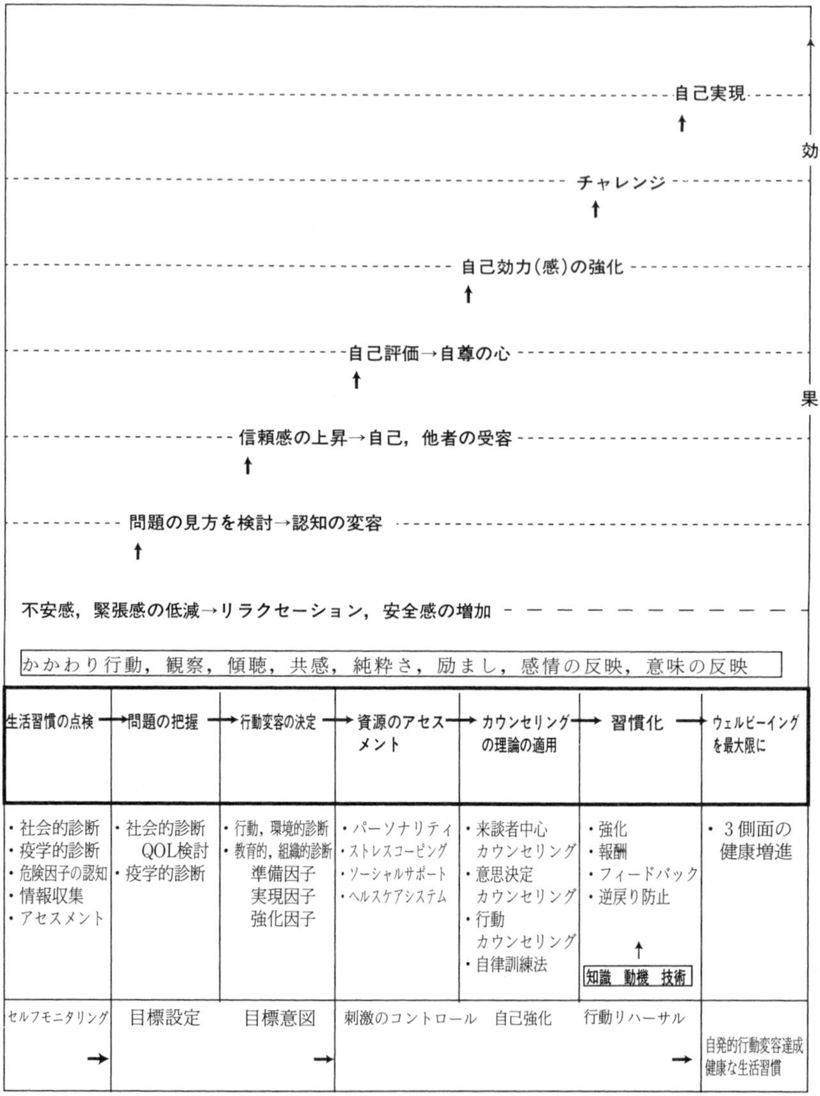

```
                                                                        ↑
- - - - - - - - - - - - - - - - - - - - - - - - - - - - 自己実現 - - - -
                                                          ↑              効
- - - - - - - - - - - - - - - - - - - - - - - - - - チャレンジ - - - - - -
                                                      ↑
- - - - - - - - - - - - - - - - - - - - - - 自己効力(感)の強化 - - - - - -
                                              ↑                          果
- - - - - - - - - - - - - - - - - 自己評価→自尊の心 - - - - - - - - - - -
                                    ↑
- - - - - - - - - - - - - 信頼感の上昇→自己, 他者の受容 - - - - - - - - -
                            ↑
- - - - - - - - 問題の見方を検討→認知の変容 - - - - - - - - - - - - - -
                  ↑
不安感, 緊張感の低減→リラクセーション, 安全感の増加 - - - - - - - - -
```

| かかわり行動, 観察, 傾聴, 共感, 純粋さ, 励まし, 感情の反映, 意味の反映 |

生活習慣の点検 →	問題の把握 →	行動変容の決定 →	資源のアセスメント →	カウンセリングの理論の適用 →	習慣化 →	ウェルビーイングを最大限に
・社会的診断 ・疫学的診断 ・危険因子の認知 ・情報収集 ・アセスメント	・社会的診断 　QOL検討 ・疫学的診断	・行動,環境的診断 ・教育的,組織的診断 　準備因子 　実現因子 　強化因子	・パーソナリティ ・ストレスコーピング ・ソーシャルサポート ・ヘルスケアシステム	・来談者中心 　カウンセリング ・意思決定 　カウンセリング ・行動 　カウンセリング ・自律訓練法	・強化 ・報酬 ・フィードバック ・逆戻り防止 　↑ 知識 動機 技術	・3側面の 　健康増進
セルフモニタリング →	目標設定	目標意図	刺激のコントロール	自己強化	行動リハーサル	自発的行動変容達成 健康な生活習慣

図14.3　健康心理カウンセリングのプロセスと効果 (野口, 1997)

健康状態を知る, ②疾患の発生など予測される健康上の障害の可能性を調べる, ③知識, 価値観, ストレス対処行動などから健康の維持・増進にかかわる行動を知る, ために行われる。健康関連のアセスメントは, 観察法, 面接法, 調査

法，検査法の種類に分けられる（17章参照）。健康心理カウンセリングにおける心理アセスメントの目的は，人間についての客観的記述にあるのではなく，その人が最も健康的に良い状態で生きるための意思決定に役立てるためである。

b　肯定的資質の発見

健康心理カウンセリングでは心理・教育的な介入をしてクライエントの人格的成長の基盤をつくる。クライエントの困難や弱い部分に焦点をあてたり，問題行動や異常行動の判定に重点をおくのではなく，積極的に肯定的資質を引き出すことによってそれを広げ，強め，病んだ部分と置き換えていく。健康心理カウンセラーは，クライエントが健康をめざして行動変容を起こすことを励まし，見守り，促進していく役割をもつ。

5節　健康心理学の発展

1．21世紀の健康心理学

新しい世紀に健康心理学はどのように発展していくだろうか。科学の急速な進歩，世相の変化によって健康の概念も変わっていくにちがいない。研究方向も，今までの量的研究に加えて質的研究の占める割合が増すだろう。そのときに「健康心理学」はどのような内容と役割をもつだろうか。生活習慣病の予防に心理学的貢献が高まることは言うまでもないが，さらに，個人と組織・社会の双方の努力により，健康心理学は世界の人々との温かい交流，安寧と平和の達成をめざして貢献することができるだろう。健康心理学は地球上の問題から宇宙生活における健康を考えるところまで広がっていくと思われる。

2．健康心理学の主要概念

自己効力とポジティブ・サイコロジーは，個人にも集団社会にも共通した行動変容のための強力な最も必要な概念である。

a　自己効力感

自己効力感とは，求める結果を達成するための資質と能力を自分が備えているにちがいないという，つまり，実現可能性に関する信念と感覚である。自己効力感は，以下の方法によって育てていくことができる。

(1) 自分で実際にやってみて直接成功体験を重ねる。
(2) 他人の成功や失敗の様子を観察することによって代理性の経験をもつ。
(3) 自分にはやればできるのだということを他人から励まされたり説得されたりする。
(4) 自分自身の有能さや長所，欠点などを判断していくためのよりどころとなるような，生理的変化の体験を自覚すること。

自分の行為によって望ましい効果を生み出すことができると信じることによって，行動しようという気持ちになる。この信念は，選択，願望，努力，逆境からの回復，ストレスや抑うつを乗り越えるときに影響を与える。自己効力に気づくということは，予測される状況をうまく乗り越えるために必要な行動を計画したり実行したりする能力にかかわってくる。また，人々の考え方，感じ方，行動，動機づけに決定的な影響を与える。人間の機能の中で，自分のもつ力を信じることほど素晴らしいものはない。

b ポジティブ・サイコロジー

ポジティブ・サイコロジーは1999年にセリグマン（Seligman, M. E. P.）が提唱した新しい心理学の流れであるが，健康心理学ではすでに，この概念を健康心理カウンセリングの中に取り入れている。従来研究されてきた不安，恐怖，怒り，攻撃などのネガティブな側面に目を向けるよりも，愛情，希望，楽観性，ユーモアなどの側面に焦点をあてて，ポジティブな個人資源の開発とポジティブな共存の社会をめざした研究をしようということである。

このポジティブ・サイコロジーの姿勢は，生活習慣病の予防や疾病の回復という作業を超え，自己実現というより上位の人生の質をめざす健康心理学の21世紀に進む方向性を示している。

〔野口京子〕

☞ さらにもう一歩先へ

1. さらに健康な生活習慣をつくるために，日常生活で自分の行動を点検し，行動変容の目標を立ててみよう。
2. 同じストレッサーに対し，人によって異なった反応が生じるのはなぜか考えてみよう。
3. 自分や周囲の人の肯定的資質を見つけよう。

引用・参考文献

Baum A., Ravenson, T. & Singer, J.　2001　*Handbook of health psychology.* Lawrence Erlbaum Associates.

Gathel, R. J., Baum, A. & Krants, D. S.　1989　*An introduction to health psychology.* McGraw-Hill, Inc. 本明　寛・間宮　武（監訳）1992　健康心理学入門　金子書房

野口京子　1997　ストレスによく効く癒しの処方箋　河出書房新社

野口京子　1998　健康心理学　金子書房

Pawlik, K. & Rosenzweig, M. R. (Eds.)　2000　*The international handbook of psychology.* Sage.

15章 教育心理学

　教育心理学といえば，その名称が示すように，教育に心理学の知識や技術を応用する学問だと考えやすい。たしかにそういう側面もあるが，近年，教育心理学は単なる応用学の立場にとどまることなく，教育実践に基礎をおいた独自の領域を確立すべきであるとする考えが強くなってきた。教育心理学の領域を発達心理，教授・学習，パーソナリティ・適応，教育評価の4つに分けて，それぞれの領域に含まれる主なテーマを簡単に述べる。これらの諸テーマが実際の教育にどのように結びつくかという視点から学習してほしい。

*1*節　教育心理学とは

1. 教育心理学とは何か

　「子どもはどのように成長・発達するか」「人はどのように学習するか」「幼児・児童・大人は同じ方法で学ぶのか」「人間と動物の学習過程は同じか違うか」「性格の差はどうして生ずるか」「教えられなくても人間は学習できるか」などの疑問は，すべて教育心理学にかかわるもので，前世紀を通じて心理学者によって研究されてきた。
　「**教育心理学とは何か**」を問う場合に2つの立場がある。一つは教育心理学は応用心理学の一領域であるとするものであり，他の一つは教育心理学は独自の理論と方法をもち，教育活動そのものを実証的・客観的に研究する教育科学であろうとする立場である。

2. 応用心理学の立場

　これは，基礎と応用（臨床）とを区別し，基礎研究で明らかになった原理や方法を応用領域に適用しようとする立場で，医学でも心理学でも古くからあっ

た。心理学が行動の科学をめざして以来，基礎研究は動物や人間を用い，実験室の統制された条件下で特定のテーマについて数々の法則や原理を発見してきた。ただそれらの法則や原理をそのまま，複雑な条件が絡んで展開される教育現場に応用してもあまり有効ではない。例えば「ネズミの実験で発見した学習の原理が，人間の学習に適用できるか」という疑問は，このことを端的に表している。

今から100年も前にアメリカの心理学者ジェームズ（James, W.）が，教師に心理学について語った論文の中で「心理学が心の法則の科学であるからといって，教室ですぐに使えるような教育のプログラム，計画，方法などをそこから導き出すことができると考えるならば，それは大きな間違いである。心理学は科学であるが，教育（teaching）は芸術であり，科学から直接に芸術が発生することはない」と含蓄の深いことを述べている。

1960年から1970年にかけてアメリカでも日本でも，学校教育での**教育心理学の不毛性**が論じられ，教育心理学はその方向性を見失っていると攻撃された。その背景として，心理学は教育内容にかかわりのない一般原理を求めすぎていたことや，教育は時代によって変わる片々たる知識を学習者に詰めこむのではなく，考え方，探究の方法，発見の方法を身につけさせるべきだと考えたことなどがある。また研究者と現場の教師との間に，研究課題，研究方法，研究興味などで乖離があり，互恵と相互信頼が不十分であったこともある。

3．独自の教育科学をめざす立場

この立場では，教育心理学は教育実践に立脚して，教育目標を達成するための有効な理論や方法を打ち立てる独自の領域であるとする。各教科のカリキュラムの研究，教育方法の研究などはこの立場に立っている。教授＝学習過程の研究では，教えるという活動と学ぶという行為は独立して存在するのではなく，相互にダイナミックに関連しあいながら展開するという考えから授業の分析を行ってきた。

教育心理学の研究のすべてが教育実践をとりあげる必要はないが，単なる応用技術学にとどまることなく，理論的にも実験的にも教育実践に寄与するものでなければならないことは明らかである。梶田叡一（2000）は，教育心理学の

[基本視点例]

どのような関わり（内容・特性・条件・枠組み）を通じて
1）人はどのように成長・発達していくか
2）人はどのように新たな認識や技能，関心や意欲など
　を獲得するか
3）人はどのように精神的に健康となっていくか
4）人はどのように自覚を深め人生観を形成していくか

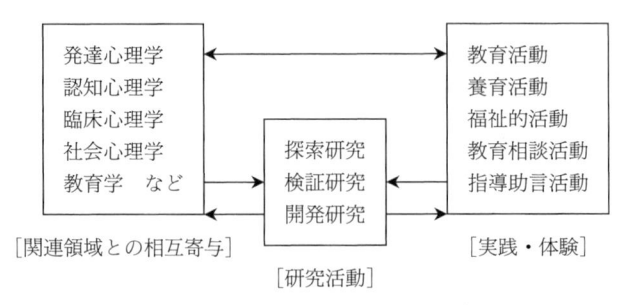

発達心理学　　　　　　　　　　　　教育活動
認知心理学　　　　　　　　　　　　養育活動
臨床心理学　　　探索研究　　　　　福祉的活動
社会心理学　　　検証研究　　　　　教育相談活動
教育学　など　　開発研究　　　　　指導助言活動

[関連領域との相互寄与]　　　　　　[実践・体験]
　　　　　　　　[研究活動]

図 15.1　あるべき教育心理学の基本構造（梶田，2000）

視点を「心理学の教育への適用」と「教育研究による心理学の進化・発展」におき，従来の教育心理学が前者の色彩が強かったのに対して，今後の教育心理学は後者の視点を重視する必要があるとして，図15.1のような「あるべき教育心理学の基本構造」を示している。

これによると，具体的な実践とそこでの体験的な実践知を研究の土台として重視し，常にそこに立ち返りつつ学問的な方法論に立つ研究の蓄積をはかり，それをまた新たな実践に生かすことによって新たな実践知の獲得に努めるというサイクルを大事にした相互関連的・相互循環的な取り組み方を提起している。

2節　発達心理

「人間は教育によって人間になる」と言ったのはフランスの思想家ルソー（Rousseau, J.-J.）である。人間の成長や人格形成にとって教育は欠くことのできない基本的機能である。教師が適切な教育をするためには，学習者の心身の発達を十分に把握する必要があり，教育の内容や方法は学習者の発達に即し

トピック42

「生きる力」を育てる教育

「生きる力」は，21世紀のわが国の教育の課題と方向性を示す言葉である。一般的には，「一人の人間が自らの人格を形成し，社会の中で生きるに必要な資質や能力の総体」と考えられる。第15期中央教育審議会は，「21世紀を展望した我が国の教育の在り方について」（第一次答申・平成8年7月）の中で，「生きる力」について次のように述べている。

「我々はこれからの子供たちに必要となるのは，いかに社会が変化しようと，自分で課題を見つけ，自ら学び，自ら考え，主体的に判断し，行動し，よりよく問題を解決する資質や能力であり，また，自らを律しつつ，他人とともに協調し，他人を思いやる心や感動する心など，豊かな人間性であると考えた。たくましく生きるための健康や体力が不可欠であることは言うまでもない。我々は，こうした資質や能力を，変化の激しいこれからの社会を［生きる力］と称することとし，これらをバランスよくはぐくんでいくことが重要であると考えた」と。すなわち，問題解決能力，豊かな人間性，健康や体力という3つの側面からその意味を説明していよう。この3つが相互に連関しあい，子ども自身が育てる〈全人的な力〉ということができる。

これを受けて，その後の教育課程審議会答申（平成10年7月），学習指導要領告示（平成10年12月）などでもキーワード的存在になっている。学習指導要領では，総則の第1に「学校の教育活動を進めるに当たっては，各学校において，児童（生徒）に生きる力をはぐくむことを目指し，創意工夫を生かし特色ある教育活動を展開する中で，自ら学び自ら考える力の育成を図るとともに，基礎的・基本的な内容の確実な定着を図り，個性を生かす教育の充実に努めなければならない」として，これからの学校教育の目的が「生きる力」の育成にあることを示している。

そのために各学校では，子ども自らが課題をもち自ら学ぶ授業，子どもの個性や能力を生かす教育活動を核にした教育内容の改善に取り組む必要がある。具体的には，発達段階に応じた基礎基本の徹底，それを可能にする学習形態や指導法の工夫（TT方式や習熟度別など），個々の能力を生かすカリキュラム開発などが求められる。また，社会の変化に対応する視点から，コンピュータを活用した情報処理能力，英語活動などによる国際感覚，ボランティア活動などの社会体験等を日々の教育活動に機能させることが不可欠である。

（有村久春）

たものでないと効果はあがらない。

1. レディネス

レディネス（readiness）の研究は学習者の準備状態の重要性を明らかにした。ある課題を習得する際に学習者の心身のレディネスが成立していると，学習者はその学習に興味をもち学習効果をあげうるが，レディネス成立以前では興味もなく，やる気も乏しい。無理に学習させれば失敗するか，成功しても一時的な効果しか保てない。ゲゼル（Gesell, A. L.）らが行った幼児の階段のぼりの課題を用いた実験から，レディネスの主要な要因は成熟であるとする考え方は古くからあり，子どもの成熟を待たないとむやみに練習しても効果はあがらないという「レディネス待ちの教育観」がある。ゲゼルのような運動学習では神経機能の成熟が大きな役割を果たすが，数学の学習や外国語学習のレディネスは複雑で，知的，情緒的，社会的成熟水準や既習の知識，技術，態度などの諸条件が関係してくる。そこで，それぞれのレディネスを推定して刺激を与え，子どもの潜在的能力を引き上げるような「働きかけの教育観」も一方にある。いたずらの早教育は避けなければならないが，教師の積極的な助言指導によって子どもの潜在的可能性を開発することも忘れてはならない。

2. 認識の発達と教育

ピアジェ（Piaget, J.）は，認識の発達を感覚運動期，前操作期，具体的操作期，形式的操作期の4つの時期に分けた。子どもの認識はこのように具体から抽象へと発達するので，幼児期や児童前期では抽象的認識がまだ困難である。例えば算数のカリキュラムを組む際には，教材としての数概念やその論理的構造のみによって段階を構成するのではなく，子どもの認識段階や操作能力の発達段階を合わせて考える必要がある。また，実際の指導にあたっても双方の条件を考慮しないと効果はあがらない。ピアジェの認識の発達段階に基づいてカリキュラムを構成するならば，いつ，何を，どのように教えればよいかが明らかになる。ピアジェ理論を教育に適用するとレディネス理論になる。すなわち子どもの認知構造が発達する以前にはそれより上位の概念は学習しえないし，理解もできない。すなわち，「学習が発達によって拘束される」という理論で

ある。しかし，「教師や実験者が教育的に熟練しており，敏感でありさえすれば，ある状況下では認知発達の加速は可能である」とするピアジェの理論を批判する研究もある。

3. 発達概念の拡大

いろいろの発達理論に示されている発達段階や発達曲線をみると，素朴に考えて発達とは「前進的・上昇的現象」と考えやすいが，実際には「行きつ戻りつ」推移しながら発達するので，教育指導ではあせらないことである。特に生涯発達心理学の視点に立つと，発達の概念は単純な上昇傾向とするのではなく，衰退も含めた「生涯にわたる心身の変化の推移」と拡大して考えるのが妥当である。

また老年期は一般的には衰退，下降の時期とみられやすいが，近年の研究が示しているように加齢に伴う英智（wisdom）や人格の円熟などに注目する必要がある。

*3*節　教授・学習

1. 学習心理学

学習心理学の研究は，19世紀の終わりから20世紀を通じて行動主義心理学の中核として華々しい成果をあげた。パヴロフ（Pavlov, I. P.）の条件反射，ソーンダイク（Thorndike, E. L.）の試行錯誤学習，スキナー（Skinner, B. F.）の行動分析，トールマン（Tolman, E. C.）の目的的行動主義，ハル（Hull, C. L.）の刺激反応理論などは，学習の本質をめぐって激しい論争を繰り返しながら後の学習研究に大きな影響を及ぼした。これらの行動主義者たちは，科学的な心理学は客観的に観察できる行動のみに基づくべきだと信じていたので，教室での学習や教授法に関する研究とは一線を画していた。

2. 教授＝学習過程

教授（授業）の効果を高めるために，**教授＝学習過程**（teaching learning process）を心理学的に解明し，そこにある法則的事実を明らかにすることに

よって，教授方法の改善をはかろうとするのが**教授心理学**（instructional psychology）である。具体的には，ある教育目標を達成するために，どのような教材を，どのような教師が，どのような方法で，どのような特性をもつ学習者に，どの程度与えると，どのような教授効果が生ずるか，といった形で研究を進め，教材・教師・学習者のあらゆる条件下での最適の教授法を見つけだそうとするのである。学習心理学が主として学習の事実を客観的に記述・説明しようとするのに対し，教授心理学は，教授法の効果に影響する要因を学習者の内的・認知的要因を含めて全体的・分析的にとらえ，個々の学習にとって最適の方法を処方的に導き出そうとするところに違いがある。授業分析を通して教授＝学習過程の研究を進めた教授心理学は，教育方法学と密接な関係をもって展開してきたが，最近は人間の複雑な認知過程を研究する**認知心理学**（cognitive psychology）とも結びついている。

3．学習の相互作用モデル

バーデン（Burden, R. L., 2000）は，教育の過程には教師・学習者・課題（または活動）・状況の4つの要素が含まれ，それらは常にダイナミックに相互作用しているとして図15.2のような「**学習の社会的相互作用モデル**」を提唱している。

4つの要素について説明する。「教師」はこのダイナミックな相互作用の過程に，彼らの教育・学校・学習者の能力や自分自身の能力についてもっている考えや態度，そして彼らの特別な興味，価値，能力などを持ち込んでくる。「学習者」たちは彼ら自身の特徴，学習と施設としての学校に対する位置づけをこの過程に持ち込む。学校やその他の教育施設，家族，地域などは教授＝学習過程や学習の性質に大きな影響を及ぼす主なる「状況」である。そのような状況の中で形式的，非形式的（あるいは隠れた）カリキ

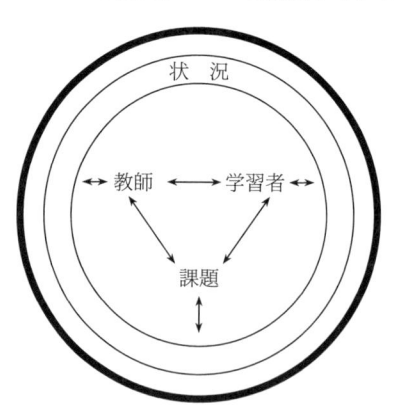

図15.2 学習の社会的相互作用モデル (Burden, 2000)

ュラムは学習課題や活動の性質を決定し，そこでの学習の方法は教師の考えや特徴，学習者の能力や学習意欲に影響される。それゆえに教育心理学の目的は，そのような知識を教育過程の活性化のためにいかに用いうるかについての深い理解をもってこれらの各要素に関する情報を用意することであると述べている。

4．授業の展開と学習指導

実際に教室で展開される授業は，「学習の社会的相互作用モデル」に示されるように複雑な要素の相互作用の中でダイナミックに進行する。それはまさにドラマである。授業中の教師の発言，働きかけ，学習者の反応，沈黙などを分析するのが授業の相互作用分析である。

次にあげるようないろいろの学習指導法がこれまで研究されてきた。

a 完全習得学習 (mastery learning)

ブルーム (Bloom, B.S.) は，教授＝学習過程を体系化することによって，どの学習者にも基本的事項を完全に習得させることができるとした。この方法は指導目標の達成度のみを追い求めるのではなく，それぞれの学習者の学習プロセスに表れた個性をとらえ，それに合った指導をするため授業中の形成的評価を重視した。

b 適性処遇交互作用 (aptitude-treatment interaction)

クロンバック (Cronbach, L.J.) は，「すべての学習者にとって唯一最良であるような教授法は存在しない」と一斉授業に反対し，学習者の個人差を考慮に入れ，授業の最適化をめざした。すなわち，学習者の適性（学習スタイル，動機づけ，既有知識，パーソナリティなど）と処遇（教授法，教具の用い方，機器の用い方，教師の特性など）の関係を交互作用の考え方からとらえることによって，学習の効果を高めようとするものである。

c プログラム学習 (programed learning)

スキナーのオペラント条件づけ説に基づき，学習目標を分析して細かくステップ化した課題をティーチングマシンやプログラムシートで提示し，学習者に自己ペースで反応させ，その直後に強化を与えるような手続きで個別学習をさせる方法である。

d 発見学習 (discovery learning)

ブルーナー（Bruner, J. S.）が提唱した学習法で，教師が一方的に解説するのではなく，学習者が学ぶべきテーマや解決方法を自主的に見出して，探索的に問題解決をすることで学習内容を学習者の認知的構造の中に位置づけることができるとした。このような学習方法は理科教育での科学的発見を要するような授業に適している。

e 仮説実験授業

板倉聖宣が理科教育で開発した方法で，教師が観察可能な現象について問いかけ，学習者にどうなるかを予測（仮説）させ，代表的な理由を述べさせる。次に実験をして仮説を確かめ討論し，検討しながら授業を進める方法である。社会科の授業では適用することが困難である。

f 有意味言語学習（meaningfull verbal learning）

ブルーナーの発見学習では時間がかかりすぎ，期待された教育目標が必ずしも達成されないとの批判から，オースベル（Ausbel, D. P.）が言語学習で提唱した方法である。これは機械的学習とは対照的な方法で，新しく学習される概念や情報を学習者の認知構造の対応する箇所に関連づけて教材を提示すると有意味学習は成立しやすい。でたらめに丸暗記するのではなく関係づけて学習すると効果があがるというわけである。

「学習への動機づけ」は4章で詳述されているが，教育心理学でも重要なテーマである。

4節　パーソナリティ・適応

1. パーソナリティ形成

個人の発達や学習を通じて教育がめざす最終目的は，人間の望ましい**パーソナリティ形成**である。パーソナリティ形成の過程については，昔から「三つ子の魂百まで」といって乳幼児期のしつけを重視してきた。しかし，パーソナリティはそれ以後の人生周期における発達・学習・生活経験等を通して老年期まで変化し，形成されるのである。

パーソナリティ形成の要因には，体質・気質などの素質的なものと社会・文化的なものがある。人間の行動は，基礎的には生物的規定を受けつつも，家庭，

学校，社会での後天的な学習や社会的影響によって変容するものである。

エリクソン（Erikson, E. H.）は，乳幼児期から老年期にいたるまでの**ライフサイクル**を通して，どのようなパーソナリティ形成上の危機があるかを理論と実証的研究の両面から解明している。彼の「**個体発達分化の図式**」によれば，青年期の課題はアイデンティティとアイデンティティ拡散の危機を克服することである。最近の研究（岡本祐子，1994）によれば，青年期に獲得されたアイデンティティは中年期までそのまま安定して維持されるのではなく，**中年期危機**に直面して見直され再体制化されて，らせん式に発達成熟する。定年前後にもアイデンティティの危機を迎えて三度見直しが行われるとしている。たとえ高年齢段階で形成された自我でも，危機に遭遇すると崩壊して発達の前段階の自我状態に戻り，幼児的な行動をすることは珍しくない。それは幼児の示す退行現象と同じで，発達を固定的に考えるべきではない。

中年期危機の背景には，体力の低下と性的能力の減退，仕事の責任の重圧，親子・夫婦関係の再構築，空の巣現象，老親の扶養，対人関係の複雑さ，転職・失業などがある。老年期危機としては，退職による職業の喪失，収入の減少，社会的地位の喪失，身体的健康の喪失，老化への不安と死への恐怖などがある。これらは中年期，老年期に対応しなければならない発達課題である。

老年期は人生統合の時期であるから，いろいろの喪失や不安感で絶望的にならずにこれらの発達課題を肯定的に受容し，次世代への関心をもち家族や地域を超えたより大きな絶対的な価値を志向すべきではないかと思う。

2. 適応と不適応

適応とは，人間が環境との間に調和的な関係を保ち，自分自身の欲求を充足させ自己の可能性を実現しつつある状態をいう。すなわち個人の内部では満足感，幸福感，安定感が得られていると同時に，外的には社会の価値規範や秩序に合致していれば適応といえる。さらに適応には単に環境に自分を合わせるだけでなく，逆に環境に働きかけることによって，環境を改革していく自発的，創造的な側面も含まれる。

一方，適応に失敗している状態を**不適応**，適応異常（maladjustment）という。人間の欲求は常に満たされるとは限らず，しばしばフラストレーションに

トピック43

学級崩壊

　一般には，子どもたちが教師の指導や指示に従わず，その結果，授業が機能しなくなり，一定期間学級の生活が機能不全に陥ることである。「学級崩壊」という言葉は，マスコミなどで先行的に流布された感があり，教育の場にふさわしいとはいいがたい。

　国立教育政策研究所がまとめた学級経営に関する報告書（平成12年3月）では，「学級がうまく機能しない状況」と慎重な表現をしている。そして，〈子どもたちが教室内で勝手な行動をして教師の指導に従わず，授業が成立しないなど，集団教育という学校の機能が成立しない学級の状況が一定期間継続し，学級担任による通常の手法では問題解決ができない状況に立ち至っている場合〉をさすとしている。すなわち，①子どもの勝手な行動，②教育機能の不成立，③一定期間継続，④通常では問題解決不能の4つの要件が重なり合ってる状況といえよう。

　その要因としては，少子化による子どもの自己中心性の助長，温かい人間関係づくりの弱体化，協力しあう集団生活の体験不足，ボス的な存在の子や多動傾向の子などへの指導の不適切さなどが引き金になっている。また，学級担任の指導が不十分で，事態をいっそう深刻化させてしまうケースもある。子ども相互の人間関係をつくり，集団生活に必要な秩序や規律を受けとめさせ，学習の成立をはかるという学級経営の基本的な機能が見られない状況がある。そこには，子どもと環境の変化に適応できず，画一的な指導観にとらわれ戸惑う教師の姿が浮かびあがっている。

　機能しなくなった場合，他の教師が入り込んで支援する，TT方式で授業をする，他の教師と交換授業をする，保護者の協力を得るなどの緊急対応が有効である。また，学級担任自身に子どもの小さな変化を敏感にとらえる感性が求められる。子どもの「先生あのねー」という表現や友人とのトラブル，授業中の発表内容などをよく見取ることである。とりわけ，低学年の段階で重要な対応である。

　さらに，日ごろから学習の事実を重視し，子どもと共に授業をつくる姿勢をもつことである。子ども個々の「わかりたい，自ら考えたい，工夫したい」という学びの欲求を大切にする。学期はじめなどに，学級生活のルールづくりを明らかにして，子どもたちの〈このような学級づくりをしたい〉という願いを受けとめるようにすることも重要である。

　　　　　　　　　　　（有村久春）

トピック44

フリースクール

　近代の学校は，近代国家が産業社会を維持するために生み出した巧妙な社会装置といえるだろう。このため，そこで学ぶ子どもたちは，学年制・学級制，系統的カリキュラムなど，さまざまな制度的制約によって管理されている。**フリースクール**とは，そうした制約から子どもたちを解放し，子どもたちに自由な学びの場を保障することをめざす「自由な学校」の総称である。

　フリースクールの源流は，**新教育運動**や，ニール（Neill, A. S.）の**サマーヒル・スクール**である。新教育運動とは，伝統的な「教師主導で教科中心の教育」ではなく，「子どもの自主的な活動中心の教育」を学校教育に持ち込もうとした20世紀初頭の教育運動をさす。また，イギリスの教育者ニールが1924年に設立したサマーヒル・スクールは，全寮制の学校で，そこでは子どもの全面的自由を認める教育が展開された。すなわち，授業への参加も子どもの自由であり，校則や行事の計画なども，子どもと教職員の全員が出席する会議で決められる。学校の運営の大部分が子どもの自由，自治に委ねられているのである。

　その後，このフリースクール運動は世界各国に広がり，多様な形で展開した。例えば，シュタイナー学校（西ドイツ），フレネの学校（フランス），オープン・スクールなどである。しかし，これらの学校は，最近ではフリースクールではなく，オルタナティブ・スクールと呼ばれることが多い。

　このオルタナティブ・スクールは，次の2種類に大別できる。第一のタイプは，公立学校に批判的な人々によって設立・運営され，公立学校の「代替え」として選択できる，新しい独自性のある学校である。第二のタイプは，公立学校として，または公立学校の中に設けられ，保護者や子どもが自由に選択したり，あるいは学校側が自校の「代替え」として勧める学校である。

　一方，わが国では最近，新しいタイプのフリースクールが出現した。それは，不登校の児童・生徒を支援するための民間フリースクールである。東京都教育委員会が平成11年度に実施した都内48施設の実態調査によると，そこでの活動内容は，「学習支援」中心の施設が11施設，「居場所・生活体験」中心の施設が12施設，「学習支援＋居場所・生活体験」中心の施設が18施設，「相談支援」中心の施設が5施設，「その他」の施設が2施設であった。また，多くの施設が不十分な施設，スタッフ不足などの問題を抱えていることも明らかにされている。

　　　　　　　　　　　　（森　敏昭）

陥る。フラストレーションの状態から脱却して緊張を解消し，心の安定を維持するために他の方法で欲求を満足させ，心理的適応を保とうとする働きを**適応機制**という。これは不適応を避けて自分を守ろうとする反応であるから**防衛機制**という。

教育心理学で問題になるのは，児童・生徒の学校や社会生活への不適応である。その理由は，児童・生徒の不適応は彼らのパーソナリティ形成に大きな影響を及ぼすからである。健康なパーソナリティをもつ人は，基本的に欲求不満やストレスへの耐性をもち，自分を肯定的にとらえる自尊感情や自己効力感をもっている。自尊感情や自己効力感の高い人は，社会的困難に出合ったときそれを挑戦のチャンスとしてとらえるが，低い人は脅威を感じて引き下がってしまう。

現在，わが国の青少年の不適応行動としては，いじめ，不登校，校内暴力，自殺，非行，殺人などが多発している。このような児童・生徒の指導は，臨床心理学の対象でもあり教育心理学の対象でもある。最近，学校教育の場での諸問題を臨床面から取り扱い，教師・カウンセラー・保護者のチームによるサービスを行う**学校心理学**（school psychology）への関心が高まってきた。

5節　教育評価

1. 教育評価の歴史的展開

教育活動が一定の目標をもって行われるかぎり，その活動のあらゆる領域・段階で評価は不可欠である。**教育評価**（educational measurment）は古くから行われてきたが，その歴史は概略次の3段階をたどってきた。

(1) **教育測定時代**（educational measurment）(1910-1930)：「教育測定運動」が始まり，標準テストや評定尺度を作成して，客観的・科学的に測定することが強調された。

(2) **教育測定から教育評価への時代**（educational evaluation）(1930-1960)：客観的テストだけでなく，論述式，実技テスト，観察チェックリストなどを活用して，教育目標に照らして全人的・総合的に評価しようとした。このような方法を**査定**（アセスメント；assessment）ともいう。

(3) 形成的評価 (formative evaluation)：評価を教授＝学習過程にどのように生かすかを重視する。ブルームは評価を診断的評価，形成的評価，総括的評価に分けた。診断的評価とは教育指導開始前のレディネス判定であり，形成的評価は教授＝学習過程の進行中に教授内容の理解度を評価して，それを教師と学習者にフィードバックすることによって，学習の達成水準をあげるための評価である。総括的評価は，学習の単元，学期，学年の終了時に到達度を概括するための評価である。

2．相対評価と絶対評価

　何を基準として評価するかによって**相対評価**と**絶対評価**に分かれる。相対評価は，偏差値，パーセンタイル値，5段階相対評価値など，各個人の成績が母集団の得点分布の中でどのあたりに位置づけられるかを示すものである。絶対評価は，特定の内容を習得したか否か，また完全習得の状態からどの程度隔たっているかを示すものである。
　2つの評価システムの功罪を次に述べる。
(1) 動機づけとの関連：相対評価は努力が反映しにくいが，絶対評価は努力の結果が表れやすい。しかし他者との比較ができにくい。
(2) 評価が指導計画に生かされる度合い：指導が有効であったか否か，どのような指導が望ましいか，カリキュラムはよかったかなどを検討するためには，母集団の平均点からのズレを示すだけの相対評価はほとんど情報を提供しない。絶対評価では個々の学習者について指導目標のどこを理解し，どこを理解していないかがわかるので，個人の指導や指導計画の改善に役立つ。
(3) 評価の簡便さ：相対評価の方が簡便である。絶対評価は指導目標に対応したテストを作成し，個々の学習者の反応の正誤を評価の対象とするので手間がかかる。
(4) 評価の客観性：相対評価は評価者の評価結果に甘い辛いの差は生じないので客観的であるが，絶対評価では指導内容の行動的目標にどれだけ到達したか否かを評価するので客観性は保証されにくい。
　評価の結果は教育指導に活用されるだけではなく，学習者や保護者に示されたり，内申書や入学試験，採用試験にも利用されるので社会的関心も高い。上

述の功罪を考えて評価の目的にふさわしい評価方法を選ぶ必要がある。

6節　教育の現状と教育心理学

　教育指導は個人を対象としてなされると同時に集団を通してなされることが多い。特に学校では学級集団の雰囲気，人間関係，社会的規範，教師の実践的指導力などは教育効果のみならず児童・生徒の人間形成にも大きく影響する。学級崩壊，校内暴力，いじめ，自殺，不登校などは学校の教育機能を麻痺させている。また最近の社会における青少年の犯罪の凶悪化はきわめて深刻であり，教育の危機ともいえる。このような現状を克服して「国家百年の計」である教育をよみがえらせるために，教育心理学にかけられている期待は大きい。

（山本多喜司）

☞ さらにもう一歩先へ
1. 教育に教育心理学はどのように役立っているか考えてみよう。
2. 大学における講義と評価のあり方について考えてみよう。

引用・参考文献

Burden, R. L.　2000　Psychology in education and instruction. In K. Pawlik & M. R. Rosenzweig (Eds.) *The international handbook of psychology*. Sage.

James, W.　1899/1958　Talks to teacher on psychology.（Burden, 2000 より引用）

梶田叡一　2000　教育心理学への招待　ミネルヴァ書房

岡本夏木ほか（監修）　1995　発達心理学辞典　ミネルヴァ書房

岡本祐子　1994　成人期における自我同一性の発達過程とその要因に関する研究　風間書房

依田　新（監修）　1988　新・教育心理学事典　金子書房

16章　産業・組織心理学

　人は生まれ育ち，学び働き，社会の一員として人々を支え，人々に支えられつつ一生を送る。一生の中では，夢見ることも遊ぶことも，乱れることも祈ることも，すべて現実であるが，現実の中で人間にとって最も切実な現実は仕事ないし勤労である。シュッツ（Schutz, A.）が仕事の世界（the world of work）を至高現実（paramount reality）と呼んだ理由もそこにある。産業・組織心理学は，仕事（勤労）を効率的かつ健康的にすすめるための心理学である。この章を通じ，人を仕事に結びつけ，協働させ，社会的効用を生み出させるための心理学を学んでいきたい。

1節　人事管理

1. 産業心理学の誕生と発展

　19世紀のおわりに近く科学として成立した心理学は，20世紀に入ると人と人々の心と行動の学として急速にその専門領域を分化させつつ発展をとげ，その探求の範囲を，動作から行為まで，反射から意識まで，主観・客観から間主観，集主観まで拡張する一方，その応用領域をも拡大させつつ21世紀を迎えるにいたっている。産業社会に生きる個人と集団の心と行動を心理学的に研究しようとする**産業心理学**は，最も早い時期に応用心理学としての体系を成立させたのであるが，一般にその発足の時期は1912年とされている。産業心理学の祖といわれるミュンスターベルク（Münsterberg, H.；1892年ドイツよりアメリカに帰化してハーバード大学教授となり，職場の第一線で働く人々の心理学的研究を精力的に行った）が『経済生活における心理学』（*Psychologie in Wirtschaftsleben*）を出版したのがこの年だからである。

　翌年に多少の改訂が加えられ『心理学と産業能率』（*Psychology and industrial efficiency*）として，アメリカでも上梓されたこの書物は，次のような3部

構成により体系づけられている。
　第Ⅰ部「最適の人」——職業と適性，職業指導と科学的管理法，個人と集団など
　第Ⅱ部「最良の仕事」——学習と訓練，動作の経済，疲労など
　第Ⅲ部「最高の効果」——経済的要求の充足，広告・陳列の効果など
　1920年代に入ると工業化路線のトップランナーであるアメリカには多くの産業分野に巨大工場が出現し，能率向上への関心が高まり，そうした気運の中でウェスタン・エレクトリック社から研究を委託されたハーバード大学のメイヨー（Mayo, E.）が，同社のホーソン工場で1930年代にかけて行った調査から新しい分野が開けることになった。公式組織に対する非公式組織の影響，能率の論理に対する感情の論理の優位などがそれで，これをきっかけに人間関係論，社会的動機論など産業場面での社会心理学的研究領域が大きく開けていった。こうして1964年には**組織心理学**という呼称がリーヴィット（Leavitt, H. J.）とバス（Bass, B. M.）により用いられ，1970年アメリカ心理学会はその第14部門の「産業心理学」の名称を「**産業・組織心理学**」と改めて今日に及んでいる。この名称は，産業心理学と組織心理学との混成領域を意味するものではなく，それまでの産業心理学が産業文明の発展とともに組織現象への関与を必然的に深めていった結果としての内容的重層性を表す統一名称と受けとめるのが妥当である。
　1985年に設立されたこの分野での日本の学会も，当初から「産業・組織心理学会」の名称を用いており，「人事」「組織行動」「作業」「市場」の4部門により研究が展開されている。

2. 人事管理のサイクル

　3部構成からなるミュンスターベルクの『心理学と産業能率』は上述の通り第Ⅰ部で「最適の人」を，第Ⅱ部で「最良の仕事」を扱っており，そこにとりあげられたテーマはそのまま今日の「**人事心理学**」に引き継がれている。**人事管理**は，人材ないし人的資源を調達，活用，開発する経営活動であって，この活動に理論的実証的基礎を提供する科学が人事心理学にほかならない。
　もちろん，人事管理は生産要素としての労働力の管理という側面をもってお

り，この側面について理論的実証的基礎を提供する科学は労働経済学である。人事心理学は，人の働き方，生き方という側面に注目し，人を仕事に結びつけ，仕事を通じて成果をあげさせるうえでの心理学的諸条件は何かを明らかにしようとするものである。いずれの側面から接近するにせよ，その対象は人事管理という経営活動であるから，まずその概要を的確に理解する必要がある。

人事管理は次の7つのステップからなる一連の人事管理活動の循環過程を通じて展開され，その過程は人事管理のサイクルと呼ばれる。

第1ステップ——職務を定義する。
第2ステップ——その職務を担当する者の資格要件を明確化する。
第3ステップ——資格要件をよりよく満たす人材を選定する。
第4ステップ——選定した人材を資格要件に合致するところまで教育訓練する。
第5ステップ——職務遂行に向けて動機づける。
第6ステップ——執務基準を明示する。
第7ステップ——業績および人物を評価する。

人物を評価しおえたなら，その評定結果にふさわしい職務は何かを考え，彼（彼女）に付与すべき職務を再定義することになり，このサイクルは再び第1ステップに戻って第2巡目へと進むことになる。こうして人材は，経営体という組織の中でらせん状のコースをたどって**職務経歴**（career）を繰り広げていくこととなる。

3．人事管理における心理学的諸課題
a　職務分析

人事管理のサイクルの第1，第2ステップに関する心理学的課題は，経営にとってなすべき仕事は何かに基づき，成員各自に担当させるにふさわしい職務を明らかにすることであり，これを**職務分析**（job analysis）と呼ぶ。

職務分析は，第一に職務の目的，第二に職務の内容，第三に職務の方法，第四に当該職務担当者が具備すべき資格要件を明らかにするという手順をふんで行われる。分析の単位となる職務とは，同類の職業（position）群のことであり，職位とは人一人に割り当てられる課業（task）群のことであり，課業と

トピック45

企業倫理

まず最初に確認しておきたいのは，企業行動といえども，それは最終的にはトップ・マネジメントの行動（あるいはトップ・リーダーシップ行動）に帰因されるということである。

ここで，人の能力の総体を，**IQ**というハードウェアに**EQ**というソフトウェアをのせて動かすと，**スキル**という形の実践的仕事に顕現するというモデル構造を想定してみよう（図参照）。

このスキルには，生産現場におけるスキル，オフィスにおけるスキルなどの部門別スキルや，現場監督や中間管理職に求められる管理スキルなどの階層別スキルなどさまざまなものが入る。当然，管理職に共通するリーダーシップ・スキルとして，職務遂行能力と対人関係能力という2要因に集約されているスキルも入るであろう。

次にEQであるが，ここには問題発見能力，状況判断能力，共感能力，さらに最近コンピタンシーなどと呼ばれている能力などが含まれる。そして当該議論の焦点である倫理的行動をとらせるための道徳感，使命感，ノブレス・オブリージュ（高位にあるものに課せられた義務）などもこの領域に入る。

ところで，企業行動の倫理的考察が経営倫理学としてスタートしたのは比較的新しく，アメリカでは1970年代，日本では1980年代の終わりごろである。それはとりもなおさず，企業の利益至上主義に対する同時代からの見直しが迫られたことの反映であった。このようにトップの行動が倫理的であるかどうか，その注目度が高まっているなか，企業倫理の議論は，人間の行動を他律的に制御する方向（法律や規範の整備）と，自主管理の方向（集団内行動規範）で蓄積されてきている。先にみたEQにくくられるような，スキルの域を超えた企業倫理行動の議論はいまだ少ないのが現状である。**（杵渕友子）**

図　能力のモデル構造

（ピラミッド図：上から スキル（顕在能力），EQ（潜在能力），IQ）

はひとまとまりの作業群のことである。

b 人事アセスメント

職務を明らかにするのが職務分析であるのに対して、人の職務関連諸特性を明らかにしようとするのが**人事アセスメント**（personnel assessment）である。20世紀末以降産業社会のグローバル化に伴い巨大競争時代が到来し、経営環境が厳しさを増すにつれ、雇用主は雇用者に対して雇用条件適合性（employability）を強く求めるようになった。こうした動きにともなって、人事アセスメントにおいても一般適性（知能）と特殊適性を測定評価するだけでなく、知能、技能のほかに態度能力をも、ＩＱだけでなくＥＱをも含め、人材の職務能力（competence, competency）を総合的に評価する必要が増大した。

人事アセスメントは、大きく分ければ第一に能力、第二に性格、第三に意欲・職業興味の測定評価という3分野からなるが、それぞれの分野において次々と新しい評価手法が提案され実施されている。

c 企業内教育訓練

組織体がその成員に対して行う教育訓練を**企業内（職場内）教育訓練**といい、古典的には**科学的管理法**の提唱者であるテーラー（Taylor, F. W.）が行った作業の単純化（simplification）、標準化（standardization）、専門化（specialization）に基づく技能形成がその例であるが、大規模組織の叢生に伴い、階層別職能別に制度化された社内教育をもつ企業が増加し、その方法においても、講義、討議、実習などのほかに、事例研究法、ラボラトリー訓練（文化的孤島における訓練）、モデリング学習、プログラム学習等々の手法が多彩に応用される領域である。

こうした、定式化された教育訓練のほかに職務遂行を通じて行われる訓練（on-the-job training：**OJT**）があり、日本のOJTは21世紀後半の高度成長期に注目すべき成果をあげた。しかしながら、前世紀から今世紀にかけての情報社会到来に伴う産業構造の変革を機に、職務編成の恒常性が減衰し、OJTの有効性はそのぶんだけ低下した。

これに対処するため、今日の産業界では広く再訓練への要請が高まってきているが、これについては2節で詳述することとする。

d 仕事への動機づけ

　仕事への動機づけ（work motivation）は，教育訓練と並んで人事管理の心理学における最重要課題の一つである。なぜなら，教育訓練によってもたらされる学習の成果として所要の能力が備わったとしても，それだけでは，職務上の業績には結びつかないからである。業績は能力と意欲の掛け算により生じるのであり，意欲を高める心理学が動機づけ理論にほかならない。それは大きく内容理論（contents theory）と過程理論（process theory）に分かれる。

　人には，食べたい，飲みたい，仲良くしたい，勝ちたい，認められたい，夢を実現したいといった**欲求**がある。これが動機の内容を構成している。欲求は，時と場合により，動機，動因，要求などと呼ばれることがあるが，行動を起こす原動力である点では心理力学的には同一と考えてさしつかえない。この無限に多様ともみえる欲求がどのようなタイプに分類されるかを示す理論が内容理論であって，多くの研究者が諸説を立てているが，代表的なものとして，マズロー（Maslow, A. H.）とハーズバーク（Herzberg, F.）の理論がある。

　マズローによれば，人の欲求は低次から高次へ階層的に「生理的欲求」「安全を求める欲求」「愛と帰属を求める欲求」「認められたい欲求」「自己実現を求める欲求」の順に組み立てられており（**欲求階層理論**），前の3種は人間の基本的欲求ともいわれ，これが満たされないと激しい欲求不満（frustration）にみまわれるので，一括して**欠乏動機**（deficit motive）と呼ばれる。後の2種は自我をもつ人間固有の欲求で自我欲求と呼ばれることがあるが，この欲求のより高い目標をめざす性質に着目して，欠乏動機と対比させ一括して**成長動機**（growth motive）と呼ばれることがある。

　一方ハーズバーグは**職務満足**（job satisfaction）に着目して欲求を2群に分け，衛生要因（hygiene factor；はじめは不満要因 dissatisfier と名づけた）と動機づけ要因（motivator；はじめは満足要因 satisfier と名づけた）にまとめた（**動機づけ衛生要因理論**）。前者には給与，作業環境，職場の人間関係などが含まれ，後者には仕事そのもののやりがい，責任，成長などが含まれ，後者を充実させることが職務満足を高めるうえできわめて重要であることが実証されている。この視点に立って，細分化されすぎた仕事をまとまりある仕事に再設計して付与する縦割完結型（vertical full-job）の職務再設計（job redesign）が推奨されるようになった。

　ではこうした欲求を原動力として生まれる職務遂行への動機づけは，どのような過程を通じて発現するのか。この過程を説明するのが過程理論にほかならない。その代表的なものが次式で表される動機づけの**期待理論**と呼ばれる理論である。

　　　職務遂行動機の水準＝自己効力期待×努力・業績期待×業績・結果期待

　つまり，仕事に向かって積極的に取り組もうとする意欲の高さは，自分にはどれだけやれそうかという見込みと，どれだけ努力すればどれだけ業績があげられそうかという見込みと，どれだけ業績をあげればどれだけ報われそうかという見込みの積によって決まるということである。

e　評　価

　動機づけられた人物が仕事に取り組んで成果をあげ，その業績が正しく評価されればさらに意欲は高まる。この意味から評価（**人事考課**〔personnel appraisal〕，**勤務評定**〔performance rating〕）は人事管理の核心をなすものといえる。

　人の評価にあたっては，その人物の職務行動に即して評定することが求められ，評定者の恣意的偏りは厳に排除されるべきであることはもちろん，ハロー効果，中心化傾向，対比効果，寛大化傾向などの無意識的偏りに陥ることのないようあらかじめ評定者訓練を行うことが望ましい。人の行動は対処行動と表出行動に分かれ，それらを顕在面，潜在面の両面から評価する必要があるので，人の評価の構造は図16.1のようになる。

　評価の結果，その人物がより高度な職務への適性を備えるにいたったと判断されたなら，人事管理のサイクルは一巡して次段階での職務の再定義へとつながっていくことはすでにみた通りである。

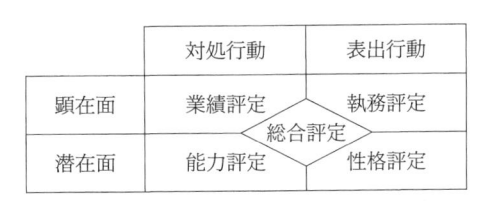

	対処行動	表出行動
顕在面	業績評定	執務評定
潜在面	能力評定	性格評定

（中央に「総合評定」）

図 16.1　評価の構造

2節　産業界の再訓練

　前節でふれた通り，産業構造の再構築が求められる時代に対応して，産業界ではこれまでのように既定職務を既定方法で遂行するタイプの訓練では時代と社会の要請に応じられなくなり，**再訓練**への要請が急速に高まった（トピック46の「エンパワーメント」参照）。すべての産業において顧客満足に重点をおいた経営が求められ，一般社会に与える印象を意識しつつ，良い世評を堅持するレピュテーション・マネジメントが追求される時代が到来した。企業倫理や説明責任が強調されるのも企業経営をめぐる状況のこうした変化に起因する。

　とりわけ，あらゆる産業がより行き届いた顧客サービスの質を問われるようになるにつれ，第一線従業員の職務行動いかんが世評にさらされるようになり，それに伴って刻々変わる第一線の現場状況に即応して自己統制的に適切な行動をとれるように，全従業員を再訓練する必要が生じた。

　このような背景の下に心理学的に注目されるようになった再訓練の特徴は，**ダブル・ループ・ラーニング**，**社会的認知理論**，**学習組織**という3点に集約的に現れている。

　従来型のシングル・ループ・ラーニングにおいては，訓練によって到達すべき目標行動は一定のものだった。しかし，これからの複雑に変化する物理的社会的環境の中にあっては，よく見聞きし，理解し，次々に新しい行動パターンを習得しつつ，職務遂行にあたることが求められる。つまり，所定の目標行動を習得すれば後は同一ループの繰り返しというのではすまされなくなり，常に"何が当面の目標行動であるか"を学習しつつ，その目標行動を習得していくというダブル・ループの学習を迫られているということである。

　社会的認知理論とは端的にいえば"人のふり見てわがふり直せ"式の学習理論である。いわば他人を代理人（モデル人物）に仕立てて学ぶ（代理学習，モデル学習）ことであり，さらに自己統制を加えることによって自己効力感（セルフエフィカシー）を高めつつ新しい目標行動を習得することであり，企業はそのように人々をエンパワーしていかなければならないわけである。

　学習組織ないし学習企業とは，日々の経営活動全体を通して，"やって見せ，

言って聞かせて，またやらせ，誉めてやらねば人は動かぬ"という原則を貫き，組織全体にその理念と実践を浸透させるような組織体をいい，多くの企業が単に生涯学習のかけ声を強め，各種研修コースを整備する段階をこえて，組織全体を学習組織へと変容させることをめざすようになってきている。

*3*節　モラールとリーダーシップ

1. モラール

　モラールとは職場集団の"やる気"であり，それを規定する要因としては多くの調査を通じ，職務それ自体，給与，人間関係，福利厚生，監督方式，経営方針が重要であるとされてきている。

　モラールを高く維持したいのは，すべての組織体にとっての願望であるが，では，常識的ともいえる上記6要因を業界内平均値以上に保っていればよいかというと必ずしもそうはいかない。なぜなら人も組織も生命体であって単なる受動的存在ではないからである。人も組織も絶え間なく環境との間にダイナミックな相互作用を営んでいるゴーイング・コンサーン（進展する関係体）である。それゆえ，経営主体としては，能動者である成員たちに対して，常に有効に働きかけつつ，成員たちに働きがいを感じさせるような状況を創出していくことが求められている。

　そのための方策としては大きく4つの行動指針をあげることができる。すなわち，**安定化**，**公平化**，**個性化**，および**民主化**である。

　安定化とは，作業の安全と身分の安定である。危険有害作業については常に可能なかぎりの対策を実施していることを経営は身をもって示しつづけなければならない。誠意をもって勤勉に働いているかぎり，人員整理や倒産の憂き目にあわないという安定感を人々に与えつづけなければならない。新旧世紀の過渡期に表面化したようなリストラという名の首切りなど言語道断である。

　公平化とは，成員各自が投入した努力と獲得した報酬との比が均衡していることである。職務の複雑と責任の度に応じて報酬を受け，勤勉の度に従って報われる職場であるという気持ちを，全成員がひとしくもてるよう，あらゆる経営努力が払われなければならない。

トピック46

エンパワーメント

エンパワーメント（empowerment）とは文字通り，対象のパワーにさらにパワーを付与することであるが，この場合のパワーは2つに分類することができる。ポジション・パワーとパーソナル・パワーである。前者は権限委譲とほぼ同義で，経営の文脈では労働組合の経営参画などの例にもみるように，かなり以前から実施されている施策である。要するに支配層と被支配層とのパワーの非対象性を是正することにほかならない。

しかし個人あるいは集団は，権限だけ委譲されても，必要な情報を具備していない限り，実績をあげることはできないだろう。それについて企業としては情報の共有化，教育や能力開発の推進をして対処している。それがエンパワーメントの2つ目の意味のパーソナル・パワーのアップである。

こうして権限と必要情報を手にすれば，今度はパワーを遺憾なく発揮できそうであるが，実は前提として「**自己効力感**」がないとそれは難しい。この部分を支援して個人が社会的に生きることを可能にする一つの方法に，**物語療法**があげられる。

物語療法は精神分析療法の一つで，家族療法の延長線上にあり，自己の成り立ちを他者——その集合としての社会も含む——との関係（あるいはコミュニケーション）とのかかわりでとらえるものである。家族療法分野で，特にシステム論的アプローチに対する不満が背景となって，1980年代後半からアメリカのハーレン・アンダーソン（Anderson, H.）らのグループとニュージーランドのマイケル・ホワイト（White, M.）らのグループに代表されるグループが2大源流となって発展してきている。

物語療法では，人にはそれぞれ自分自身について語る物語があり，自己はそれを他者に語ることで生成すると考える。そこにある語りえないものに注目し，語らせるようにするのが物語療法である。「語りえない」理由の一つとして，個人やある集団が所属社会のもつ価値観によって支配されて自己否定的になっている（自己効力感がもてないでいる）場合がある。社会におけるあらゆる意味での少数派は，社会のもつドミナント・ストーリーに歪められた自己物語を生きることを強いられがちである。物語療法の所見を得て，企業内で個人一人ひとりが十全に自己物語を語れるための環境づくりという新課題が姿を現してきたといえる。

（杵渕友子）

個性化とは，"できれば自分の性に合った仕事をさせてほしい"という成員たちの気持ちを大事にし，従業員一人ひとりの個性に適合した配置の仕方，活用の仕方を可能なかぎり工夫し，そのように工夫している誠実さを理解してもらえるように努めることである。

民主化とは，職場における仕事上の意思決定過程にできるかぎり参加させることである。マネジメントの民主化には，この他に所有の民主化，分配の民主化があり，そのための仕組みはそれぞれに工夫されてきた。自社株の取得促進策やスキャンロン・プラン，ラッカー・プランなどがそれであるが，これらは経営の経済価値に関する民主化策ではあるが，成員の精神価値に着目した民主化策とは必ずしもいえない。働く者が，労働価値に対応する正当な給与のほかに切実に求めるものは何か。それは仕事上の意思決定過程への参加にほかならない。

2. リーダーシップ

変化の時代に自己統制による**エンパワーメント**がますます重要性をおびるようになるにつれ，マクロ・マネジメントにおいてはガバナンスがいっそう問われるようになり，マイクロ・マネジメントにおいてはますます**リーダーシップ**が問われるようになる。

管理者のリーダーシップについてのこれまでの研究は，要望性（何をしてほしいかを相手にわかる言葉で伝える），通意性（要望の根拠を納得させる），共感性（相手の立場に立って感じ考える），信頼性（相手に，このリーダーは裏切ったり，あざむいたりすることは断じてしないと思われること）の重要性を明らかにしてきている。

また，近年，職場構成員の多様化が進むにつれ，カリスマ・リーダーシップ（自己成就性予言を行い実績をあげる指導性）や，メンターシップ（養育的指導力）の研究にも関心が拡張されるようになってきている。

しかし，これからのマイクロ・マネジメントにおいて，どのような職場でも多かれ少なかれ求められるようになるリーダーシップのスタイルは，成員各人がそれぞれ自分自身のリーダーになることができるような状況を整えることのできるリーダーシップであるという提唱がなされてきており，これは自己統制

によるエンパワーメントの提唱と対をなす動きといってさしつかえない。

4節 作業能率

作業能率をあげることは産業・組織心理学においては最も早くからの課題であった。テーラーが提唱した科学的管理法はこの課題に答えるもので，その基本は，すでにみた通り作業の単純化（simplification），標準化（standardization），および専門化（specialization）というものだった。

この基本は，例えば単純化の行き過ぎからくる単調感や空虚感の問題があったものの，職務拡大（job enlargement）や，職務充実（job enrichment）によって克服され，大きな流れとしては，単純化は作業能率向上の大原則であることに変わりはないといってよい。標準化にしても同様で，当初主としてマニュアル・ワークに限られていた標準化が，時代の進むとともに，オフィス・ワークに広がり，前世紀末以降は企業会計基準のような分野まで世界標準化の必要が唱えられるようになってきている。マニュアル・ワークがますます機械化自動化されていくなかで，標準化はむしろソフトウェアの領域へとますます拡大していく傾向にあるといえよう。専門化についても，業種業態のいかんを問わず，すべての職場で**コンピテンス**（またはコンピテンシー）が強調され，社会的資格化にはのらない職務についても，職場の固有条件に対応する業績確保能力の持ち主であるかどうかが問われるようになってきている。

これらに加えて新しく関心を集めている領域は，心身機能への緊張を左右する条件についてである。この分野で提唱されている理論が要請コントロール・モデル（job demand control model）である。

ストレスをもたらすストレッサーは多様であるが，職場に働く人についてみれば従事する職務そのものがストレッサーの相当部分を占めており，作業能率にも大きくかかわってくる。カラセック（Karasek, R. A.）らはストレッサーとしての職務特性を，職務の要求度と決定の自由度の2次元でとらえ，要求度が高いほどかつ自由度が低いほどストレッサーとして作用することを確かめた。この面でも先にみた自己統制の度を高める施策の有効性が傍証されるといえよう。

トピック47

顧客満足（CS）

　顧客満足（customer satisfaction）とは，顧客が購入した商品の使用についての**満足度**を客観的に把握するものさしとして開発された概念である。企業はこの CS 指標を手がかりに，消費者の嗜好を製品開発，改良に取り込むという構図になっている。この概念が誕生した背景の説明は，経営の生産志向からマーケティング志向への転換をあげるのがふつうである。

　これは経営目的が良品製造から顧客創造へとシフトしたということであるが，その理由は，消費者の関心が製品本来の品質からデザインやパッケージ，アフターサービス，果ては製品イメージといったものまでも含めた副次的品質に移行したからである。企業がそれに対し適合行動をとったまでのことで，嗜好が「高級化」「個性化」した消費者市場から発想することをマーケティング志向と呼んでいるのである。

　実質所得水準が向上した現代の日本の家庭にはモノがあふれている。さらにここにきてアメリカの同時多発テロ以降は，経済の先行き不透明感が増し，今でさえ十分に長い経済不況の脱出経路が，さらに長く辛いものになることが予想されるとき，人々の財布は締まりぎみである。製造に携わる者は自己満足的に良品製造だけを追求しているわけにはいかないのである。

　さらに，インターネットの発達と普及により，製造過程に消費者が積極的にかかわることができるようになり，両者のコミュニケーション過程から製品が生み出されるという事態が実現しつつある。もはや流通経路は一方向的，固定的，不可逆的ではない。それは双方向どころか，できては消えるといった，単発的，偏在的なものでさえある。この段階にきてこそ本当に，製品に製造者満足と顧客満足が結合したといえるのではないだろうか。

　しかしまだ忘れてならない満足がある。それは企業で働く従業員の満足である。企業文化論の火付け役になった『エクセレント・カンパニー』のことを今一度思い出してみよう。同書で掲げられた数々の事例は，そこで働く人々がいかにその会社の企業理念を信奉し，その仕事に誇りをもち，そこに所属することに喜びを感じているかを示すものであった。すなわち，何を作り，売るかに先行して確保されなければならないのは，従業員満足であるということである。

〔杵渕友子〕

5節　消費行動

消費行動における心理学的な研究は広告の分野から発足しており，AIDMA（注意，印象づけ，指南，行動）モデルやネガティブ広告（この商品を使わないとこのような悪い結果が起こるという訴求）の有効性などが研究されたが，今日では購買行動への認知的不協和理論の応用，例えば自分が買った車の広告をよりよく読む傾向があるといった研究や，e-コマース（電子商取引）における消費者擬似共同体形成とでもいうべき現象の研究や，費用便益比較の優位性の確認などへと多様化されてきている。

今となっては古典的ともいえるが，産業・組織心理学的に一典型を示した研究は，ヘイヤー（Haire, M.）によるインスタント・コーヒー発売当初の不人気の原因解明であろう。

彼は，わずか100人の主婦を調査しただけで，"家族のために労働を惜しまぬのが主婦の美徳"とする価値観が心理的抵抗となっていたことを明らかにした。今日的には購買者による購買行動へのセンスメーキング（意味形成）のテーマへとつらなるものといえるだろう。

（山田雄一）

☞さらにもう一歩先へ

1．仕事について責任を果たすとはどういうことか。責任感について考えてみよう。
2．仕事のやりがいと人生の生きがいについて考えてみよう。
3．職場の人間関係について考えてみよう。

引用・参考文献

古川久敬　1988　組織デザイン論　誠信書房
松井賚夫　1982　モチベーション　ダイヤモンド社
二村英幸　2001　人事アセスメント入門　日経文庫
山田雄一　1992　人の活かし方・組織の動かし方　日経連出版部

17章 心理アセスメント

人間を評価し，診断する方法にはどのようなものがあるか？　心理アセスメントは，総合的，多面的に人間を評価し，診断する方法である。面接や観察，調査，心理検査などの方法が，心理学の長い歴史の中で開発されてきた。この章では，それらの意義や役割，科学的な方法としての基本条件，例えば妥当性や信頼性，実施や活用上の留意点を扱う。倫理綱領の問題は，以前からアメリカ心理学会などでは大きくとりあげられてきたが，日本でもようやく最近になってクローズアップされてきている。

*1*節　心理アセスメントとは

心理アセスメント（psychological assessment）は多面的，総合的に人間を評価し，診断しようとする方法である。心理検査法，行動観察法，面接法，質問紙調査法などさまざまな方法で対象者個人のさまざまな資質や特徴やその生活歴，環境条件などについての情報を幅広く収集する手段である。

一般に人格の評価や診断は心理検査や面接によることが多いが，「アセスメント」はもっと多くの方法により，多面的に人間を評価し，診断するところに特徴がある。図17.1に示したように人間は「知的（intellectual）」と「非知的（non-intellectual）」のさまざまな側面をもっているが，このような側面をさまざまな心理学的方法によって総合的に把握しようとする。

「アセスメント」の一つの具体的な例として第二次世界大戦のときのアメリカの戦略局（U. S. Office of Strategic Services : OSS）による情報部員の選抜をあげることができる。その選抜においては，対象者にきわめて厳しい条件下で数日間集団生活をさせて，面接や観察その他の方法で情報部員としての特殊な任務に耐えうるかどうか，その適性判定を行った。すなわちアセスメントは

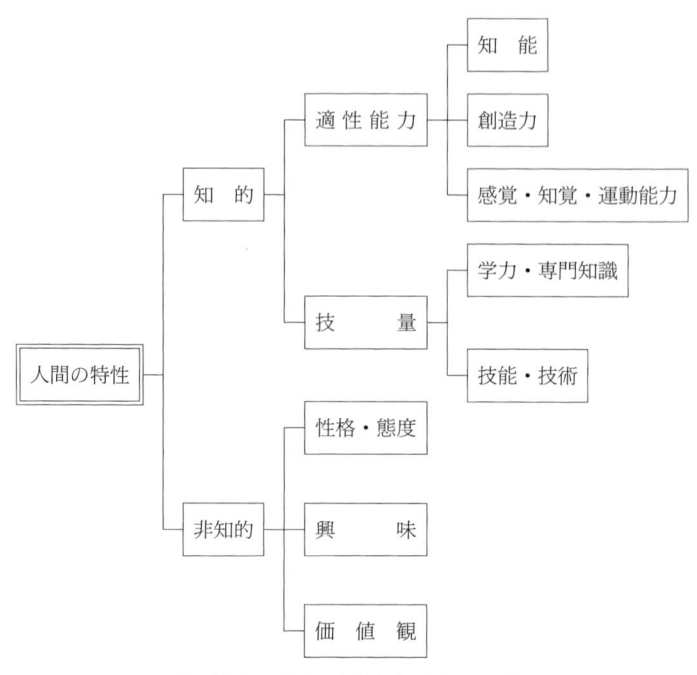

```
                              ┌─── 知　能
                    ┌─ 適性能力 ─┼─ 創造力
           ┌─ 知 的 ─┤         └─ 感覚・知覚・運動能力
           │        │
           │        └─ 技　量 ─┬─ 学力・専門知識
人間の特性 ─┤                  └─ 技能・技術
           │        ┌─ 性格・態度
           └─ 非知的 ─┼─ 興　味
                    └─ 価　値　観
```

図 17.1　人間の特性（織田, 1991）

特定の目標基準を達成する可能性を予測するための全人格的，総合的な測定・診断の方法なのである。

　宇宙飛行士の選抜などにおいても同様にアセスメントという言葉があてはまるであろう。わが国の宇宙開発事業団が行っている選抜では数百人の応募者の中から宇宙飛行士として適性のある人物を，心理検査や心理面接，精神医学的面接，健康診断等々の方法を実施して，最終的に数名の候補者を選び抜いてアメリカのNASAへ派遣するのである。

2節　心理アセスメント法の種類と特徴

　人間を多面的，総合的に評価・診断する方法として具体的に以下のような方法があげられる。

1. 観 察 法

アセスメント法として用いられる方法は広義に解釈すれば，すべての方法が**観察法**であるといえる。面接も心理検査も調査もすべて方法こそ異なるが対象者の特徴を観察する（調べる）手段といえよう。

しかし，ここでいう観察法は「外部から客観的にみる」という直接的な意味合いがある。この点では後述する「面接法」も同様である。

観察法は対象者の行動や態度，表情などを外部から客観的に観察する方法である。自分で自分の意識現象を観察する「**内観法**」なども観察法に入るが多分に主観的といえよう。

観察法には次のものがある。**自然観察法**は自然の状況の中で行われる観察法である。**実験観察法**は実験室などで特殊な条件を設定して行われる観察法である。また特殊なものとして**参加観察法**は観察者自身が対象者集団の中に参加して行われる観察法である。

2. 面 接 法

直接，対象者と対面して一定の質問項目や評定項目を用いたり，また自由に対話をし，自由に回答させることにより，対象者のさまざまな特徴や人物を把握する方法である。臨床場面におけるカウンセリングや企業における採用試験などの面接はその典型である。

面接には個人を対象として行う**個人面接**と複数を対象とする**集団面接**がある。また一定の質問をあらかじめ用意して相手の行動や態度，表情を観察しながらその質問に答えてもらう「**構造化面接**」，質問の主旨だけをあらかじめ説明しておき，自由に回答させる「**非構造化面接**」，この２つの中間的なものとして「**半構造化面接**」がある。

面接で重要なこと，特に臨床的な場面で要求されるのは面接者と被面接者の好ましい情緒的な人間関係（**ラポール**）の形成である。いかにしてラポールをうまく形成し，相手に腹蔵なく，質問に答えてもらうかは，面接者の重要な技術の一つといえる。

また，面接をいかに客観的に行うかということも重要である。人が人をみるときには主観的な判断の誤りが介在しやすい。表17.1は人物判定における判

トピック48

ハロー効果による評価・判断の歪み

　私たちはさまざまな人に出会い，かかわりあいをもって生きている。意識しようがしまいが，その際にその人についての何らかの情報を自分の中にインプットし，自分なりのその人理解を構築しているものである。そうした理解を背景として，私たちは日常の人づきあいを行っているともいえる。

　果たして，私たちは人をどれほど正しく理解することができるのであろうか。

　この問いには残念ながら「かなり難しい」と答えなければならないであろう。なぜか。そこに理解する側の要因，すなわち**認知の歪み**という問題が浮かびあがってくるのである。この認知の歪みをもたらす代表選手がソーンダイク（Thorndike, E. L.）によってはじめて概念化された「**ハロー効果（halo effect）**」（光背／後光効果）である。

　ある人のさわやかな笑顔を好ましく思ったならば，その人の他の側面までも好ましいものとして受け取り，ひいてはその人の評価を実際以上に素晴らしいものだと判断してしまう。あるいは，ある人の粗暴な振る舞いを嫌いだと思ったならば，その人の他の側面までもいやなものとして受け取り，ひいてはその人の評価を不当に低く判断してしまう。ハロー効果とは，こうした人や物事の評価・判断に際して私たちがその対象の目立った特徴に対して事前に抱いた何らかの感情的構えに影響を受け，認知が大きく左右され，歪む傾向のことである。好感度や知名度の高い人を起用した商品宣伝は，この効果を応用した一つの例である。逆に，この効果によって，商品宣伝において温かな態度を見せた人の好感度が高くなるといったことも起こりうるのである。

　学校や職場において入試選抜，成績評価，人事考課など，評価・判断が求められる場合には，この効果のもたらしうる歪みに留意しなければならない。その際，信頼性や妥当性の確かな客観性のある評価方法・評価基準を用いること，訓練された複数の判定者によって評価すること，評価結果の性質を理解した慎重な取り扱いを行うこと，などの工夫によって積極的に対処することができる。本章で述べられている心理アセスメントのさまざまな手続きとは，このハロー効果や**論理的誤差**（logical error），**寛大効果**（leniency effect）などの評価・判断の歪みを最小限にする試みであるといえよう。

（井上直子）

17章 心理アセスメント

表17.1 評定（判断）の誤り（浅井ほか，1995）

(1) 光背効果
一般にハロー効果（halo effect）と呼ばれており，ある特性についての評定に際し，その対象の一般的な印象とか，それとは本来は別で独立な他の特性によって評定が歪められてしまう傾向がある。
(2) 中心化傾向
評定尺度法を用いるとき，評定者は自然に極端な評定を避けやすく，評定が尺度の中央に集まる傾向がある。
(3) 寛大性の誤差
評定は通常やや望ましいほうに偏りやすいが，特に知っている人，親しい人を高く評定する傾向がある。評定者によっては，この誤差を意識しすぎて逆に低く評定してしまう場合もある。
(4) 対比誤差
評定者は評定される人を，その特性における自分の位置と反対の方向にいっそう偏らせて評定する傾向がある。評定者が勤勉だと，それほどでない人を怠けていると評定しやすい。
これとは別に，評定を継続的に行なう場合の誤差もある。すなわち，きわめて高い評定が続いた後の評定を実際より低く評定し，低い評定が続いた後の評定を高くしやすい傾向がある。

断の誤りをあげたものであるが，このような誤りをできるだけ排除して，客観的に対象者の特徴を把握することが大切である。面接を客観的に行うために評定尺度を併用し，面接で知りたい特性や傾向を数値化してチェックし，さらに複数の人が面接してその結果を総合する，というような方法も必要である。

3．心理検査法

一定の検査問題や検査用具を定められた手続きに従って提示し，回答や反応を求めることによって，対象者の特徴を測定・診断する方法である。

心理検査法には人間のさまざまな特性や傾向に対応して種々なものが開発されている。知能検査，人格（性格）検査，学力検査，適性検査などが代表的なものである。

表17.2は *Mental Measurement Yearbook*（心理テスト年鑑）に収録された心理検査の種類と数（％）を示したものである。この外国の資料では人格検査や職業（適性）検査が多いことがわかる。よく用いられる人格検査には下記の形式がある。

a 質問紙式検査法

複数の質問項目を印刷した冊子から構成され，一定の形式（「はい」と「い

表17.2 外国のテストの種類と数
(*Mental Measurement Yearbook*)

Classification	Number	Percentage
Personality	350	24.8
Vocations	295	20.9
Miscellaneous	139	9.9
Languages	134	9.5
Intelligence and Scholastic Aptitude	100	7.1
Reading	97	6.9
Achievement	68	4.8
Developmental	56	4.0
Mathematics	46	3.3
Speech and Hearing	39	2.8
Science	26	1.8
Motor/Visual Motor	23	1.6
Neuropsychological	14	1.0
Fine Arts	9	0.6
Multi-Aptitude	8	0.6
Social Studies	5	0.4
Total	1,409	100.0

いえ」の2件法，またはこれに「どちらでもない」を加えた3件法）で回答を求める。この検査形式は特に人格（性格）検査に多い。

質問項目の数は通常50〜150位の検査が多いがMMPI (Minnesota Multiphasic Personality Inventory) のように550問の多岐にわたるものもある。質問項目の数はその検査がみている「特性」の数による。向性検査（外向性－内向性の程度をみる）のように単一の特性をみるものは当然質問数は少なくなる。M-G性格検査（本明・ギルフォード性格検査）のように13の特性をみるものは，156問の質問項目から構成されている。

また質問紙式の（性格）検査では回答の歪みが生ずる――意識的，無意識的な虚偽の回答がなされることがある（特に選抜試験などの競争場面などで）――ので「虚構性尺度（lie scale）」を設けて回答の歪みをチェックする。

b 作業検査法

代表的なものはクレペリン作業検査（連続加算作業検査）である。ドイツの精神医学者クレペリン（Kraepelin, E.）が行った研究をもとにわが国の内田勇三郎が検査として標準化したものである。ひとけたの数を数行にわたって連続して足し算を行わせ，その作業パターンから人格診断を行ったところから連続

加算作業検査とも称されている。質問紙式の検査と比べれば，それほど広範な人格の側面をみることはできないといえる。

C　投影法

多かれ少なかれあいまいな刺激（絵や図，言葉）などを提示し，これに自由に回答させる方法である。ロールシャッハ・テストや主題統覚検査（TAT），文章完成法が主なものであり，回答の歪みが生じにくい反面，結果の評価や解釈には熟練が必要とされる。

4．調査法

一定の調査項目に対して回答を求めるものや面接や電話による質問と併用されるものもある。これらは通常アンケート調査といわれ，世論の調査などいわゆる社会調査法の範疇に入るものでもある。

最近では特に「健康心理学」の学問領域で用いられるものとして疫学的調査がある。一定地域の住民（数千人という大量のサンプル）を対象としてタイプA行動傾向や肥満，喫煙といった健康を阻害する要因が死亡率にどのように影響するかを疫学的方法を用いて予測研究を行う。

3節　心理アセスメント法が用いられる場面と対象

心理アセスメント法は主に次の3つの場面で活用される。
(1)　学校・教育：児童・生徒の学習指導や進路指導，生徒指導などのガイダンスにおいて用いられる。学力検査，知能検査，適性検査，種々の人格検査など，主に心理検査法が用いられる。
(2)　企業・職場：職業人や採用試験受験者を対象とする。採用試験や適正配置，従業員の適応状況の把握やストレス・マネジメントのツールとして用いられる。人格検査やストレス調査などが用いられる。
(3)　心理臨床・福祉健康・保健・司法・矯正：病院，各種相談所，鑑別所，保健所，診療所，養護施設などで心身の健康に何らかの問題性や不適応傾向を示す人を対象とする。神経症，精神病，非行，知的障害，心身症などの診断や治療計画のツールとして，またカウンセリングや各種心理療法と併用されるこ

ともある。人格検査や知能検査（特に個人法）が用いられる。

4節　心理アセスメント法の意義と役割

心理アセスメント法には，主に次の4つの意義と役割がある。

1. 情　報　性

個人または集団のさまざまな特徴についての「情報」を得ることができる。例えば特定の児童・生徒についての性格の傾向や能力水準についての情報（積極性，協調性，情緒の安定性などの程度やIQのレベルなど）を数量的に把握しうる。また集団（例えば男女差や年齢差，地域差など）の特徴を数量的に把握しうる。

2. 弁　別　性

個人間差異と個人内差異を把握することができる。元来心理アセスメント法の最大の目的は「個人差」を見分けることである。AさんのIQは130でBさんは98ということが知能検査の結果わかれば，Aさんは平均水準（同年齢集団の）よりかなり知能の発達水準が高く，Bさんは平均水準に近いということが明らかになる。個人内差異がわかるということは同一人でみたとき，AさんはIQ130であるが，性格特性としての積極性は5段階点で2でありやや低い，BさんはIQ98であるが，積極性は5であり，きわめて積極的でやる気のある人である，ということを意味する。つまり，その人個人の中で何が高く，何が低いのか，その長所，短所，強み，弱みを知ることができる。

3. 予　測　性

知能のレベルから学業成績（学力）をある程度予測することができる。入学試験の成績（学力）から入学後の学業成績を予測することができる。また採用試験における適性検査の結果から採用後の実務成績を予測することが可能である（これらは検査や試験の「予測的妥当性」または「基準関連的妥当性」の問題でもある。5節参照）。つまり心理アセスメント法はさまざまの成果を予測

する方法として有効である。

4．刺激性・治療性

特に心理検査法の重要な意義として検査結果を注意深く対象者にフィードバックすることにより当人の長所や短所を自覚させ，短所や問題点の改善をはかることが可能である。検査は単なる対象者の特性の評価・診断だけにとどまらず，当人を刺激することにより改善の意欲を高めたり，ガイダンスや治療計画の方針を定めるために活用することができる。刺激して，自覚をうながし，改善の努力をさせるために利用しうる。

5．科学性・客観性

心理アセスメント法，特に心理検査法の重要な意義として科学性，客観性があげられる。心理検査法がなぜ科学的で客観的かといえば，一つは「**標準得点**」または「**換算点**」を備えているからである（図17.2参照）。IQ，偏差値，5段階点など，一定の集団の平均水準と比較して当該個人の得点がどの程度高いか，または低いかということを示す「ものさし」があることが科学性・客観性の根拠の一つである。標準得点は心理検査を作成（標準化）するときの一つの手続きとして，一定数の母集団のサンプルを収集し，その平均値や標準偏差

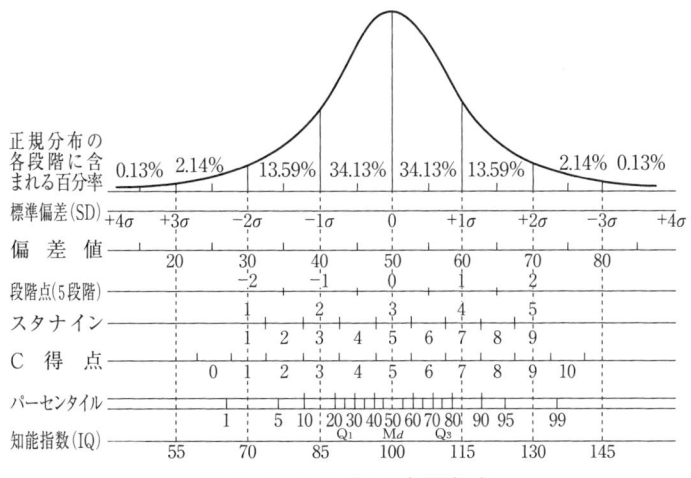

図17.2　さまざまな標準得点

をもとに算出されるものである。

　自分では内向的な性格であると（主観的に）思っていても，自分と同年齢集団の平均水準と比べると，それほど内向的ではない，というケースがありうる。標準得点を知ることにより自分の内向性の程度を他と相対的に評価しうる。科学性・客観性のもう一つの根拠は，IQや性格特性など心理検査がみているさまざまな特性が学問的に厳密に「定義」されていることである。専門家が作成した心理検査がみている「頭の良さ＝IQ」と一般の人々が常識的に考えているものとは異なっていることが多い。性格特性や他の心理学的特徴についても同様のことがいえる。これは後述する検査の「内容的妥当性」の問題とも重要にかかわっている（5節参照）。

5節　心理アセスメント法の基本条件

　オーティス（Otis, A.）は表17.3に示したようにすぐれた検査の条件として妥当性や信頼性，使いやすさ，採点のしやすさなどを指摘し，各々の項目に点数を配点している。これはオーティス自身の主観もあるにしても，アセスメント法の条件として何が重要かを示す一つの目安となる。「使いやすさ」には採点のしやすさや解釈のしやすさ，手引きの読みやすさ，実施時間があまり長くないこと，検査の冊子のデザイン等が含まれているものと思われる（つまり評価の項目の内容に多少の重複があると考えられる）。

　この節では重要な条件として「妥当性」「信頼性」「実用性」の3点について説明する。

表17.3　よいテストの判定尺度

手引	7
妥当性	20
信頼性	10
評判	3
使いやすさ	20
採点のしやすさ	15
解釈のしやすさ	20
印刷，体裁	5
	100

1. 妥　当　性

　検査が測定しようとしているもの（例えば知能とか学力）をどの程度正確に測定しているか，その正確さを**妥当性**（validity）という。妥当性には内容的妥当性，基準関連的妥当性，構成概念妥当性がある。それぞれの意味と検証方法について述べる。

内容的妥当性は検査の質問項目や問題（課題）が測定しようとしている行動や課題の領域を十分に代表しているか，そのよいサンプルとなっているかを意味する。学力検査を例にあげると，その検査問題は当該教科の教育目標や教科の領域をバランスよく反映していることが重要である。そのため当該教科の専門家に判断してもらうという検証の手続きをとることが必要となる。これは論理的妥当性，あるいは標本妥当性ともいわれる。

　基準関連的妥当性はその検査の得点と適切な外部基準との関連性がどの程度高いかによって示されるものである。例えば，入社時に実施したセールスマンの適性検査の得点と入社して一定期間後の販売成績（実務成績）との相関を調べ，それが高ければその検査は基準関連的妥当性が高いと評価しうる。なおこの場合は検査の実施と外部基準としての実務成績の収集の間に一定のタイムラグをおいて検査の予測力をみているため「予測的妥当性」とも呼ばれる。両者の間にタイムラグがない場合（例えば入社一定期間後に検査を実施し，それと同時に実務成績との相関を調べるようなとき）は「並存的妥当性」をみていることになる。これも基準関連的妥当性に含まれる。

　構成概念妥当性は検査が測定しようとしている概念（例えば外向性とか知能）をどの程度正確に測定しているかということである。構成概念は行動を説明するために仮説されたものであるから直接に観察はできない，実体のないものである。したがって，これを高めていくにはいくつかの方法を時をかけて積み重ねていくことになる。

　他の検査との相関はどうであるか，例えば理論上は知能検査の得点は単なる知識検査との相関があまり高いと真に知能を測定しているか問題であろう。異なる構成概念を測定する検査間の相関は低くなければならない。またその検査を異なる集団に実施したとき得点に適切な差があらわれるかどうかも構成概念妥当性を検証する一つの方法である（例えば発達検査を異なる年齢集団に実施したとき，理論上予測されるような得点差が出るかどうか）。

2. 信　頼　性

　検査の**信頼性**（reliability）とは，測定の一貫性，安定性をいう。つまり同一人に同一条件で一定期間をおいて2回その検査を実施したとき，同一の結果

が得られることはその検査の信頼性の高さをあらわすものである。これは**再検査法**といわれる信頼性を検証する一つの方法であり，1回目の得点と2回目の得点の相関係数の大きさによって信頼性が評価される。この他に**折半法**といわれる検証方法がある。例えば100問の質問から構成される検査の信頼性を調べるとき，質問を奇数問と偶数問の質問群（2つの〔下位〕検査）に折半して，同一群にこの両者を実施して，2つの（下位）検査の相関係数の大きさを調べる。その相関値が高ければ，その検査の信頼性は高いといえる。

信頼性は検査の「ものさしとしての安定性」を示すもので，同じものさしを使って同一対象を測ったときに，いつも結果が異なるようでは信頼性は低い。

3. 実 用 性

検査に要求されるもう一つの条件は**実用性**である。これは妥当性や信頼性とは質の異なる検査の性質である。

検査はさまざまな場面でさまざまな対象に対して実施されるものであるから，その場面，その対象に応じて「使いやすい」ものでなければならない。ノーベル賞がもらえるような立派な検査でも実施に要する時間がまる一日かかるとしたら，それはよい検査とはいえない。学校で使われる検査は長くても高校の1～2時限（50分～100分），病院の臨床場面で用いられる検査ならば30分～90分，採用試験であれば30分～90分程度であろう。

またオーティスが指摘するように「採点」や「解釈」のしやすさも大切な条件である。

特に学校・教育や企業・職場で検査が使われる場合，実施者が検査の専門家でない場合が多い。したがって，手引書やマニュアルをよく読めば，誰にでも比較的簡単に「実施」「採点」「解釈」ができるように作成されていることが重要な条件となる。それには，その検査の実施法，採点法，解釈の方法が「標準化されている」ことが一つの重要な前提となる。ただし，専門家しか使えない検査または専門家しか使ってはいけない検査，例えば個人法の知能検査や人格検査の投影法やクレペリン作業検査，あるいはMMPIのような精神病的傾向をみる検査は十分に訓練を受けた者が使うべきである。

6節　心理アセスメント法の実施と解釈上の留意点

　心理アセスメント法，特に心理検査法においては検査を正しく実施し，結果を正しく解釈することが要求される。実施についていえば，ビネー式の知能検査を幼稚園の園児に実施したとき，園児がよく知っている先生とはじめての先生が実施した場合，得られた結果（IQ）にかなりの差があることが報告されている（前者の方が得点が高く出る）。これは検査者効果ともいわれ，検査の実施にはいわゆるラポールの形成が重要であることを意味している。特に能力面をみる検査では受検者が「意欲的に」「まじめに」検査に取り組むことが重要であり，検査者は受検者のもっている能力を最大限に引き出す工夫をしなければならない。検査に対する「動機づけ」をうまく行うことが大切である。

　検査結果の解釈で留意したいことは，いたずらに拡大解釈をしないことである。また検査の結果は数字であらわされるので，ともすれば，受検者にレッテル貼りをしてしまう恐れがある。得点はある程度の幅をもって受けとめる（解釈する）必要があるし，能力検査の得点が低いからといって，その人の価値を決めつけてしまうのは間違いである。人間の特性には能力や学力以外にさまざまの特性があることを認識すべきである（1節の図17.1参照）。

　検査の実施や解釈，または採点においては手引書やマニュアルに忠実に従って正確に行うことが大原則である。

7節　心理アセスメント法と倫理問題

　心理アセスメント法を用いる者にとって，倫理問題は避けて通ることはできない。米国では心理検査が使われるさまざまな場面で倫理的な問題が生じたり，カウンセラーとクライエントの間にセクシュアルな問題が生じたりして，訴訟が起こったりするケースがよくある。したがってAPA（American Psychological Association；アメリカ心理学会）の**倫理綱領**はきわめて詳細なものとなっている（アメリカ心理学会，1992）。

　APAではこの綱領の出版以前に8冊もの倫理綱領を出版しており，わが国

とはまったく比べものにならないくらい倫理問題は大きく扱われてきた。APAの倫理綱領の中で「倫理基準」の章の第2節の「評価，アセスメント，または介入」に関する規定の中で，特に重要とみなしうる項目はアセスメントの結果の「**説明責任**」について記した部分である。アセスメント実施者は受検者に対して適切な説明責任があることが記されている（もちろん説明は慎重を要するが）。

表17.4 受検（験）者の権利の保護（米国教育学会ほか，赤木・池田監訳，1993）

【規準16.3】
　受検（験）者の個人名がわかるテスト結果は，法律の請求のない限り，受検（験）者またはその正当な代理人の同意なくしては，いかなる個人，組織へも提供してはならない。個人名がわかるテスト得点は，ある特定の場合で，合法的，専門的な関心を持つものにのみ利用可能とすべきである。

【規準16.5】
　データファイルに保存したテスト結果のデータは，不正な漏洩に対して十分に保護しなければならない。タイム・シェアリングのネットワーク，データバンク，その他の電子情報処理システムの利用は，機密の保持が十分に保証されている状況に限るべきである。

表17.5 心理医療諸学会連合倫理綱領（1997）

　心理医療諸学会連合は，心理学と医学における，諸学会間の相互理解と学術的交流を深め，総合的発展を図ることを目的とするものである。本連合は，その目的を実現するための諸活動を行うにあたって，人間の心身の健康の向上と維持を第一に考え，人間の本質的人権を認め，自由と幸福の追求の営みを尊重しなければならない。
　上記の趣旨に基づき，以下の条項を定める。
1．社会的責任の自覚
　心理医療諸学会連合（以下本連合と称する）は，自らの活動が社会に与える影響を十分に認識し，個人の幸福と福祉，社会への貢献を目指して，常に努力をしなければならない。
2．人権の尊重
　本連合は，個人のプライバシーを侵害しないように，また，常に個人の尊厳を尊重すべく，十分に配慮しなければならない。
3．社会的規範の遵守
　本連合は，自らの活動が法や道徳を逸脱しないように十分に留意し，常に良心に基づいて活動を行わなければならない。
4．情報・資料の管理
　本連合は，収得した情報や資料については，これを厳重に管理し，みだりに他に漏らしたり，本来の目的以外に使用してはならない。
5．公開・公表に伴う責任
　本連合は，収得した情報や資料を社会に向けて公開・公表する場合は，学術研究団体としての立場を十分に自覚し，虚偽や誇張のないよう十分に配慮し，その権利と責任を明確にしなければならない。

17章　心理アセスメント

　また表17.4は米国教育学会・米国心理学会・全米教育測定協議会（1985）の『教育・心理検査法のスタンダード』の中から重要な2項目を引用したものである。「受検(験)者の権利の保護」についての2項目（規準16.3，16.5）においては個人のプライバシーの保護とデータの管理，機密の保持を記したものである。

　表17.5はわが国の「心理医療諸学会連合」（心理学と医学関係の学会の連合体〔2001年現在14学会で構成〕）が規定した倫理綱領である。倫理綱領には，いずれも心理検査の利用，作成にたずさわる者が守らなければならない重要な事柄が規定されている。

（織田正美）

☞ さらにもう一歩先へ

1. 心理アセスメント法をカウンセリングや面接場面で用いるとき，どのような点に留意したらよいのか考えてみよう。
2. 児童・生徒に心理検査法を実施するときと大学生や成人に実施するときの留意点を比較してみよう。
3. 「人間」を評価し，診断し，その結果を解釈し，対象者に「フィードバック」する際にどんなことに注意したらよいかを倫理綱領における「説明責任」との関係で考えてみよう。

引用・参考文献

上里一郎（監修）　1993　心理アセスメントハンドブック　西村書店
米国教育学会・米国心理学会・全米教育測定協議会　1985　赤木愛和・池田　央（監訳）　1993　教育・心理検査法のスタンダード　図書文化
アメリカ心理学会　1992　冨田正利・深澤道子（訳）　1996　サイコロジストのための倫理綱領および行動規範　日本心理学会
浅井邦二ほか　1985　現代心理学入門　実務教育出版
Buros O. K. (Ed.)　1997　*Mental Measurement Yearbook.* The Gryhon Press.
藤士圭三ほか（編）　1987　心理検査の基礎と臨床　星和書店
堀　洋道ほか（編）　1994　心理尺度ファイル　垣内出版
Pawlik, K. & Rosenzweig, R. M. (Eds.)　2000　*The international handbook of psychology.* Sage.
松原達哉（編）　1997　心理検査法入門　日本文化科学社
日本発達心理学会（監修）　2000　心理学・倫理ガイドブック──リサーチと臨床

有斐閣
日本健康学習研究会　1999　健康心理・教育学研究, Vol. 5, No. 1.　特集：健康心理アセスメント基本ガイド　日本健康心理学研究所
日本健康心理学会（編）　1997　健康心理学辞典　実務教育出版
織田正美　1991　21世紀への人材の選抜と育成　吉川栄一（編）　21世紀への人事戦略　日本生産性本部
渡部　洋（編著）　1996　心理検査法入門　福村出版

人名索引

ア 行
アイゼンク(Eysenck, H. J.)　　128, 231
浅野俊夫　45
アッシュ(Asch, S. E.)　　149, 158
アトキンソン(Atkinson, J. W.)　　82
アドラー(Adler, A.)　　20, 129, 132
安倍北夫　161
アレンソン(Arenson, S. J.)　　72
アンダーソン(Anderson, H.)　　208, 268
アンダーソン(Anderson, J. R.)　　59, 61
アンデルセン(Andersen, T.)　　208

イ 行
イエンシュ(Jaensch, W.)　　125
板倉聖宣　252
厳島行雄　52
岩本隆茂　77
岩脇三良　94
インケルス(Inkeles, A.)　　171

ウ 行
ヴィゴツキー(Vygotsky, L. S.)　　106, 110
ウィリアムズ(Williams, K. D.)　　156
ウェクスラー(Wechsler, D.)　　147
ウェルトハイマー(Wertheimer, M.)　　33, 51
ウォーフ(Whorf, B. L.)　　46
ウォルピ(Wolpe, J.)　　195
内田勇三郎　278
ウッドワース(Woodworth, R. S.)　　96
ヴント(Wundt, W.)　　i, 66, 211

エ 行
エインズワース(Ainsworth, M. D. S.)　　167
エクマン(Ekman, P.)　　96, 97
エビングハウス(Ebbinghaus, H.)　　51
エプストン(Epston, D.)　　208, 210
エリクソン(Erikson, E. H.)　　20, 106, 111, 112, 117, 118, 253

エリス(Ellis, A.)　　230, 238

オ 行
オグデン(Ogden, J.)　　229
小此木啓吾　166
オースベル(Ausbel, D. P.)　　252
オーティス(Otis, A.)　　282, 284
オールズ(Olds, J.)　　186
オルポート(Allport, F. H.)　　155
オルポート(Allport, G. W.)　　121, 122, 127, 135, 161, 212

カ 行
ガザニガ(Gazzaniga, M. S.)　　182
カシオッポ(Cacioppo, J. T.)　　155
梶田叡一　245
ガスリー(Guthrie, E. R.)　　21
カーディナー(Kardiner, A.)　　171
ガードナー(Gardner, B. T.)　　43, 44
ガードナー(Gardner, R. A.)　　43, 44
カラセック(Karasek, R. A.)　　270

キ 行
ギブソン(Gibson, J. J.)　　35-37
ギャッチェル(Gathel, R. J.)　　16
キャッテル(Cattell, R. B.)　　20, 129, 142, 147
キャノン(Cannon, W. B.)　　92, 232
キャプラン(Caplan, G.)　　219, 221
キリアン(Quillian, M. R.)　　59
キルケゴール(Kierkegaard, S. A.)　　22
ギルフォード(Guilford, J. P.)　　51, 127, 128, 143

ク 行
グッドマン(Goodman, L.)　　148
久保真人　152
クランツ(Krantz, D. S.)　　16
クレッチマー(Kretschmer, E.)　　124, 140
クレペリン(Kraepelin, E.)　　278

クロンバック (Cronbach, L. J.) 150, 251

ケ 行
ゲージ (Gage, P.) 178
ゲゼル (Gesell, A. L.) 103, 248
ケーラー (Köhler, W.) 48
ケリー (Kelley, H. H.) 151, 152

コ 行
古沢平作 132
コース (Kohs, S. C.) 147
コーチン (Korchin, S. J.) 15
コリンズ (Collins, A. M.) 59
ゴールドシュタイン (Goldstein, K.) 135, 212

サ 行
ザイアンス (Zajonc, R. B.) 157
サイモン (Simon, H. A.) 51
サイモンズ (Symonds, P. M.) 138, 139
サーストン (Thurstone, L. L.) 142
サピア (Sapir, E.) 46
サリヴァン (Sullivan, H. S.) 20
サルトル (Sartre, J. -P.) 22

シ 行
ジェイコブセン (Jacobsen, C.) 178
ジェイコブソン (Jacobson, E.) 195
ジェームズ (James, W.) 91, 245
シェリフ (Sherif, M.) 158
シェルドン (Sheldon, W. H.) 125
ジェンセン (Jensen, A. R.) 104
ジェンドリン (Gendlin, E. T.) 135, 218
清水弘司 168
下山晴彦 206, 209, 210
シャクター (Schachter, S.) 92, 151
シャノン (Shannon, C. E.) 58
シャンク (Schank, R. C.) 61
シュッツ (Schutz, A.) 259
シュテルン (Stern, W.) 138
シュプランガー (Spranger, E.) 125
ジュベ (Jouvet, M.) 186
シュルツ (Schultz, J. H.) 195
シュロスバーグ (Schlosberg, H.) 91,
96
ジョーンズ (Jones, E. E.) 151
シンガー (Singer, J. E.) 13
ジンバルドー (Zimbardo, P. G.) 3, 14

ス 行
スキナー (Skinner, B. F.) 21, 65, 68, 69, 72, 77, 78, 95, 106, 249
杉万俊夫 159
スターン (Stern, Y.) 74
ストーナー (Stoner, J. A. F.) 157
ズナニエツキ (Znaniecki, F.) 151
スピアマン (Spearman, C.) 142
スピールバーガー (Spielberger, C. D.) iii, 93, 94
スペリー (Sperry, R.) 180
スメルサー (Smelser, N. J.) 159

セ 行
セイヤー (Thayer, R. E.) 93
セリエ (Selye, H.) ii, 232
セリグマン (Seligman, M. E. P.) iii, 85, 242

ソ 行
曽我祥子 94
ソーンダイク (Thorndike, E. L.) 68, 249, 276

タ 行
高橋雅治 77
タジウリ (Tagiuri, R.) 150
ターナー (Turner, R. H.) 159
ターマン (Terman, L. M.) 146
タルビング (Tulving, E.) 54, 58

チ・ツ行
チャイキン (Chaiken, S.) 155
チョムスキー (Chomsky, N. A.) 44-46
辻岡美延 127

テ 行
テイト (Tate, A. K.) 198
デカルト (Descartes, R.) 90
デボノ (De Bone, E.) 51

人名索引

デュボア (DuBois, C.)　171
デュルケーム (Durkheim, E.)　155
テーラー (Taylor, F. W.)　263, 270
テラース (Terrace, H. S.)　44

ト 行

土居健郎　166
ドゥンカー (Duncker, K.)　51
トーマス (Thomas, W. I.)　151
トールマン (Tolman, E. C.)　21, 96, 211, 249

ニ・ノ 行

ニューウェル (Newell, A.)　51
ニール (Neill, A. S.)　255
野口京子　16, 18

ハ 行

ハイダー (Heider, F.)　150, 151
ハイデッガー (Heidegger, M.)　22
バウアー (Bower, G. H.)　61
ハヴィガースト (Havighurst, R. J.)　106
バウム (Baum, A.)　13, 16
パヴロフ (Pavlov, I. P.)　65, 66, 69, 72, 249
バーガー (Berger, S. M.)　73
パーク (Park, R. F.)　159
バーシャイド (Berscheid, E.)　152
バス (Bass, B. M.)　260
ハーズバーグ (Herzberg, F.)　264
バッドリー (Baddeley, A. D.)　56
バーデン (Burden, R. L.)　250
バード (Bard, P.)　92
ハル (Hull, C. L.)　21, 211, 249
パールズ (Perls, F. S.)　230
バルテス (Baltes, P. B.)　101, 104
ハルトマン (Hartmann, H.)　20
ハーロウ (Harlow, H. F.)　105
バーン (Berne, E.)　20, 219
バンデューラ (Bandura, A.)　8, 75, 82, 83, 154

ヒ 行

ピアジェ (Piaget, J.)　106, 107, 109, 144, 248, 249
肥田野直　17, 94
ビネー (Binet, A.)　146
ヒポクラテス (Hippocrates)　125
ビューラー (Bühler, C.)　135
ヒルガード (Hilgard, E. R.)　66
ピンカー (Pinker, S.)　44
ビンスワンガー (Binswanger, L.)　22

フ 行

プアーラー (Pfahler, G.)　125
ファルソム (Falsom, J. C.)　74
フィルモア (Fillmore, C. J.)　61
フェスティンガー (Festinger, L.)　92
福原眞知子　94
藤永　保　105
ブラウン (Brown, R. W.)　160
フランクル (Frankl, V. E.)　22, 23, 135
フリーダ (Frijda, N. H.)　89
フリードマン (Friedman, M.)　230
ブルース (Bruce, V.)　60
プルチック (Plutchik, R.)　90
ブルーナー (Bruner, J. S.)　iii, 148, 150, 159, 252
ブルーム (Bloom, B. S.)　251, 257
プレマック (Premack, K. D.)　45
ブロイアー (Breuer, J.)　19
フロイト (Freud, S.)　19, 20, 66, 111, 129-133, 166, 210, 215
ブローカ (Broca, P. P.)　175
ブロードマン (Brodmann, K.)　173, 174
フロム (Fromm, E.)　20, 129, 166, 171

ヘ 行

ヘイズ (Hayes, C.)　44
ヘイズ (Hayes, K. J.)　44
ヘイヤー (Haire, M.)　272
ヘッブ (Hebb, D. O.)　105
ペティ (Petty, R. E.)　155
ペトラゼロ (Petruzzello, S. J.)　198
ベネディクト (Benedict, R. F.)　169, 171
ベム (Bem, D. J.)　151
ヘリング (Hering, K. E. K.)　31
ヘルムホルツ (Helmholtz, H. von)　30

291

ペン(Penn, P.)　208
ベンソン(Benson, H.)　195

ホ　行
ポストマン(Postman, L.)　161
ホーナイ(Horney, K.)　20,129
ホフマン(Hoffman, L.)　208
ホブランド(Hovland, C. I.)　151,155
ホームズ(Holmes, T. H.)　232
ホール(Hall, G. S.)　118
ポルトマン(Portmann, A.)　113
ホワイト(White, M.)　208,210,268

マ　行
マー(Marr, D.)　36,38,39
マウラー(Mowrer, O. H.)　95,96
マクドゥーガル(McDougall, W.)　155
マクレランド(McClelland, D.)　81
マズロー(Maslow, A. H.)　21,81,135,136,212,230,264
マタラッゾー(Matarazzo, J. D.)　iii,10
松沢哲郎　45
松原秀樹　195
マレー(Murray, H. A.)　81

ミ・ム行
ミード(Mead, M.)　167
ミュンスターベルク(Münsterberg, H.)　259,260
ミラー(Miller, G. A.)　ii,54
ミラー(Miller, N. E.)　4,72
ミンデル(Mindell, A.)　217
室伏靖子　45

メ・モ行
メイ(May, R.)　21,135,212
メイヨー(Mayo, E.)　260
本明寛　127,128
モニス(Moniz, E.)　178

ヤ・ユ行
ヤスパース(Jaspers, K.)　22
矢田部達郎　127
山中一英　152

山本和郎　213
ヤング(Young, A. W.)　60
ヤング(Young, T.)　30
ユング(Jung, C. G.)　20,118,125,129,132-134,230

ラ　行
ラ・ピエール(LaPiere, R. T.)　153
ラザルス(Lazarus, R. S.)　ii,89,97,232
ラタネ(Latané, B.)　156,157
ランゲ(Lange, C.)　91
ランボー(Rumbaugh, D. M.)　45

リ　行
リーヴィット(Leavitt, H. J.)　260
リーバーマン(Lieberman, P.)　44
リベンソン(Revenson, T. A.)　13
リントン(Linton, R.)　171

ル・レ行
ル・ボン(LeBon, G.)　159,160
ルソー(Rousseau, J.-J.)　246
レヴィン(Lewin, K.)　155,158
レーエ(Rahe, R. H.)　232

ロ　行
ロジャーズ(Rogers, C. R.)　21,135-137,212,218
ローゼンツバイク(Rosenzweig, M. R.)　176
ローゼンツワイク(Rosenzweig, S.)　125
ローゼンバウム(Rosenbaum, M. E.)　72
ローゼンバーグ(Rosenberg, M. J.)　151
ローゼンマン(Rosenman, R. H.)　230
ローレンツ(Lorenz, K.)　105

ワ　行
ワイナー(Weiner, B.)　82,151
ワトソン(Watson, J. B.)　ii,18,20,21,66,90,95,103,211

事項索引

ア 行

IQ　262, 263, 281
アイコニック・メモリ　55
愛着　114, 167
ACT　61
アセスメント　16, 18, 256
アセスメントの方法　17
アダルト　219
Aha 現象　48
アフォーダンス　37
甘え　166
アメリカ心理学会　13, 227, 285
アルツハイマー型老年痴呆　74
R 波　192
α 波　183, 193
安定化　267
暗黙裡のパーソナリティ観　150

イ 行

EQ　262, 263
生きる力　1, 247
意識　133
意思決定のカウンセリング　239
一次予防　234
一般因子　142
遺伝と環境　103, 138
遺伝論　123
イド　129, 210
意味記憶　56
意味記憶モデル　57
意味ネットワークモデル　59
イメージ　57
いやし(癒し)　170, 172
eLearning　71
陰影　35
因果関係　7
因子分析　142
因子分析法　127
印象形成　149
インターネット　71
インフォームド・コンセント　3, 6, 103

ウ 行

WISC　147
WAIS　147
ウエーバーの法則　29
ウェルニッケ失語　47
ウェルニッケ野　47
ウェルニッケ領　175
ウェルビーイング　2, 13, 227, 235
後ろ向き解決法　50
右脳　180
運動機能障害　108
運動再生過程　75
運動残効　41
運動視差　35
運動の知覚　39
運動野　174

エ 行

エイジング　119
エイブ・ランゲージ　44
エキスパート　145
エクササイズ　235
エス　129, 210
S-R　ii, 96
S 因子　142
エディプス・コンプレックス　132
エピソード記憶　56
エピネフリン　194
fMRI　190
MRI　48
LNR モデル　61
遠近法説　31
援助専門職　206
エンドルフィン　200
エンドルフィンハイ　200
エンパワーメント　268, 269

オ 行

応用研究　8
応用心理学　2, 9
大きさの遠近法　34

OJT　263
オペラント行動　69
オペラント条件づけ　65
オペラント心理学　77
音声言語　40
音声知覚　40

カ　行

快感原則　130,216
外向型　134
解釈機構　183
概念駆動型処理　57
回避と感情の麻痺　223
カウンセリング心理学　12
顔認識モデル　60
科学的管理法　263
課業　261
角回　47,175
格効果　49
学習　64,72
学習心理学　249
学習性無力感　85
学習組織　266
学習の社会的相互作用モデル　250
学習ロボット　76
確証バイアス　49
覚醒亢進　223
カクテルパーティ現象　57
獲得性動機　81
仮現運動　41
重なり合い　35
仮説実験授業　252
可塑性　101
学級崩壊　254
学校心理学　12,256
活動水準　91
カテコラミン　198
カリスマ・リーダーシップ　269
感覚　27
感覚運動期　248
感覚運動的段階　107
感覚運動的知能　144
感覚器官　27
感覚障害　108
感覚登録器　55

眼球運動　183
眼球運動説　31
環境閾値説　104
環境心理学　12
環境説　144
観察　3,15
観察学習　72,154
観察法　5,17,275
換算点　281
干渉　54
感情　88
感情語　89
冠状動脈性心疾患　230
完全習得学習　251
感染説　159,160
感染モデル　160
寛大効果　276

キ　行

記憶　51
記憶術　54
記憶障害　74
幾何学的錯視　31
危機介入　221
企業内教育訓練　263
企業倫理　262,266
危険因子　234
記述　5
基準関連的妥当性　283
帰属理論　82,151
基礎研究　8
期待理論　265
機能的固定性　50
気分　93
基本的帰属錯誤　50
基本的パーソナリティ型　171
基本的パーソナリティ構造　171
きめの勾配　35
キャノン・バード説　92
急速眼球運動　184
QOL　i,3,4,235
教育心理学　12,244
教育心理学の不毛性　245
教育評価　256
教育臨床行動変容　78

294

強化刺激　70
強化スケジュール　70
強化理論　73
共感的理解　218
教授＝学習過程　245,249
教授心理学　250
恐怖の条件づけ　66
虚構性尺度　278
均衡化　109
近接の要因　33
筋電図　183
勤務評定　265

　　　ク　行
具体的操作(期)　144,248
具体的操作段階　107,109
クライエント中心療法　136
グルココルチコイド(コルチゾル)　194
グループ・ダイナミックス　155
群化　33
群集　159,160
群集雪崩　161

　　　ケ　行
計算論的アプローチ　53,59
計算論的視覚理論　36
形式的操作(期)　144,248
形式的操作段階　107,109
形成的評価　257
係留効果　50
ゲシュタルト心理学　33,64,171
ケーススタディ面接　15
血液型と性格　126
結実因子　221
結晶性知能　142
欠乏動機　135,264
原因帰属　151
元型　134
健康　13,227,228
健康教育　236
健康心理カウンセリング　237,238
健康心理学　13,226,228,241
健康とパーソナリティ　230
健康なパーソナリティ　230
言語性知能指数　147

言語相対性仮説　46
言語の獲得　43
言語野　175
顕在記憶　58
検索　54
検査法　17
現実原則　130,216
現象学的視点　212
現存在分析　22
見当識障害　74
健忘症　54
権力動機　82

　　　コ　行
光学的流動　35
交感神経　191
恒常性　32
構成概念妥当性　283
構造化面接　15,275
行動カウンセリング　239
行動観察法　215
行動主義　18,20,88,211
行動主義心理学　20,48,64,135,211
行動・認知・情緒障害　108
行動の理解図式　10
後頭葉　173
行動療法　78,216
公平化　267
合理化　131
交流分析　20,219
五感　27
顧客満足　271
呼吸　192
刻印づけ　105
国民性　171
心の傷　223
こころの健康　228
個人中心の体制化　97
個人的無意識　133
個人的要因　104
個人面接　275
個性化　267
個性化の過程　134
個性記述的視点　212
個体発達分化の図式　253

古典的条件づけ　65
語の爆発的増加　43
コーピング　232
コミュニティ心理学　212
コンサルタント　221
コンサルティ　221
コンサルテーション　221
コンフリクト　86
コンプレックス　132,133

　　　サ　行
再訓練　266
再検査法　284
再現像　174
再体験　223
細長型　124
作業記憶　74
作業記憶モデル　56
作業検査法　215,278
作業効率　270
錯視　31
錯覚　31
査定　256
左脳　180
サピア＝ウォーフ仮説　46
サマーヒル・スクール　255
参加観察法　275
産業心理学　12,259
産業・組織心理学　260
3原色説　30
3項強化随伴性　70
3次元因子モデル　143
3次元モデル表現　38
三次予防　234

　　　シ　行
G因子　142
CAI　71
ジェームズ・ランゲ説　91
ジェンダー　167
ジェンダー・アイデンティティ　168
自我　130,211
視覚野　173
自我心理学　20
自我同一性　20

自我同一性の確立　118
自我同一性の混乱　118
刺激閾　29
刺激制御　70
刺激般化　67
刺激―反応　ii,53,135
刺激―反応のパラダイム　211
次元研究　96
自己意識　180
自己一致　218
思考　48
試行錯誤学習　68
自己概念　137
自己決定　102
自己効力　8,75,82,83
自己効力感　83,241,256,266,268
自己実現　135,264
自己制御　8
仕事への動機づけ　264
思春期拒食症　168
自然回復　68
自然観察法　275
自尊感情　256
実験　11,14
実験観察(法)　15,275
実験群　14
実現傾向　136
実験心理学　11
実験的アプローチ　53
実験方法　14
失語症　47
実証に基づく臨床心理学　206
実存主義心理学　22
疾病とパーソナリティ資源　230
質問紙検査法　17,277
質問紙法　215
質問紙法面接　15
実用性　284
実用的知能　144
CT　48
CD理論　61
自動運動　41
児童虐待　220
自発的行動　68
示範　72

事項索引

GPS　51
社会構成主義　207,208
社会心理学　11,148
社会的学習　64,72
社会的学習理論　75,154
社会的性格　171
社会的促進　155
社会的態度　151
社会的知能　144
社会的手抜き　156,157
社会的動機　81
社会的認知　148
社会的認知理論　266
社会的補償　156
自由意思　180
習慣的反応　129
集合行動　158
従属変数　15
集団　155
集団規範　158
集団極性化　157
集団決定　158
集団中心の体制化　97
集団面接　275
自由な学校　255
自由面接　15
収斂説　159,160
自由連想(法)　19,216
主観的経験　iii
受検(験)者の権利の保護　287
主訴　214
手段＝目的分析　50
出生前診断　102
順次接近法　70
順応　29
昇華　131
生涯発達　101
生涯発達心理学　101,249
消去　68
状況論　123
条件刺激　67
条件づけ　64
条件づけ情動反応　95
条件反射学　66
条件反応　66

象徴的過程　96
象徴的思考段階　107,109
情動　88
情動環　90
情動中心の対処　89
情動特性　92
情動表現　98
消費行動　272
情報遊び　116
情報処理　58
情報統合　177
初期経験　105
職位　261
職務　261
職務拡大　270
職務経歴　261
職務再設計　264
職務充実　270
職務分析　261
職務満足　264
初頭効果　149
除波　183
除波睡眠　183
自律訓練法　195
新教育運動　255
新近効果　149
神経細胞　179
神経伝達物質　179
人工知能　51,76,144
新行動主義　21,211
人事アセスメント　263
人事管理　260
人事考課　265
人事心理学　260
深層構造　46
心的回転　57
心的構え　50
心電図　192
信念バイアス　49
心拍数　192
親密　152
親密行動　152
信頼性　214,283
心理アセスメント　15,17,213,239,273
心理カウンセラー　1

297

心理言語学　45
心理検査法　214, 277
心理・社会的危機　112
心理的医療　10
親和動機　82

　ス　行
随意運動の命令　174
随伴陰性変動　189
睡眠周期　185
睡眠ポリグラフィ　183
睡眠遊行　185
推論　49
スキナーボックス　69
スキーマ　57
スキル　262
救い　170
スクリプト　57
スクールカウンセラー　12
STAI　94, 95
ステロイドホルモン　194
図と地　32
ストレス　193, 231
ストレスコーピング　232
ストレス反応　ii, 193
ストレッサー　ii, 193, 232, 270
スモールステップ　71

　セ　行
生育環境　176
性格　121, 123, 177
性格検査　215, 277
性格・人格の座　178
生活習慣病　236
生活体　i, 96
生活の質　3, 4
制御　3, 7
精査可能性モデル　155
精神医学　205
精神世界　170
精神年齢　146
精神分析　19, 129, 135, 210
精神分析的個体発達分化の図式　117
精神分析療法　215
精神免疫学　196

生成文法　45
生態学的知覚理論　35
成長動機　135, 264
性同一性　168
生得説　144
生物的動機　80
生命の質　4
生理指標　188
生理心理学　11, 188
生理的動機　80
生理的早産　114
セクシャル・アイデンティティ　168
世代・文化的要因　104
絶対評価　257
折衷的立場　128
説得的コミュニケーション　154
折半法　284
説明　5
説明責任　266, 286
セム（SEM）　183
セルフエフィカシー　83, 266
宣言的記憶　62
潜在記憶　58
漸進的弛緩法　195
センスメーキング　272
前操作期　248
前頭葉　173
前頭葉ロボトミー　178
前頭連合野　177

　ソ　行
躁うつ気質　125
相関関係　7
創造的思考　51
相対評価　257
創発規範説　159, 160
相貌失認　60
側頭葉　173
組織心理学　260
ソーシャル・サポート　233
素朴心理学　151

　タ　行
大気遠近法　34
体験過程理論　218

事項索引

対人関係の認知　150
対人認知　149
体制化　33
体性感覚野　174
態度　151
態度と行動の関係　153
態度変容　154
第二次性徴　113
大脳皮質　173,176
代表性　49
タイプA行動　230
タイプC　231
代理経験　72,75
代理的古典条件づけ　73
多因子説　142
多義図形　33
タキストスコープ法　181
達成動機　81
妥当性　214,282
ダブル・ループ・ラーニング　266
段階説　106
短期記憶　55
探索行動　70

チ 行

知覚　27
知性　143
知的障害　108
知能　142
知能検査　142,214,277
知能指数　146
知能偏差値　146
チャイルド　219
チャンク　54
注意　57
注意過程　75
中心溝　174
中性刺激　67,95
中年期危機　253
聴覚経験　40
聴覚野　174
長期記憶　55
調査法　17,279
超自我　130,211
調節　35,110

直線遠近法　34
直観的思考段階　107,109

テ 行

手遊び　116
TLC　59
抵抗　216
手がかり理論　34
適応　253
適応機制　256
適刺激　29
適性処遇交互作用　251
適切な依存　166
データ　5
データ駆動型処理　57
手続きの記憶　62
徹底的行動主義　69
転移　216

ト 行

投影　131
投影法　17,215,279
同化　109
動機づけ　80
動機づけ衛生要因理論　264
動機づけ過程　75
瞳孔　191
動作性知能指数　147
洞察学習　48
闘士型　124
統制群　14
同調行動　158
頭頂葉　173
動物の夢　185
特殊因子　142
特殊的反応　129
読唇術　28
特性　127
特性不安　94
特性論　127
独立変数　15
ドーパミン　179
トラウマ　223
ドリーミング　217
ドリームボディ　217

299

ナ 行
内観法　275
内向型　134
内発的動機　80
内容的妥当性　283
ナラティブ・セラピー　208
難問発生状況　219

ニ 行
二因子説　142
二重貯蔵モデル　55
二次予防　234
ニューラルネットワーク　62
ニューロン　173
人間工学心理学　12
人間主義　ii, 88
人間性心理学　21, 135, 206, 212
認知行動療法　195, 218, 222
認知心理学　43, 64, 250
認知地図　57
認知の歪み　276

ネ 行
ネガティブな情動　90, 98
年齢尺度　146
年齢・成熟的要因　104

ノ 行
脳溝　173
脳内麻薬　199
脳のイメージング　190
脳の機能地図　173
脳波　183, 188
脳波パターン　183
ノルエピネフリン　194
ノンレム睡眠　184
ノンレム睡眠の夢　185

ハ 行
バイオフィードバック　193
媒介理論　73
恥　169
恥の文化　169, 171
パーソナリティ　121, 167, 230
パーソナリティ形成　252

発見学習　251
発達課題　106, 253
発達障害　108
発達心理学　11, 101
発達段階説　107
発達の最近接領域　110
発達の文化心理学　171
発達＝文化獲得理論　110
パニック　159
パニック障害　222
HAM　61
バランス理論　150
ハロー効果　276
半構造化面接　15, 275
反対色説　31
反転図形　33
反応形成　70

ヒ 行
ピアジェ理論　248
比較文化研究　167
非構造化面接　15, 275
P300　189
非指示的カウンセリング　136
非侵襲脳機能計測　190
PTSD　223, 228
PDP　59
PDPモデル　62
人と環境との適合　213
皮膚電気反応　192
肥満型　124
ヒューリスティックス　49
ヒューリスティック処理　155
標準得点　281
表情写真　91, 96
表象的思考　144
表象的思考段階　107
表層構造　46
非理性的ビリーフ　238

フ 行
フォーカシング　218
フォーカシング指向心理療法　218
副交感神経　191
輻輳　34

輻輳説　138
腹話術効果　28
符号化　53
符号化特殊性原理　54
不思議な数 7±2　54, 55
不適応　253
不適刺激　29
不変項　36
普遍的無意識　133
普遍文法　45
フラストレーション　86
フラストレーション耐性　86
フリースクール　255
フレーミング効果　50
ブローカ失語　47
ブローカ野　47
ブローカ領　175
プログラム学習　251
プロセス指向心理学　217
プロダクション・システム　61
ブロードマンの脳地図　173
雰囲気効果　49
文化　ii, 164
文化公平検査　147
文化差　97
文化心理学　164
分割脳　180
分割脳研究　180
文化の型　171
分析心理学　133
分離脳　48
分離不安　114
分裂気質　125

ヘ　行

ペアレント　219
閉合の要因　33
並列分散処理　59
β-エンドルフィン　199, 200
β 波　183, 193
PET　28, 48, 190
偏差値　281
弁別閾　29
弁別刺激　70

ホ　行

防衛機制　131, 133, 256
忘却　54
保持　54
保持過程　75
ポジティブ・サイコロジー　iii, 242
ポジティブな感情　95
ポジティブな情動　90, 98
ホスピタリズム　138

マ　行

マガーク効果　28
マザリーズ　43

ミ　行

脈波　192
民主化　267

ム　行

無意識　19, 131, 133, 210
夢幻様行動　186
無条件刺激　67
無条件の肯定的関心　218
無条件反応　67
無力感　85

メ　行

命題　59
免疫系　196
面接法　15, 17, 275
メンターシップ　269
メンタルモデル　49

モ　行

網膜誘導場説　31
目撃証言　52
目標　82
モデリング　72, 154
物語　207
物語的思考モード　209, 210
物語療法　268
模倣学習　72
モラール　267
問題解決　50

ヤ・ユ行

やる気　267
有意味言語学習　252
誘導運動　41
夢体験　185

ヨ行

よい連続の要因　33
要求水準　84
抑圧　131
予測　3, 6
欲求　264
欲求階層理論　264
予防　234

ラ行

来談者中心カウンセリング　239
来談者中心療法　218
ライフコース　112
ライフサイクル　101, 112, 117, 253
ライフスタイル　10, 233
ラテラリティ　48
ラポール　214, 275
ランナーズハイ　199, 200

リ行

リアリティ・オリエンテーション　74
理性感情行動療法　238
理性的ビリーフ　238
リーダーシップ　269
利他動機　81
立方体構成検査　147
リハーサル　55
リビドー　111, 130

流言　161
流動性知能　142
領域固有の知能　144, 145
利用可能性　49
両眼視差　34
両耳分離聴　57
リラクセーション　193, 195
臨床心理学　11, 205
倫理綱領　285

ル行

類型　122, 205
類型論　122
類推　50
類同の要因　33

レ行

暦年齢　146
レスポンデント　67
レスポンデント行動　69
レディネス　248
レム（REM）　184
レム睡眠　184
レム睡眠の夢　185
連合野　177
連続説　106
連続と段階　105

ロ行

老年学　11
ロゴセラピー　23
論理科学的思考モード　209, 210
論理的誤差　276

執筆者一覧＜執筆順，（ ）内は執筆担当箇所＞

本明 寛	（まえがき，序章，5章）	監修者
斎藤 聖子	（1章）	大学評価・学位授与機構国際連携センター
西本 武彦	（2章）	早稲田大学
黒岩 誠	（3章）	明星大学
春木 豊	（4章）	早稲田大学
森 和代	（6章）	桜美林大学
久保田 圭伍	（7章，10章）	編 者
滝沢 武久	（8章）	電気通信大学
高橋 直	（9章）	武蔵工業大学
堀 忠雄	（11章）	広島大学
山崎 勝男	（12章）	早稲田大学
新田 泰生	（13章）	神奈川大学
野口 京子	（14章）	編 者
山本 多喜司	（15章）	広島大学
山田 雄一	（16章）	明治大学
織田 正美	（17章）	早稲田大学

トピック執筆者一覧＜執筆順＞

本明 寛	監修者
望月 聡	筑波大学
鈴木 健太郎	札幌学院大学
林 安紀子	東京学芸大学
金沢 創	日本女子大学
仲 真紀子	北海道大学
吉川 左紀子	京都大学
向後 千春	早稲田大学
大石 幸二	明星大学
中野 良平	名古屋工業大学
松本 忠久	秋田経済法科大学
相澤 まきよ	文化学園
森 和代	桜美林大学
山本 利和	大阪教育大学
森下 みさ子	聖学院大学
岡本 祐子	広島大学
尾見 康博	クラーク大学
久保田 圭伍	編 者
河東 仁	立教大学
滝沢 武久	電気通信大学
山﨑 瑞紀	東京都市大学
堀江 宗正	聖心女子大学
菅原 健介	聖心女子大学
島薗 進	東京大学
入戸野 宏	広島大学
宮内 哲	独立行政法人情報通信研究機構未来ICT研究センター
根建 金男	早稲田大学
若島 孔文	東北大学
藤見 幸雄	藤見心理面接室
野間 和子	野間メンタルヘルスクリニック
市井 雅哉	兵庫教育大学
餅原 尚子	鹿児島純心女子大学
杉田 秀二郎	文化女子大学
清水 安夫	国際基督教大学
野口 京子	編 者
有村 久春	昭和女子大学
森 敏昭	広島大学
杵渕 友子	城西大学
井上 直子	桜美林大学

監修者紹介
本明　寛（もとあき・ひろし）
早稲田大学名誉教授。日本健康心理学会名誉理事長。文学博士。主要著書に『第3のモノサシ』（ダイヤモンド社），『心豊かに生きる』（実務教育出版），主要訳書に『健康心理学入門』『ブリーフ・セラピー』（以上，金子書房）ほか。

編者紹介
久保田圭伍（くぼた・けいご）
桜美林大学名誉教授。
主要著書に『「心」とは？』（共著，丸善プラネット社），『ことば・ジェンダー』（共著，青磁書房）『現代宗教学・Ⅰ～宗教体験への接近』（共著，東京大学出版会），訳書に『人間心理と宗教』（大明堂）ほか。

野口京子（のぐち・きょうこ）
文化学園大学現代文化学部応用健康心理学科教授。日本健康心理学会常任理事。保健学博士。
M.S.W.。主要著書に『健康心理学』（金子書房），主要訳書に『健康心理学入門』『理性感情行動療法』（以上，金子書房），『ストレスの心理学』（実務教育出版）ほか。

最新・心理学序説

2002年4月25日　初版第1刷発行
2018年2月28日　初版第13刷発行

監修者　本明　寛
編者　久保田圭伍
　　　野口京子
発行者　金子紀子
発行所　株式会社　金子書房

〒112-0012 東京都文京区大塚3-3-7
電話03(3941)0111代／FAX03(3941)0163
振替　00180-9-103376
http://www.kanekoshobo.co.jp

検印省略© 2002, H. Motoaki et al.
ISBN978-4-7608-2594-3 C3011

印刷・藤原印刷／製本・宮製本所
Printed in Japan